NEW
서울대 선정
인문고전
60선

05
토마스 모어 **유토피아**

NEW 서울대 선정 인문 고전 ❺

만화 토마스 모어 **유토피아**

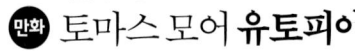

개정 1판 1쇄 발행 | 2019. 8. 21
개정 1판 2쇄 발행 | 2021. 9. 27

손영운 글 | 최정규 그림 | 손영운 기획

발행처 김영사 | 발행인 고세규
등록번호 제 406-2003-036호 | 등록일자 1979. 5. 17.
주소 경기도 파주시 문발로 197 (우10881)
전화 마케팅부 031-955-3100 | 편집부 031-955-3113~20 | 팩스 031-955-3111

값은 표지에 있습니다.
ISBN 978-89-349-9430-5
ISBN 978-89-349-9425-1 (세트)

좋은 독자가 좋은 책을 만듭니다. 김영사는 독자 여러분의 의견에 항상 귀 기울이고 있습니다.
전자우편 book@gimmyoung.com | 홈페이지 www.gimmyoungjr.com

이 도서의 국립중앙도서관 출판예정도서목록(CIP)은 서지정보유통지원시스템 홈페이지(http://seoji.nl.go.kr)와
국가자료종합목록시스템(http://www.nl.go.kr/kolisnet)에서 이용하실 수 있습니다. (CIP제어번호 : CIP2018042468)

어린이제품 안전특별법에 의한 표시사항

제품명 도서 제조년월일 2021년 9월 27일 제조사명 김영사 주소 10881 경기도 파주시 문발로 197
전화번호 031-955-3100 제조국명 대한민국 ⚠주의 책 모서리에 찍히거나 책장에 베이지 않게 조심하세요.

미래의 글로벌 리더들이 꼭 읽어야 할 인문고전을 만화로 만나다

NEW 서울대 선정 인문고전 60선

05 토마스 모어 유토피아

손영운 글 · 최정규 그림

주니어김영사

〈NEW 서울대 선정 인문고전60〉이 국민 만화책이 되기를 바라며

제가 대여섯 살 때 동네 골목 어귀에 어린이들에게 만화책을 빌려주는 좌판 만화 대여소가 있었습니다. 땅바닥에 두터운 검정 비닐을 깔고 그 위에 아이들이 좋아하는 만화책을 늘어놓았는데, 1원을 내면 낡은 만화책 한 권을 빌릴 수 있었지요. 저는 그곳에서 만화책을 보면서 한글을 깨쳤고 책과의 인연을 맺었습니다.

초등학교 때는 용돈을 아껴서 책을 사서 읽었고, 중학교 때는 학교 도서 반장을 맡아 도서관에서 매일 밤 10시까지 있으면서 참 많은 책을 읽었습니다. 그 무렵 헤밍웨이의 《노인과 바다》를 손에 땀을 쥐며 읽으면서 인생에 대해 고민했고, 헤르만 헤세의 《수레바퀴 아래서》를 읽으며 사춘기의 심란한 마음을 달랬습니다. 김래성의 《청춘 극장》을 밤새워 읽는 바람에 다음 날 치르는 중간고사를 망치기도 했습니다.

당시 저의 꿈은 아주 큰 도서관을 운영하는 사람이 되어 온종일 책을 보면서 책을 쓰는 작가가 되는 것이었습니다. 나이가 들고 어느 정도 바라는 꿈을 이루었습니다. 큰 도서관은 아니지만 적당한 크기의 서점을 운영하고, 글을 쓰는 작가가 되었거든요. 저는 여기에 새로운 꿈을 하나 더 보탰습니다. 그것은 즐거운 마음과 힘찬 꿈을 가지게 해 주고, 나아가 자기 성찰을 도와주는 좋은 만화책을 만드는 일이었습니다. 이렇게 해서 만든 책이 바로 〈서울대 선정 인문고전〉입니다. 서울대학교 교수님들이 신입생과 청소년들이 꼭 읽어야 할 책으로 추천한 도서들 중에서 따로 60권을 골라 만화로 만든 것입니다. 인류 지성사의 금자탑이라고 할 수 있는 고전을 보기 편하고 이해하기 쉽도록 만화책으로 만드는 일은 쉬운 일은 아니었습니다. 약 4년 동안에 수십 명의 학교 선생님들과 전공 학자들이 원서의 내용을 정확하게 전달할 수 있도록 밑글을 쓰고, 수십 명의 만화가들이 고민에 고민을 거듭하면서 만화를 그려 60권의 책을 만들었습니다.

〈서울대 선정 인문고전〉이 완간되었을 무렵에 우리나라에 인문학 읽기 열풍이 불기 시작했습니다. 〈서울대 선정 인문고전〉은 인문학 열풍을 널리 퍼뜨리는 데 한몫을 하면서 독자들의 뜨거운 사랑과 관심을 받았습니다. 덕분에 지금까지 수백만 권이 팔리는 베스트셀러가 되었습니다. 그 사랑에 조금이나마 보답을 하기 위해 《칸트의 실천이성 비판》, 《미셸 푸코의 지식의 고고학》, 《이이의 성학집요》 등 우리가 꼭 읽어야 할 동서양의 고전 10권을 추가하여 만화로 만들었습니다.

〈서울대 선정 인문고전〉은 어린이와 청소년이 부모님과 함께 봐도 좋을 만화책입니다. 국민 배우, 국민 가수가 있듯이 〈서울대 선정 인문고전〉이 '국민 만화책'이 되길 큰마음으로 바랍니다.

손영운

인류의 영원한 꿈 '유토피아'

드라마나 책을 보면 옛날에는 가난하고 신분이 낮은 사람들은 참 살기 어려웠다는 것을 알 수 있어요. 그들은 가진 것이 없어 굶기 일쑤였고, 추운 겨울에도 입을 옷이 넉넉지 않아 벌벌 떨었어요. 철저한 신분의 차이 때문에 아무리 열심히 공부를 해도 관직에 나가기 어려웠지요. 가진 것이 많고, 높은 자리에 있고, 힘이 센 사람들이 세상을 마음대로 움직였고, 그렇지 않은 사람들은 숨을 죽이며 고통스럽게 살았어요. 이러한 상황이 계속되면 사람들은 꿈을 꾸게 돼요. 불세출의 영웅이 나타나 자신들을 구원해 주는 꿈을 꾸거나, 아니면 어딘가에 이상적인 나라가 존재하여 그 곳으로 가서 행복하게 사는 꿈을 꾸게 되지요.

토마스 모어가 살았던 당시의 영국을 비롯해 유럽의 백성들은 참 힘들게 살았어요. 왕과 귀족들이 백성들을 착취하여 배부르게 살았고, 걸핏하면 전쟁을 일으켜 세력 다툼을 했거든요. 백성들은 하루하루 힘들게 살면서 언제 세상이 좋아지려나? 하고 머릿속으로 이상적인 나라를 꿈꾸었을 거예요. 토마스 모어는 백성을 사랑한 관리로서 이런 마음을 누구보다도 잘 알았죠. 《유토피아》는 바로 이런 백성들의 꿈을 담은 책이랍니다.

『유토피아 사람들은 하루에 6시간만 일을 한다. 오전에 3시간 일한 후, 점심을 먹고, 2시간 동안 휴식을 취한다. 그런 후 오후에 다시 3시간 일하고 저녁을 먹는다. 그들은 저녁 8시 무렵이면 잠자리에 들고, 8시간을 잔다. 그 나머지 시간은 원하는 대로 자유롭게 보낼 수 있다. 매

일 아침 일찍 공개강좌가 열리기 때문에 사람들은 여가 시간을 더 많은 교육을 받는 데 사용한다. 사람들은 계급이나 남녀의 구별이 없이 강좌를 들으려고 몰려 온다.』

토마스 모어는 하루에 6시간만 일하면 되는 나라, 여가 시간에 지적인 교육을 받아 정신을 고양시키는 데 사용하는 나라, 모든 일에 계급과 남녀의 구별이 없는 나라가 바로 유토피아라고 말합니다. 지금 생각하면 어느 정도 가능한 일일 것 같아 보이지만, 16세기의 유럽에서는 꿈속에서나 가능한 일이었지요.

토마스 모어가 글로 나타낸 유토피아는 그 후 모든 사람들의 이상이 되었답니다. 오늘날에도 각 나라의 정치가들은 이런 나라를 만들기 위해 정치를 하겠다며 국민들의 표를 얻고자 하지만, 쉽게 이루지 못하고 있습니다. 하지만 인간의 존엄성과 고귀한 정신이 살아 있다면 언젠가는 이런 나라를 만들 것으로 저는 믿습니다. 그렇지 않다면 우리의 삶이 부질없는 것이 될 것이기 때문이지요. 그러기 위해서는 토마스 모어와 같은 훌륭한 인격을 갖춘 정치가들이 나와야 하죠. 이 책을 읽는 여러분들이 그 주인공이 되었으면 합니다.

손영운

유토피아라는 마라톤 코스를 달렸습니다.

단거리 선수가 42.195km의 마라톤 풀코스에 도전하려니 많이 지치기도 하고, 포기하고 싶은 마음이 수도 없이 들었습니다.

하지만 막상 골인 지점에 들어와서 생각해 보니 42.195km의 마라톤 코스는 유토피아를 담아내기에는 너무나 짧은 거리였다는 생각이 들었습니다. 골인 지점만을 바라며 지나쳐 갔던 좋은 길들이 지금에야 아쉽게 돌아봐집니다.

이제 다시 출발 지점으로 돌아가 넉넉한 마음으로 제 아이들과 함께 유토피아라는 훌륭한 길을 쉬엄쉬엄 산책하며 걸어보렵니다.

출발 지점에 우뚝 서 있는 커다랗고 듬직한 나무, 토마스 모어.

그 위대한 몽상가이자 철학자에게서 뻗어 나온 가지들이 어떤 모양의 잎들을 맺고 있는지 아이들과 이야기 나누고 싶습니다. 탐스럽게 달린 열매가 많은 사람들에게 얼마나 영양가 높은 과즙을 선물했는지도 말해주고 싶습니다. 길을 가다가 화려하지는 않지만 소박한 아름다움으로 수줍게 피어 있는 꽃들이 풍기는 인본주의의 향기도 맡아보고 싶습니다. 잠시 쉬는 길에 여기 저기 흩어져 있는 크고 작은 돌들이 소곤소곤 들려주는 착하고 정직한 사람들의 이야기도 귀 기울이고 싶습니다. 그러다가 해가 지면 가까운 마을에 들어가 하룻밤을 묵으면서 라파엘처럼 현명하고 지혜로운 아저씨를 만나 그 아저씨

의 인생철학도 배우고 싶습니다. 그리고 다시 날이 밝으면 공익의 숲에서 퍼져 나오는 관용과 배려라는 맑은 기운도 느껴보고 싶습니다.

브레이크 없는 자동차처럼 무한질주만을 강요하는 사회에서 유토피아는 걸어 온 길을 되돌아보고, 가야 할 길을 생각하게 해 주는 좋은 길동무가 될 것입니다.

여러분 유토피아 산책길, 함께 가실래요?

이 책을 사랑하는 가족들에게 바칩니다.

최정규

| 차 례 |

기획에 부쳐 04

머리말 06

제 1장 《유토피아》는 어떤 책일까? 12

르네상스 28

제 2장 토마스 모어 그는 누구인가? 30

천일의 앤 46

제 3장 유토피아 섬을 탐험한 사람, 라파엘에 대한 이야기 48

대항해 시대의 유럽 68

제 4장 거지와 도둑이 생기는 이유는 무엇일까? 70

장원제도 90

제 5장 정치의 이상과 현실은 무엇일까? 92

플라톤의 《국가》 112

제 6장 사유재산 제도의 좋은 점과 나쁜 점 114

공산주의와 자본주의 134

Free hug

HIPPOCRATIS

제 7장 즐거운 마음으로 일을 하는 사회 136

영국의 노동운동사 156

제 8장 황금을 돌같이 보는 사회 158

화폐 발달의 역사 178

제 9장 정신적인 즐거움과 배움을 추구하는 사회 180

에피쿠로스 학파와 스토아 학파 202

제 10장 최소한의 법률로 유지되는 도덕적 사회 204

법과 도덕은 어떻게 다를까? 224

제 11장 전쟁을 혐오하고 평화를 사랑하는 사회 226

중세 시대의 군대와 용병 제도 248

제 12장 종교의 자유가 있고, 공동의 이익을 사랑하는 사회 250

종교 다원주의 270

NO
WAR

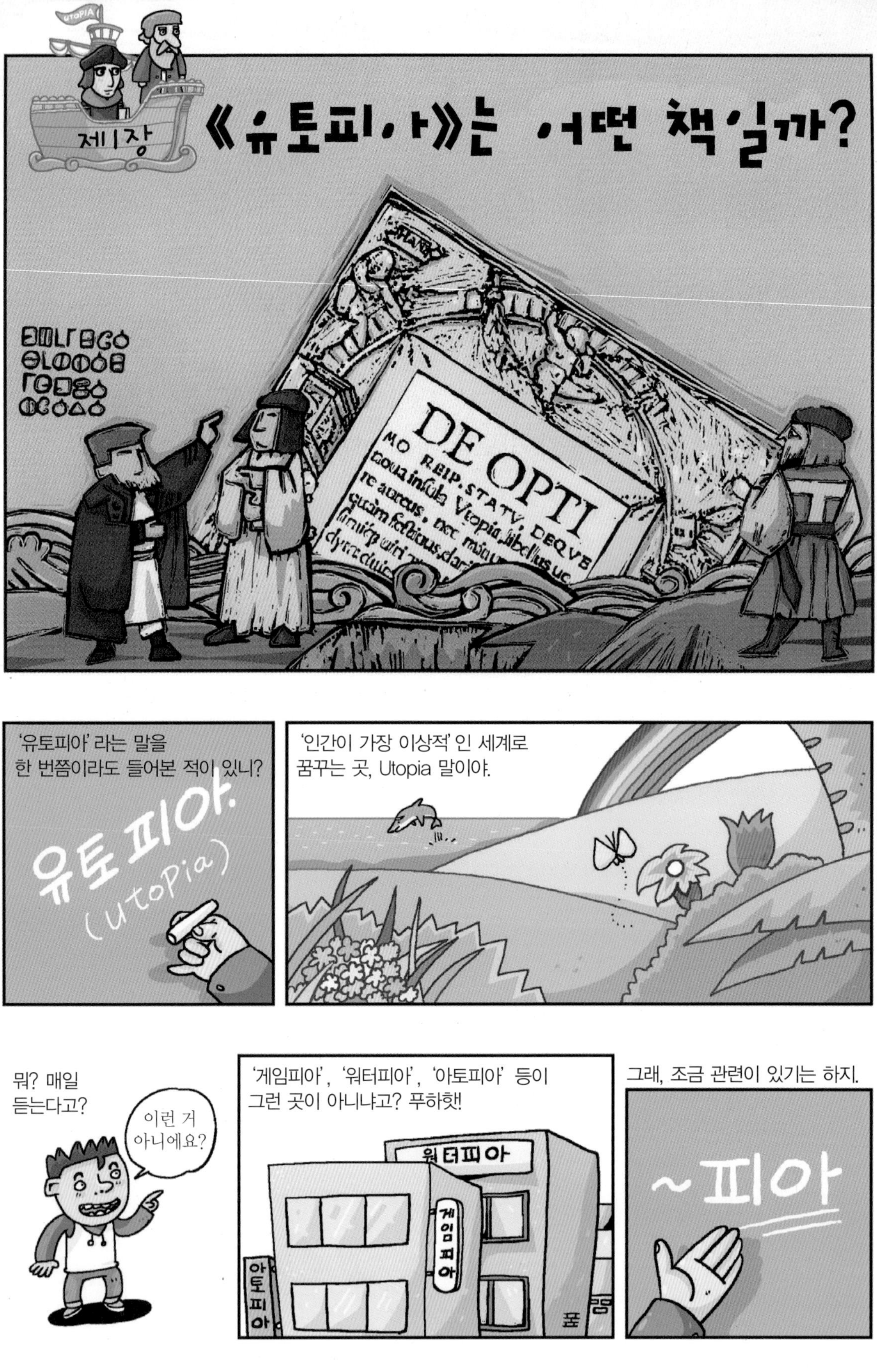
UTOPIA
제1장
《유토피아》는 어떤 책일까?
DE OPTI
'유토피아' 라는 말을
한 번쯤이라도 들어본 적이 있니?
유토피아
(UtoPia)
'인간이 가장 이상적' 인 세계로
꿈꾸는 곳, Utopia 말이야.
뭐? 매일
듣는다고?
이런 거
아니에요?
'게임피아', '워터피아', '아토피아' 등이
그런 곳이 아니냐고? 푸하핫!
워터피아
게임피아
아토피아
그래, 조금 관련이 있기는 하지.
~피아

게임피아는 너희들 같이 게임에 살고 죽는 게임 마니아의 유토피아를 줄여서 한 말일 테고.
12시 방향 적 발견…!
GAMEPIA
워터피아는 워터(물)의 유토피아를 줄여서 한 말로 분명히 목욕탕 주인이 지은 이름일 거야.
탕 내에서 소변금지 -워터피아-
청산리~♪
부르르…
하…
그런데 아토피아는 또 뭐니?
OPEN
아토피아
ATOPIA
으응, 알았어.
특별기획
아토피의 공습
아토피를 앓는 사람들이 없는 유토피아를 말하는 것이라고?
아토피동굴
이젠 안 가려워요
전 세계 사람들이 가장 많이 보는 성경책을 보면 다음과 같은 구절이 나와.
베스트 셀러
'이리가 어린 양과 함께 거하며,
이리·양
표범이 어린 염소와 함께 누우며,
송아지와 어린 사자와 살찐 짐승이 함께 있어 어린아이에게 끌리며
암소와 곰이 함께 먹으며
양푼비빔밥
그것들의 새끼가 함께 엎드리며

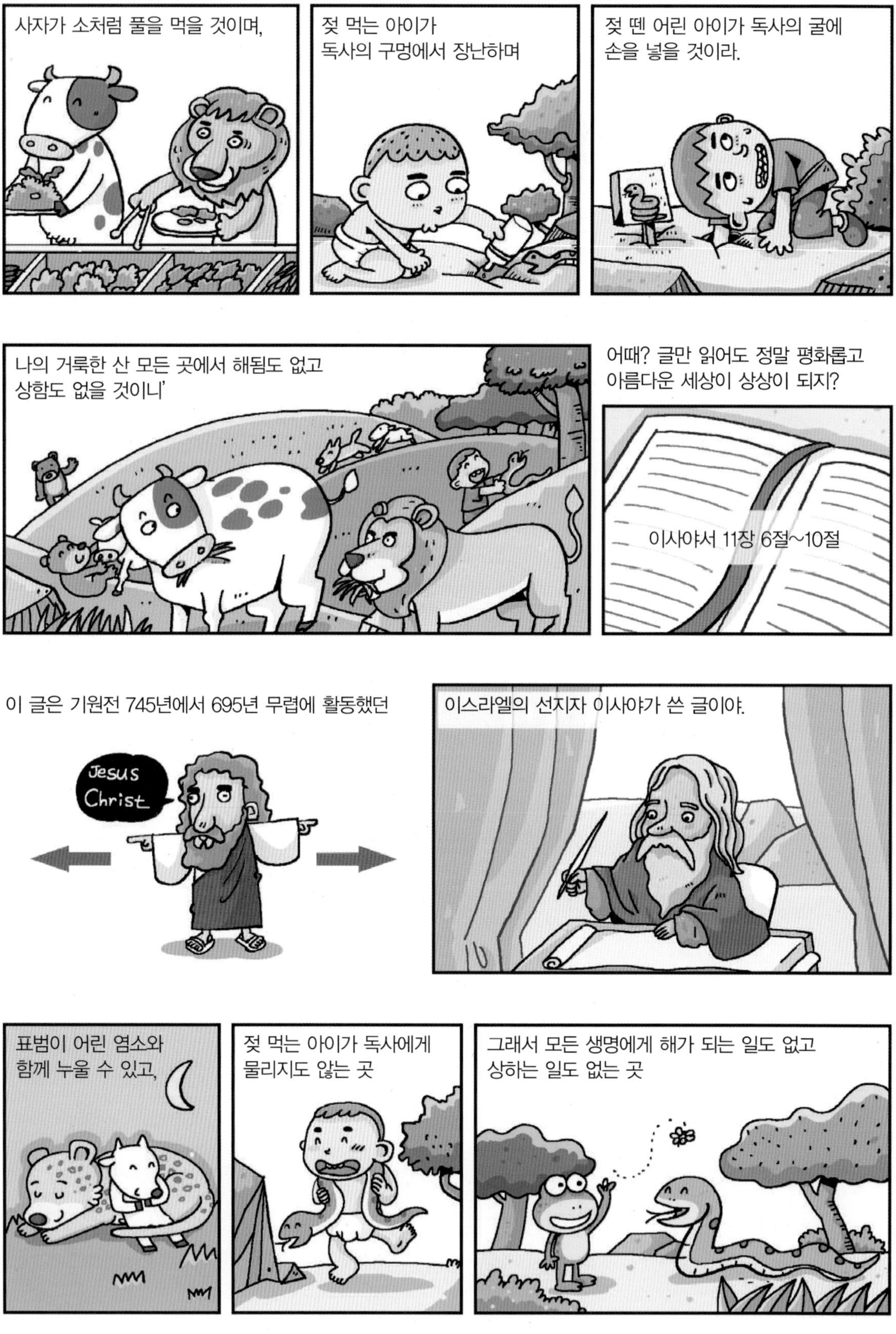
사자가 소처럼 풀을 먹을 것이며,
젖 먹는 아이가
독사의 구멍에서 장난하며
젖 뗀 어린 아이가 독사의 굴에
손을 넣을 것이라.
나의 거룩한 산 모든 곳에서 해됨도 없고
상함도 없을 것이니'
어때? 글만 읽어도 정말 평화롭고
아름다운 세상이 상상이 되지?
이사야서 11장 6절~10절
이 글은 기원전 745년에서 695년 무렵에 활동했던
Jesus Christ
이스라엘의 선지자 이사야가 쓴 글이야.
표범이 어린 염소와
함께 누울 수 있고,
젖 먹는 아이가 독사에게
물리지도 않는 곳
그래서 모든 생명에게 해가 되는 일도 없고
상하는 일도 없는 곳

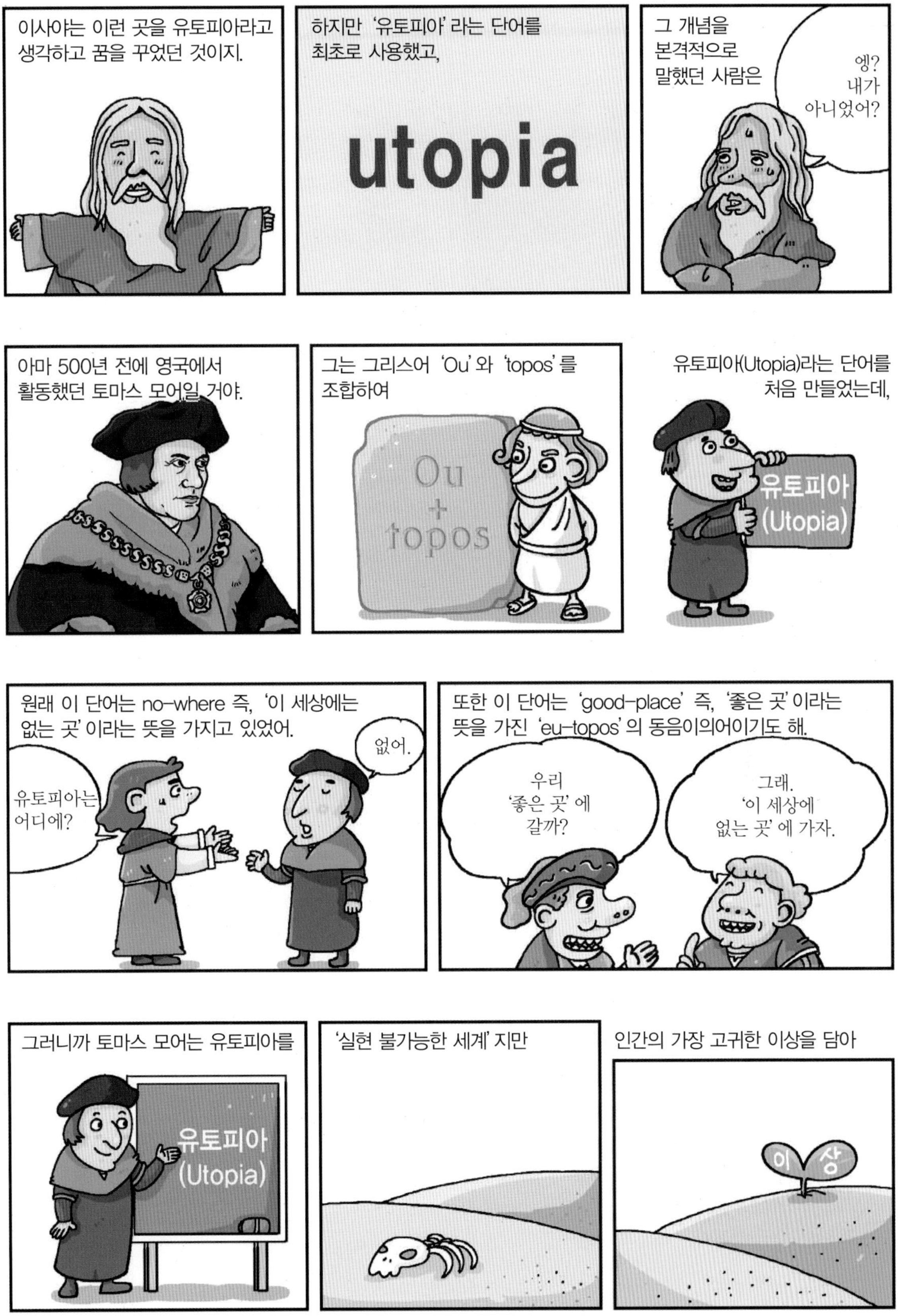

이사야는 이런 곳을 유토피아라고 생각하고 꿈을 꾸었던 것이지.
하지만 '유토피아'라는 단어를 최초로 사용했고,
utopia
그 개념을 본격적으로 말했던 사람은
엥? 내가 아니었어?
아마 500년 전에 영국에서 활동했던 토마스 모어일 거야.
그는 그리스어 'Ou'와 'topos'를 조합하여
Ou + topos
유토피아(Utopia)라는 단어를 처음 만들었는데,
유토피아 (Utopia)
원래 이 단어는 no-where 즉, '이 세상에는 없는 곳'이라는 뜻을 가지고 있었어.
유토피아는 어디에?
없어.
또한 이 단어는 'good-place' 즉, '좋은 곳'이라는 뜻을 가진 'eu-topos'의 동음이의어이기도 해.
우리 '좋은 곳'에 갈까?
그래. '이 세상에 없는 곳'에 가자.
그러니까 토마스 모어는 유토피아를
유토피아 (Utopia)
'실현 불가능한 세계'지만
인간의 가장 고귀한 이상을 담아
이 상

늘 꿈을 꾸는 '더 좋은 세계' 라는 의미로 지은 거야.
조금 더 쉽게 말하면 유토피아는 '어디에도 없는, 그러나 누구나 꿈꾸는 나라' 인 셈이지.
아~ 유토피아♬ 누구나 꿈꾸는 그 곳.
토머스 모어
'유토피아' 라는 제목의 책은 1516년에 처음 세상에 나왔어.
응-애
1516년
토마스 모어가 유토피아를 구상하고 쓴 곳은 플랑드르 지방이었어.
1509년 헨리 8세가 즉위를 하고
에스파냐의 카를로스 1세와 헨리 8세의 누이인 메리를 약혼시키려 했는데
괜찮지?
그만 카를로스 1세와의 약혼은 깨지고 말았지.
사양하겠어.
이에 화가 난 헨리 8세는
1514년 플랑드르에 대한 양모 수출을 금지시켰어.
안 팔아!
왜 플랑드르에 양모 수출을 금지시켰냐고?
맘대로 해보셔.

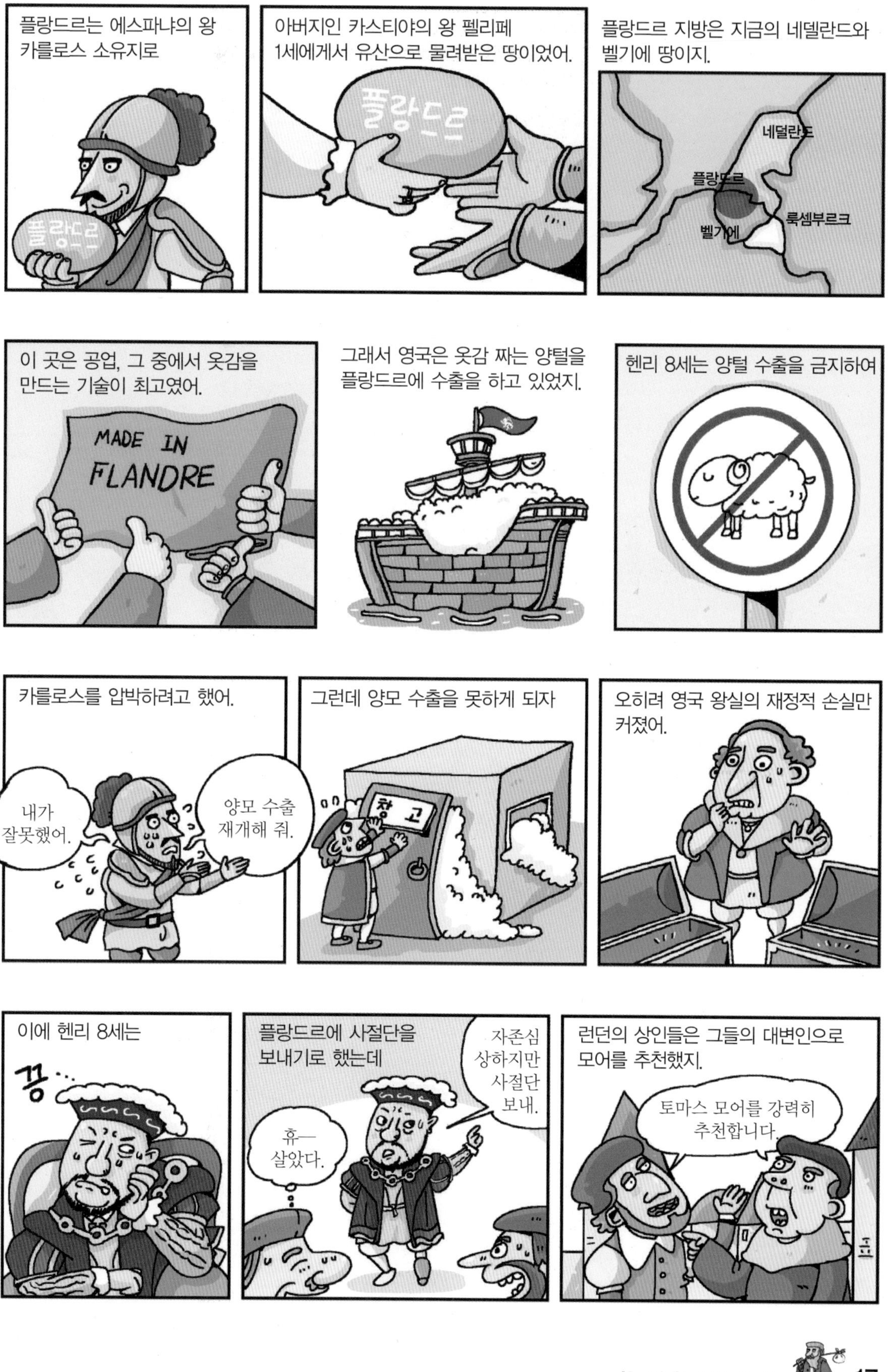

플랑드르는 에스파냐의 왕
카를로스 소유지로
플랑드르
아버지인 카스티야의 왕 펠리페
1세에게서 유산으로 물려받은 땅이었어.
플랑드르
플랑드르 지방은 지금의 네덜란드와
벨기에 땅이지.
네덜란드
플랑드르
룩셈부르크
벨기에
이 곳은 공업, 그 중에서 옷감을
만드는 기술이 최고였어.
MADE IN
FLANDRE
그래서 영국은 옷감 짜는 양털을
플랑드르에 수출을 하고 있었지.
헨리 8세는 양털 수출을 금지하여
카를로스를 압박하려고 했어.
내가
잘못했어.
양모 수출
재개해 줘.
그런데 양모 수출을 못하게 되자
창 고
오히려 영국 왕실의 재정적 손실만
커졌어.
이에 헨리 8세는
끙…
플랑드르에 사절단을
보내기로 했는데
자존심
상하지만
사절단
보내.
휴—
살았다.
런던의 상인들은 그들의 대변인으로
모어를 추천했지.
토마스 모어를 강력히
추천합니다.

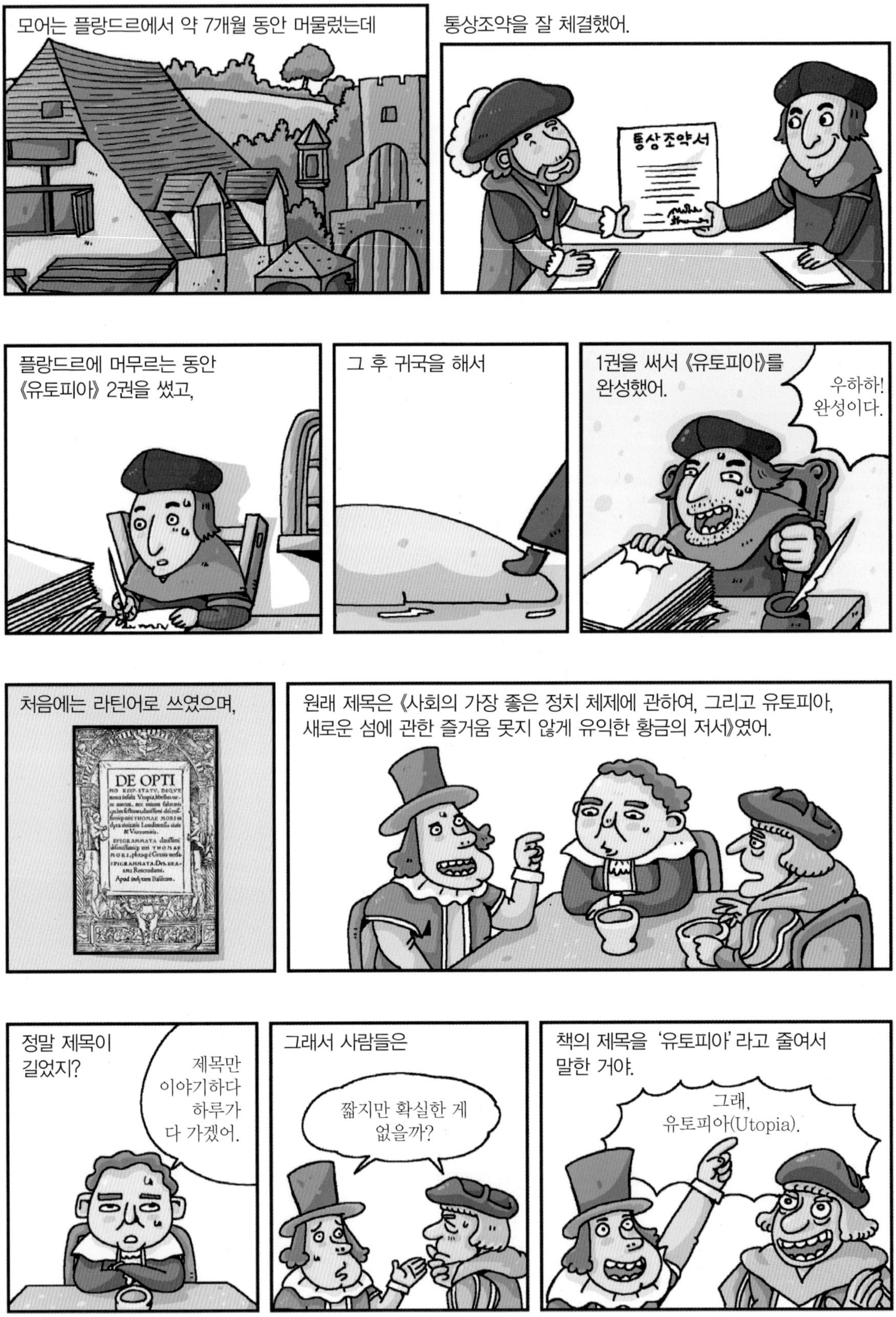
모어는 플랑드르에서 약 7개월 동안 머물렀는데
통상조약을 잘 체결했어.
통상조약서
플랑드르에 머무르는 동안 《유토피아》 2권을 썼고,
그 후 귀국을 해서
1권을 써서 《유토피아》를 완성했어.
우하하! 완성이다.
처음에는 라틴어로 쓰였으며,
DE OPTI
원래 제목은 《사회의 가장 좋은 정치 체제에 관하여, 그리고 유토피아, 새로운 섬에 관한 즐거움 못지 않게 유익한 황금의 저서》였어.
정말 제목이 길었지?
제목만 이야기하다 하루가 다 가겠어.
그래서 사람들은
짧지만 확실한 게 없을까?
책의 제목을 '유토피아'라고 줄여서 말한 거야.
그래, 유토피아(Utopia).

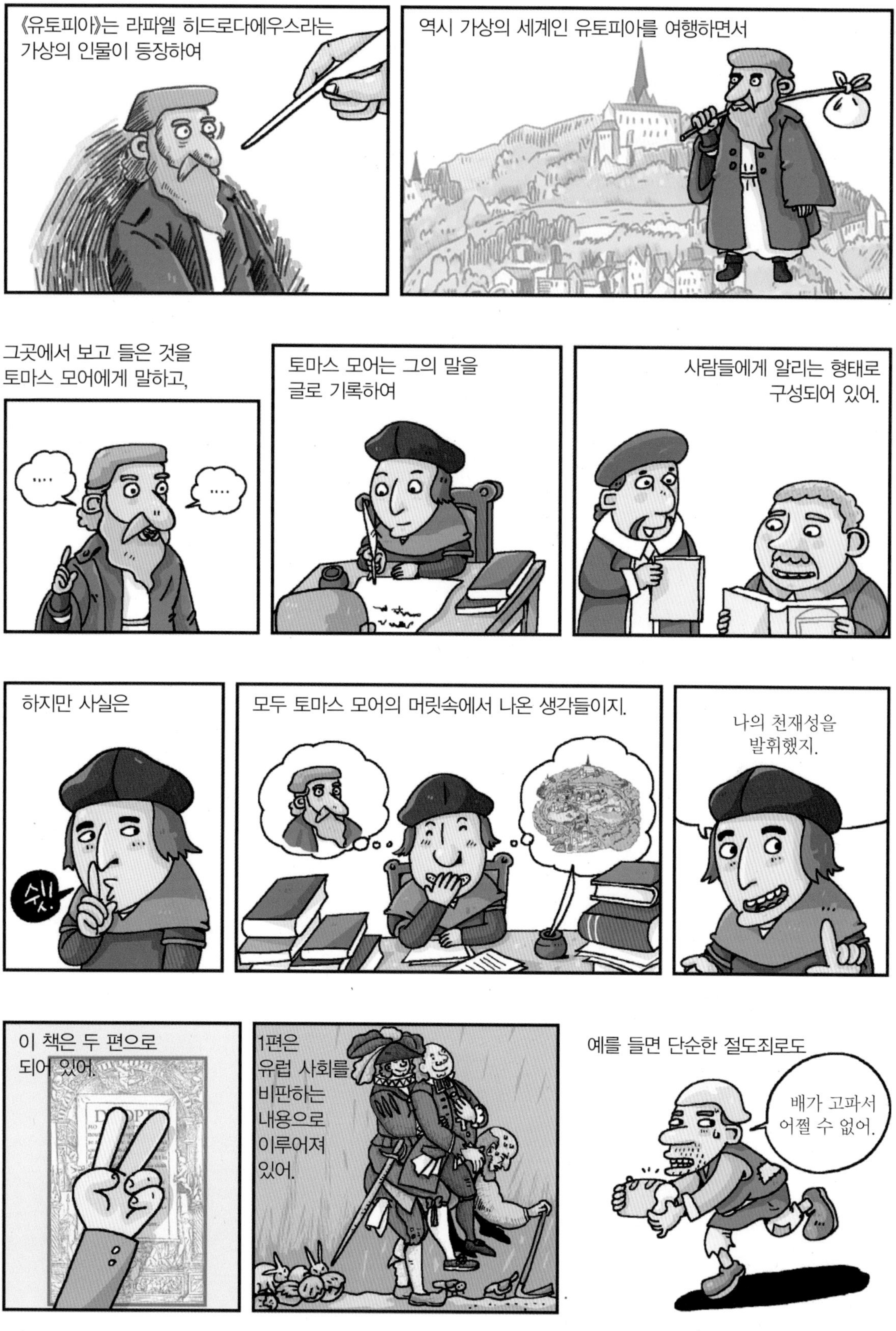
《유토피아》는 라파엘 히드로다에우스라는 가상의 인물이 등장하여
역시 가상의 세계인 유토피아를 여행하면서
그곳에서 보고 들은 것을 토마스 모어에게 말하고,
....
....
토마스 모어는 그의 말을 글로 기록하여
사람들에게 알리는 형태로 구성되어 있어.
하지만 사실은
쉿!
모두 토마스 모어의 머릿속에서 나온 생각들이지.
나의 천재성을 발휘했지.
이 책은 두 편으로 되어 있어.
1편은 유럽 사회를 비판하는 내용으로 이루어져 있어.
예를 들면 단순한 절도죄로도
배가 고파서 어쩔 수 없어.

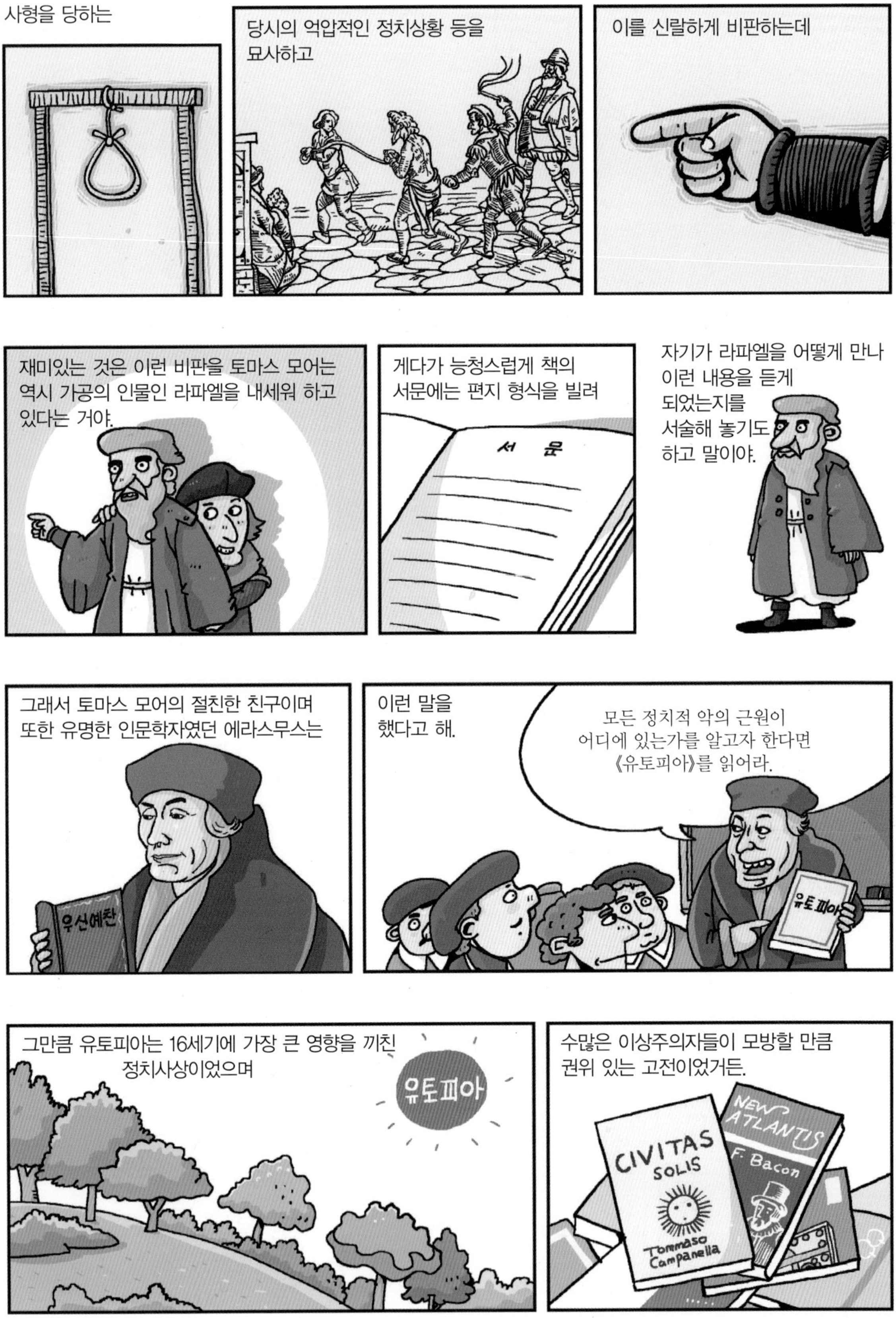
사형을 당하는
당시의 억압적인 정치상황 등을 묘사하고
이를 신랄하게 비판하는데
재미있는 것은 이런 비판을 토마스 모어는 역시 가공의 인물인 라파엘을 내세워 하고 있다는 거야.
게다가 능청스럽게 책의 서문에는 편지 형식을 빌려
서 문
자기가 라파엘을 어떻게 만나 이런 내용을 듣게 되었는지를 서술해 놓기도 하고 말이야.
그래서 토마스 모어의 절친한 친구이며 또한 유명한 인문학자였던 에라스무스는
우신예찬
이런 말을 했다고 해.
모든 정치적 악의 근원이 어디에 있는가를 알고자 한다면 《유토피아》를 읽어라.
유토피아
그만큼 유토피아는 16세기에 가장 큰 영향을 끼친 정치사상이었으며
유토피아
수많은 이상주의자들이 모방할 만큼 권위 있는 고전이었거든.
CIVITAS SOLIS
Tommaso Campanella
NEW ATLANTIS
F. Bacon

그리고 2편은 말 그대로
유토피아.
토마스 모어가 꿈꾸는 이상 세계인
유토피아에 대한 본격적인 소개야.
유토피아의 관습이나 제도
일단 읽어 보시길!
·검소한 생활.
·종교의 다름 인정.
·평화를 사랑.
·결혼관
·정신적 쾌락 중요
·기타 등등…
그리고 사람들의 살아가는 모습을 실감나게 그리고 있지.
그래서 유토피아는 문학적으로 말하면
풍자 소설,
혹은 판타지 소설의 범주에 들어갈 수 있을 거야.
소설
판타지
토마스 모어의 정치적 공상을 담은
정치적 공상
이야기 형식의 책이니까 말이야.
DE OPTI
토마스 모어는 '유토피아 문학'의 창시자라 할 수 있어.
F. 베이컨

그런데 토마스 모어가 《유토피아》를 쓰게 된 사회적인 배경은 뭘까?
그 당시 영국의 토지 정책은 인클로저(enclosure) 정책이었어.
인클로저 정책이란 미개간지, 공유지 등
공동 이용이 가능한 토지에
담이나 울타리 등의 경계선을 치고
뭘 봐?
남의 이용을 막고 사유지로 하는 정책이지.
꺼져, 여긴 이제 내 땅이야.
이 시기 영국은 양모 무역이 한창 발달하던 때였는데
양모 값이 크게 오르자
양모 가격
영국의 귀족들은 보다 많은 돈을 벌기 위해
농사 짓는 소작인을 몰아내고
그 땅에 양을 길러 양모를 대량으로 생산하게 되었어.
흐흐… 내 돈들.

길거리로 쫓겨난 농부들은
거지 신세로 전락하여 먹을 것을 찾아 멀리 떠나기도 하고
굶어 죽기도 하고
도둑질을 하다가
교수형에 처해지기도 하는
이럴 수는 없어.
억울해.
절박한 처지가 된 거지.
'양이 사람을 잡아먹는다.'라는 말이 나올 정도로
농민들의 생활은 말이 아니었어.
무역과 자본주의는
영국을 부유하게 만들었지만
그 혜택을 누린 사람은 일부 부유한 귀족이었고
대다수의 백성들은 더욱 더 가난해졌지.

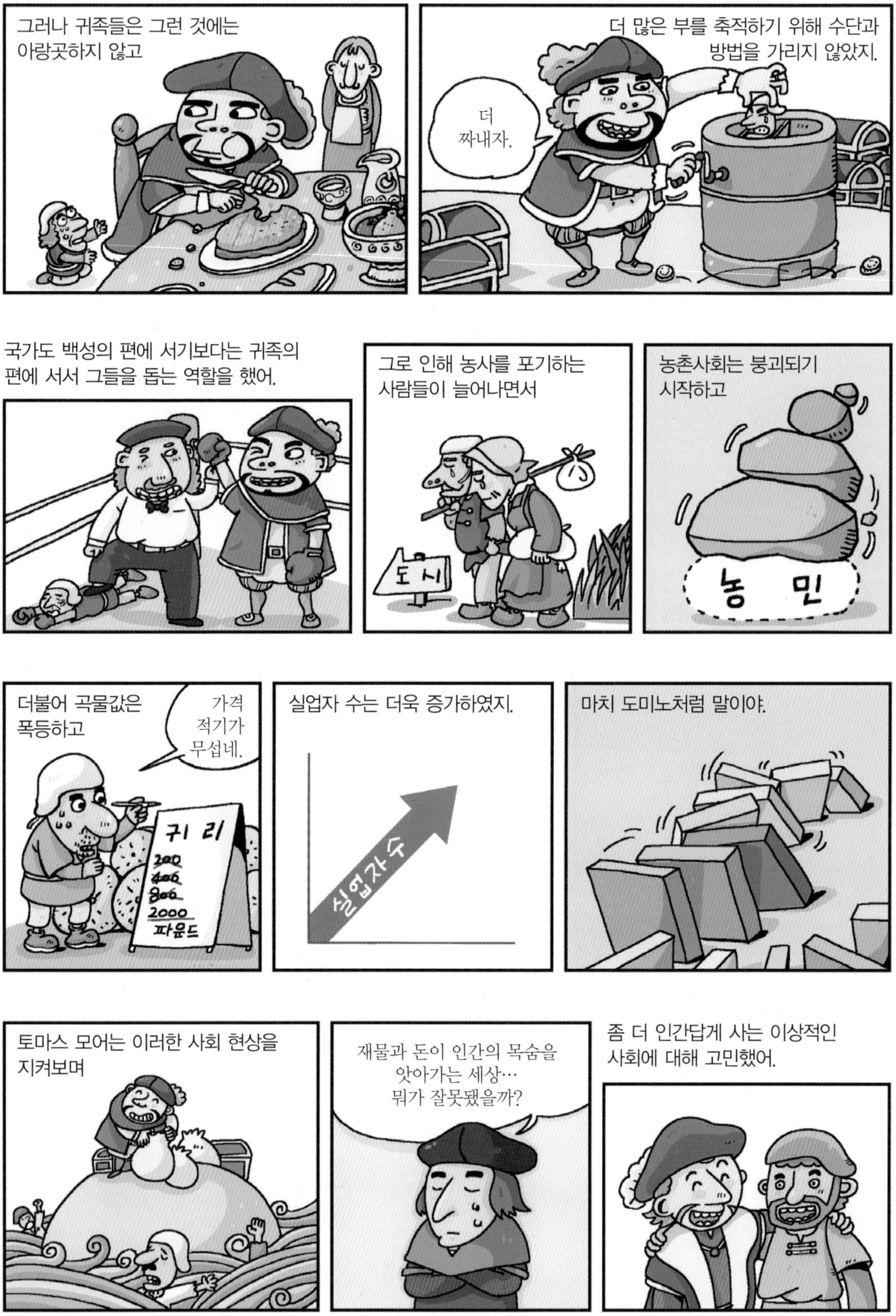
그러나 귀족들은 그런 것에는
아랑곳하지 않고
더 많은 부를 축적하기 위해 수단과
방법을 가리지 않았지.
더 짜내자.
국가도 백성의 편에 서기보다는 귀족의
편에 서서 그들을 돕는 역할을 했어.
그로 인해 농사를 포기하는
사람들이 늘어나면서
도시
농촌사회는 붕괴되기
시작하고
농 민
더불어 곡물값은
폭등하고
가격
적기가
무섭네.
귀리
200
400
800
2000
파운드
실업자 수는 더욱 증가하였지.
실업자 수
마치 도미노처럼 말이야.
토마스 모어는 이러한 사회 현상을
지켜보며
재물과 돈이 인간의 목숨을
앗아가는 세상…
뭐가 잘못됐을까?
좀 더 인간답게 사는 이상적인
사회에 대해 고민했어.

그리고 이런 고민의 결실이 바로
《유토피아》라는 책이야.
DE OPTI
《유토피아》는
출판되자마자
신간
코너
DE OPTI
유럽 사회의 지성인들에게
큰 관심을 얻었어.
당시 유럽사회는 르네상스라는 새로운 물결이 몰아치던 시기였지.
유럽
르네상스
르네상스(renaissance)는 프랑스어로
'다시 태어남' 을 의미해.
르네상스는 그리스 · 로마 문화를
모범으로 삼아
학문과 예술을 부활시키고,
레오나르도 다 빈치
인간적인 문화를 창조하려는 문화운동이야.
RENAISSANCE
우리는 다시
태어나야 해!!
《유토피아》는 그 물결의 방향을 제시해 주었거든.

《유토피아》는 오랜 세월 독점적인 권력을 누리던
가톨릭 교회를
날카롭게 비판했고,
어디에다 펜을 들이대?
또 소외된 서민들의 삶을
애정 어린 시선으로 바라보고
Free hug
이들에게 행복을 줄 수 있는 길을 담은 책이었어.
그래서 《유토피아》에는 당시 사회에서는 생각하기 어려운 앞선 생각들이 많이 들어 있었어.
사회 기강 확립! 유토피아 반대!!
- 전국 귀족 연합 -
이성적이면서도 풍부한 정서를 지닌 인간상을 이상으로 삼고
인간의 생각과 가치를 소중하게 여기는
인간의 생각·가치
휴머니즘이 바탕을 이루고 있었지.
휴머니즘
토머스 모어는 영국을 대표하는 휴머니스트였거든.
영국 대표

하지만 유토피아에
노예가 있고,
이웃 나라를
식민지로
삼기도 하고,
말 잘 들으면
같이 살게
해줄게.
전쟁을 원하진 않지만
NO
WAR!!
PEACE
만약 일어나면 용병을 동원하여
전쟁을 하는 것은
물엇!
토마스 모어
개인의 한계이자
어쩔 수
없어.
당시 유럽 중심적 세계관과 사고에서
비롯된 한계라 할 수 있지.
Europe
그러나 가톨릭 중심의
사회에서 종교적인 관용을
주장하고,
관용
남자와 여자의 평등한 교육 등
당시로는 천지가 개벽할 만한
주장을 펼쳤어.
유토피아
오늘날 인권이 존중되고
남녀 평등을 소중하게 여기는
생각은
이때부터 시작된 게 아닐까?
그럼 토마스 모어는
어떤 사람인지
알아볼까?
유토피아

르네상스

Free hug

인간의 고귀한 이상을 담은 책 《유토피아》가 나온 것은 16세기 초였는데, 이 무렵 유럽에서는 큰 변화가 있었습니다. '신본주의(신을 중심으로 하는 세상)' 에서 '인본주의(인간을 중심으로 하는 세상)' 로 세상의 중심을 바꾸려고 하는 움직임이 있었거든요. 이러한 변화를 르네상스라고 합니다. 르네상스는 프랑스 말로 '부활' 이란 뜻을 갖고 있어요. 르네상스는 14세기부터 시작하여 16세기에 이르기까지 유럽에서 일어난 문예 부흥 운동을 말해요.

르네상스가 일어나기 전, 유럽 문명의 중심은 기독교에서 말하는 창조주 하느님이었습니다. 인간 역사의 주인공이 인간이 아니라 신이었던 셈이지요. 이 시기에 철학이나 과학 등 대부분의 학문은 신학의 시녀 노릇을 했고, 모든 가치관은 그리스도교 사상을 바탕으로 정리되었답니다. 아우구스티누스와 토마스 아퀴나스 등과 같은 뛰어난 철학자들에 의해 신본주의 기독교 문명은 천 년 이상을 이어갔습니다. 그러나 십자군 전쟁이 일어나고, 상공업이 발달하고 동양과 교통을 하게 되고, 도시에 많은 사람들이 모이면서 새로운 분위기가 조성되었답니다. 사람들은 고리타분한 신본주의 문명

최후의 만찬 (1495~1498년 제작)
르네상스의 중심에 있었던 화가 레오나르도 다 빈치 작품이다. 이탈리아 밀라노의 산타마리아 델레그라치에 성당 식당 벽에 그려진 벽화이다.

에 염증을 느끼게 되었고, 인간의 다양한 정신적 활동이 있었던 고대 그리스나 로마의 문화에 깊은 관심을 보이게 되었어요. 그 문화의 중심에 있었던 인간에 대해 새로운 관심을 가지게 된 것이죠. 이로써 르네상스는 인간의 개성과 창조성이 철저히 무시된 중세 유럽의 '암흑시대'를 걷어 내고, 인간의 정신을 발전시키는 큰 계기가 되었답니다.

르네상스 이후 과학자들은 태양계를 벗어난 더 넓은 우주에 대한 관심을 가지기 시작했다.

르네상스는 사람들에게 인간의 가치에 대한 새로운 믿음을 주었습니다. 인간을 한없이 위대하고 가치 있으며 자주적인 존재로 생각하게 되었거든요. 그래서 어떤 이들은 "인간은 신을 위해서 존재하는 것이 아니라, 신 역시 인간을 위해서 존재하게 하려고 인간이 신을 창조했다."고 말할 정도였지요. 르네상스는 미술을 중심으로 한 예술 분야에서 활발하게 일어났답니다. 미술가로 대표적인 사람은 레오나르도 다 빈치, 미켈란젤로, 라파엘로 등이었어요.

시간이 지나면서 르네상스는 독일의 구텐베르크에 의하여 발명된 인쇄술에 힘입어 전 유럽으로 퍼져 나갔습니다. 특히 과학과 종교계에 많은 변화가 있었습니다. 폴란드의 천문학자 코페르니쿠스는 우주의 중심은 지구가 아니라 태양이라고 주장했는데, 흔히 우리가 말하는 지동설입니다. 지동설은 당시 사람들의 우주관을 바꾸는 혁명과도 같은 일이었지요. 한편 종교계에서는 루터라는 지도자에 의해, 가톨릭교회라는 거대한 조직을 통한 신과의 만남보다는 신과 개인의 직접적인 만남이 더 중요하다는 믿음을 갖게 되었습니다. 인간이 하나님의 죄 사함을 받기 위해 꼭 교회나 성직자를 거칠 필요가 없고, 누구든지 성경을 읽고 회개하면 죄 사함을 받을 수 있다고 생각이 바뀐 것이죠.

DE OPTI
MO REIP. STATV, DEQVE

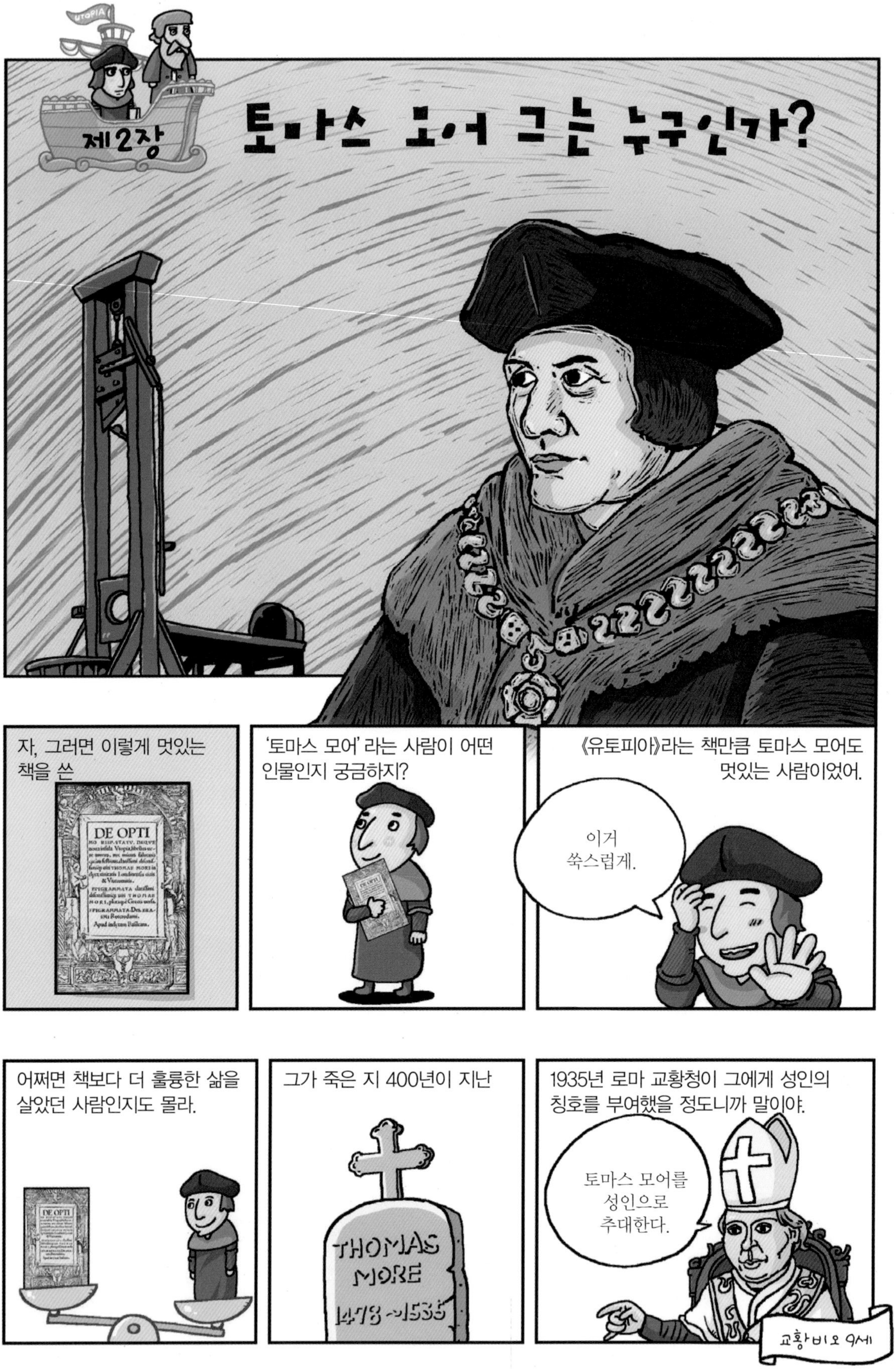
UTOPIA
제2장
토마스 모어 그는 누구인가?
자, 그러면 이렇게 멋있는 책을 쓴
DE OPTI
'토마스 모어'라는 사람이 어떤 인물인지 궁금하지?
《유토피아》라는 책만큼 토마스 모어도 멋있는 사람이었어.
이거 쑥스럽게.
어쩌면 책보다 더 훌륭한 삶을 살았던 사람인지도 몰라.
DE OPTI
그가 죽은 지 400년이 지난
THOMAS MORE 1478~1535
1935년 로마 교황청이 그에게 성인의 칭호를 부여했을 정도니까 말이야.
토마스 모어를 성인으로 추대한다.
교황 비오 9세

그러면 지금부터 토마스 모어에 대해 진지하게 살펴볼까?
토마스 모어는 1478년 2월 6일 런던에서
법관이던 존 모어의 차남으로 태어났어.
그는 12살이 되었을 때,
캔터베리 대주교이자 종교계의 큰 지도자였던 존 모턴의 시중드는 아이로 들어갔어.
대주교님, 책 찾아 왔습니다.
토마스 모어의 영특함은 그때부터 드러났지.
이 총명한 아이는 언젠가 꼭 위대한 인물이 될 거야.
모턴 대주교의 추천으로
대주교 모턴
14살 때에 옥스퍼드 대학교에 입학했어.
옥스퍼드
14살이면 우리는 중학교에 입학할 나이인데,
흥, 난 이제 어린애가 아냐.
OO중학교
토마스 모어는 세계적인 명문 대학인 옥스퍼드 대학교에 입학했으니 대단히 똑똑했던 모양이야.
학생증
토마스 모어
OXFORD UNIV
그곳에서 모어는 라틴어와 그리스어를 배우고
라틴어
그리스어
당시 유럽 사회의 새물결인 르네상스의 기운을 받아들이는 데 열심이었어.
르네상스

하지만 모어는 법률가로 자라기를 원하는 아버지의 뜻을 받들기 위해
법대에 가라.
옥스퍼드 대학을 중퇴하고
굿바이 옥스퍼드.
뉴인 법학원에 들어갔어.
뉴 인 법학원
그리고 1500년 23살의 젊은 나이로 변호사가 되었지.
1504년 27살의 모어는 하원 의원에 당선되어 정치에 입문했는데,
당선증
당시 영국 국왕이었던 헨리 7세의
모든 권력은 부에서 나온다.
세금 정책에 반대하다가
세금정책 반대!
의원직을 잃게 되었어.
의 회
그는 정치에서 손을 뗀 후 학문의 세계로 빠져 들었어.
학문의 바다에 빠져 볼까나?
그는 문학, 철학, 역사, 과학 등 다양한 분야를 공부했는데,
이 시기에 그의 유명한 저술들이 많이 탄생했지.
신국론에 대한 강의록 (De civitate Dei)
피코델라 미란돌라 전기 (Pico della Mirandola)
1518년에 출간한 《리처드 3세》라는 책은
History of King Richard III 〈리처드 3세〉

나중에 셰익스피어가 지은
희곡 《리처드 3세》의 원본이
되기도 했단다.
원작료 내놔!
헹.
1505년 모어는 제인 콜트라는
아름다운 아가씨와 결혼을 했어.
모어는 교육을 제대로 받지 못한
어린 아내에게
라틴어와 음악을 가르치는
자상한 남편이었어.
제인 콜트는 지주의 딸이었지만
정규 교육을 받지 못했거든.
나도
공부하고
싶은데.
그 이유는 당시 유럽의
여성들은
공부하게
해주세요.
남성들처럼 정규 교육을
받을 수 없었기 때문이야.
이거
안 보여?
금녀의 집
-○○학교-
하기야 우리나라도 그때는 여성들이
하늘 천
따 지…
집 밖을 나서 교육을 받지 못했지.
살림만
잘하면 돼.
서당.

뿐만 아니라 모어는 좋은 아빠이기도 했어.
딸들의 교육에 늘 깊은 애정을 가졌고,
집안에 기도실을 두어 스스로 기도 생활을 하여 신앙의 모범을 보였지.
그는 새벽 2시에 일어나
7시까지 기도하고 공부하였으며
매일 아침 미사에 참여했을 정도였어.
또한 세속적인 안락에 빠질 것을 우려하여
항상 거친 모직 셔츠만 입었어.
난 모직이 좋아.
모어는 귀족으로 많은 재물을 관리하고 활용하면서도
결코 재물에 마음을 빼앗기거나
돌덩이.
GOLD
소유에 얽매이지 않았어.
무소유!
법정 스님
그는 가족들도 검소한 생활을 하도록 했으며
가훈
검소

가난한 이들을 돕고
양로원을 세워 불쌍한 노인들을 보살폈지.
양로원
또한 런던시의 전속 법률가가 되어 가난한 시민들을 위해 헌신적으로 변호 활동을 하여 시민들의 존경을 받았어.
단지 배가 고파 빵을 훔쳤을 뿐입니다.
변호인
1509년 헨리 8세가 국왕으로 즉위한 후부터
모어는 영국의 정치와 외교의 중심에 서게 되었지.
1510년에 런던 부시장으로 임명되었고
임명장
런던 부시장
1515년엔 플랑드르에 외교사절로 파견되었는데,
그는 그곳에서 《유토피아》를 쓰기 시작했다고 해.
헨리 8세는 모어의 공정하고 치밀한 업무처리 능력을 높이 신임하여,
플랑드르 외교 성과보고
1529년 그를 최고 법관인 동시에 수상에 해당하는 상서경이라는 자리에 임명했어.
그대가 있어서 얼마나 기쁜지 모르오.
열심히 하겠습니다.
오늘날 우리나라식으로 따지면 대법원장 겸 국무총리가 된 셈이지.

하지만 상서경 자리는 토마스 모어의 마지막 공직이었어.
상서경
왜냐하면 상서경이 된 지 5년 만에 반역죄로 체포되고,
런던탑에 갇히는 신세가 되었거든.
그 이유는 헨리 8세에게 있었어.
내가 뭐?
사실 헨리 8세는 처음에는 대단히 훌륭한 국왕이었어.
HENRY VIII
그는 이전의 영국 국왕이나 유럽의 다른 국왕들과는 다르게 부와 권력을 탐하기보다는
관심 없어.
명예와 덕을 중요하게 여기는 멋진 국왕이었거든.
명예
덕
또 마르틴 루터에 의해 시작된 종교 개혁으로
가톨릭은 썩었어.
로마 교황과 가톨릭 교회가 어려움에 처해 있을 때
얘가 왜 이래?
한판 붙자!
그들을 보호하는 역할을 충실하게 감당하여
어허! 감히 누구한테 대들어?
비겁한 교황….
교황으로부터 신앙의 수호자라는 명예를 얻기까지 했거든.
헨리 8세, 그대는 가톨릭의 영웅이오.
공로상

그런데 헨리 8세에게는 불행한 가정사가 있었어.
헨리 8세는 국왕으로 즉위하면서
어린 나이에 세상을 떠난
형의 부인이었던 스페인 왕실 출신의 캐서린과 억지로 결혼을 했어.
물론 캐서린과 6명의 자식을 낳아
겉으론 싫은 표현을 하지 않고 열심히 살기도 했지만,
6명의 자식들 중에서 메리 공주만 남고 나머지는 모두 죽자
캐서린에게 더 이상 애정을 느낄 수가 없게 되었단다.
그러는 사이에 궁녀 출신이었던 앤 불린에게
전하♡
깊은 사랑을 느끼게 되었고,
창문을 열어다오
캐서린과의 이혼을 결심하게 되었어.
이혼서류

그런데 문제는 아무리 영국 국왕이라고 하더라고
당시에는 교황의 허락이 없이는
NO!
함부로 이혼을 할 수 없다는 거였지.
쳇! 교황이면 다야?
이혼서류
헨리 8세는 학자들에게 캐서린과의 결혼이 처음부터 무효라는 것을 연구하게 했고,
빨리 구실을 만들어!
다른 한편으로는 교황에게 대표단을 보내 합법적으로 해결하려고 많은 노력을 했어.
이혼 한 번 하려고 고생이 많다.
하지만 교황은 단호하게 그의 요구를 거부했지.
No! No! No! No! No! No! No! No! No! No!
그렇지만 자존심이 강하고 고집이 센
헨리 8세는 쉽게 물러서지 않았어.
감히 나를 건드려?
한판 해보겠다는 거야?
1532년 5월 15일,
헨리 8세는 영국의 종교 지도자들을 무력으로 억압하여
로마 가톨릭 교회와 관계를 끊게 하고
로마 가톨릭
영국 가톨릭

자신을 영국 교회의 최고 지도자로
선언하게 만들었어.
선 언 문
헨리 8세 폐하를
영국 교회의 최고
지도자로 지지한다.
-종교지도자 일동-
오늘날 성공회라고 불리는 영국 국교가 탄생한 거야.
성공회
THE ANGLICAN COMMUNION
그후 헨리 8세는 캐서린을
귀양 보내버렸고,
1533년에는 앤 불린을 정식으로
영국 왕비로 책봉했어.
사랑을 하면 왕도
눈이 멀어버리나 봐.
주위의 반대를 끝까지 물리치고
누구든 반대해봐.
가만 안 둘 테니.
자신이 사랑하는
궁녀 출신의 여인을
왕비로 책봉했으니 말이야.
하지만 그 일로 헨리 8세는 로마 교황과 적이
되었어.
당연히 교황은 자신의 권위를 무시하는 헨리 8세를
예쁘게 볼 수가 없었지.
교황

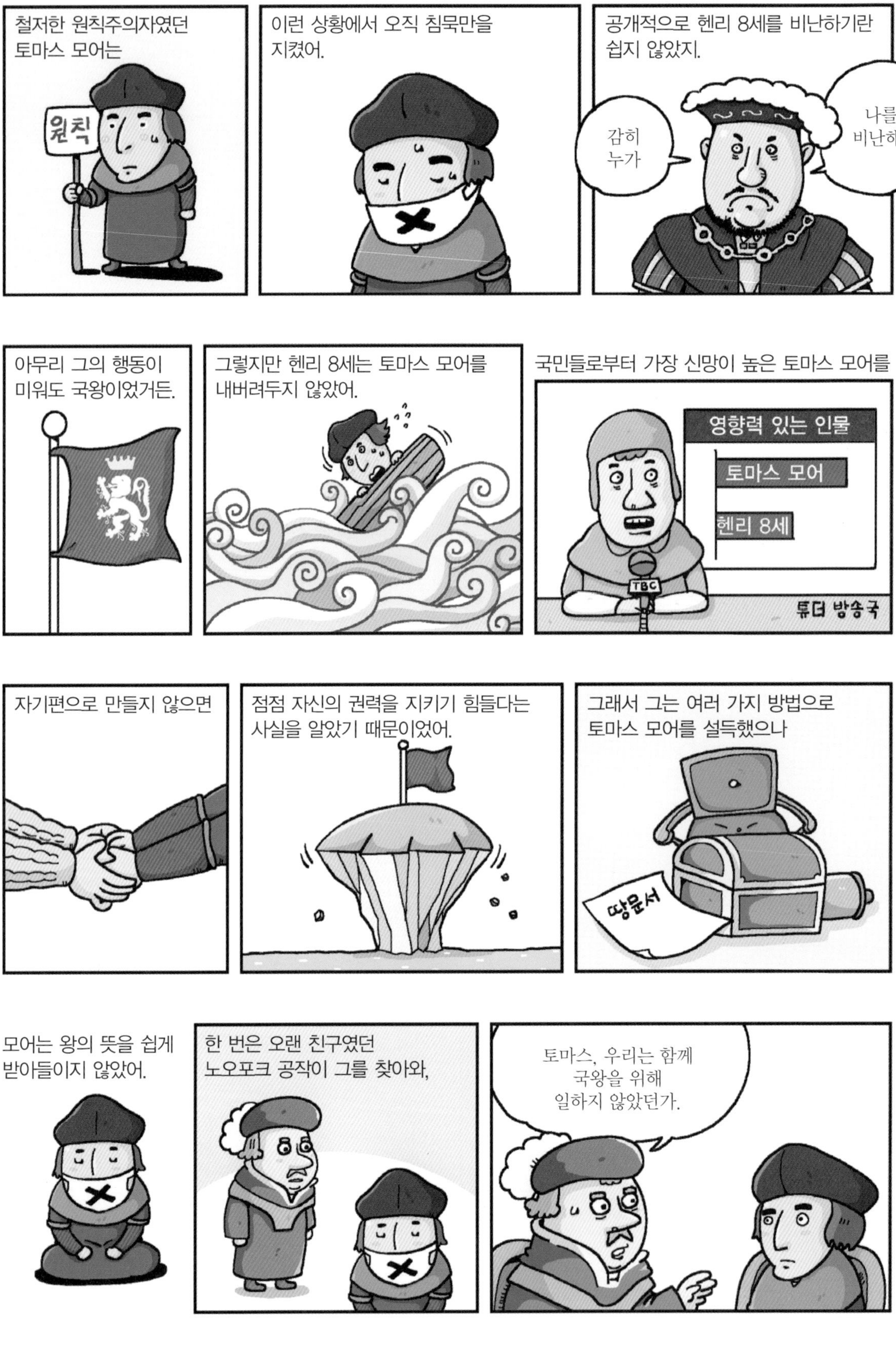
철저한 원칙주의자였던 토마스 모어는
원칙
이런 상황에서 오직 침묵만을 지켰어.
공개적으로 헨리 8세를 비난하기란 쉽지 않았지.
감히 누가
나를 비난해?
아무리 그의 행동이 미워도 국왕이었거든.
그렇지만 헨리 8세는 토마스 모어를 내버려두지 않았어.
국민들로부터 가장 신망이 높은 토마스 모어를
영향력 있는 인물
토마스 모어
헨리 8세
TBC
튜더 방송국
자기편으로 만들지 않으면
점점 자신의 권력을 지키기 힘들다는 사실을 알았기 때문이었어.
그래서 그는 여러 가지 방법으로 토마스 모어를 설득했으나
땅문서
모어는 왕의 뜻을 쉽게 받아들이지 않았어.
한 번은 오랜 친구였던 노오포크 공작이 그를 찾아와,
토마스, 우리는 함께 국왕을 위해 일하지 않았던가.

국왕의 분노는 곧
죽음이라는 것을 자네도
알고 있지 않은가?
그것이
전부인가?
그렇다면 자네와 나 사이에
아무런 차이가 없네.
다만 내가 오늘
죽는다면
자네는 내일
죽게 된다는 차이가
있을 뿐이지.
토마스 모어는 말 대신에 행동으로
자신의 뜻을 표현했어.
1533년 앤 왕비의 대관식에
참석을 하지 않았으며,
토마스모어
1534년 의회에서 통과된 왕위
계승법에도 동의하지 않았어.
왕위 계승법
No!!
이때 통과된 왕위 계승법은
헨리 8세와 캐서린 사이에서 태어난
메리 공주의 왕위
계승을 금지하고
왕위계승
앤 왕비와의 사이에 태어난 자식에게 왕위를
계승시킨다는 내용을 담고 있었어.

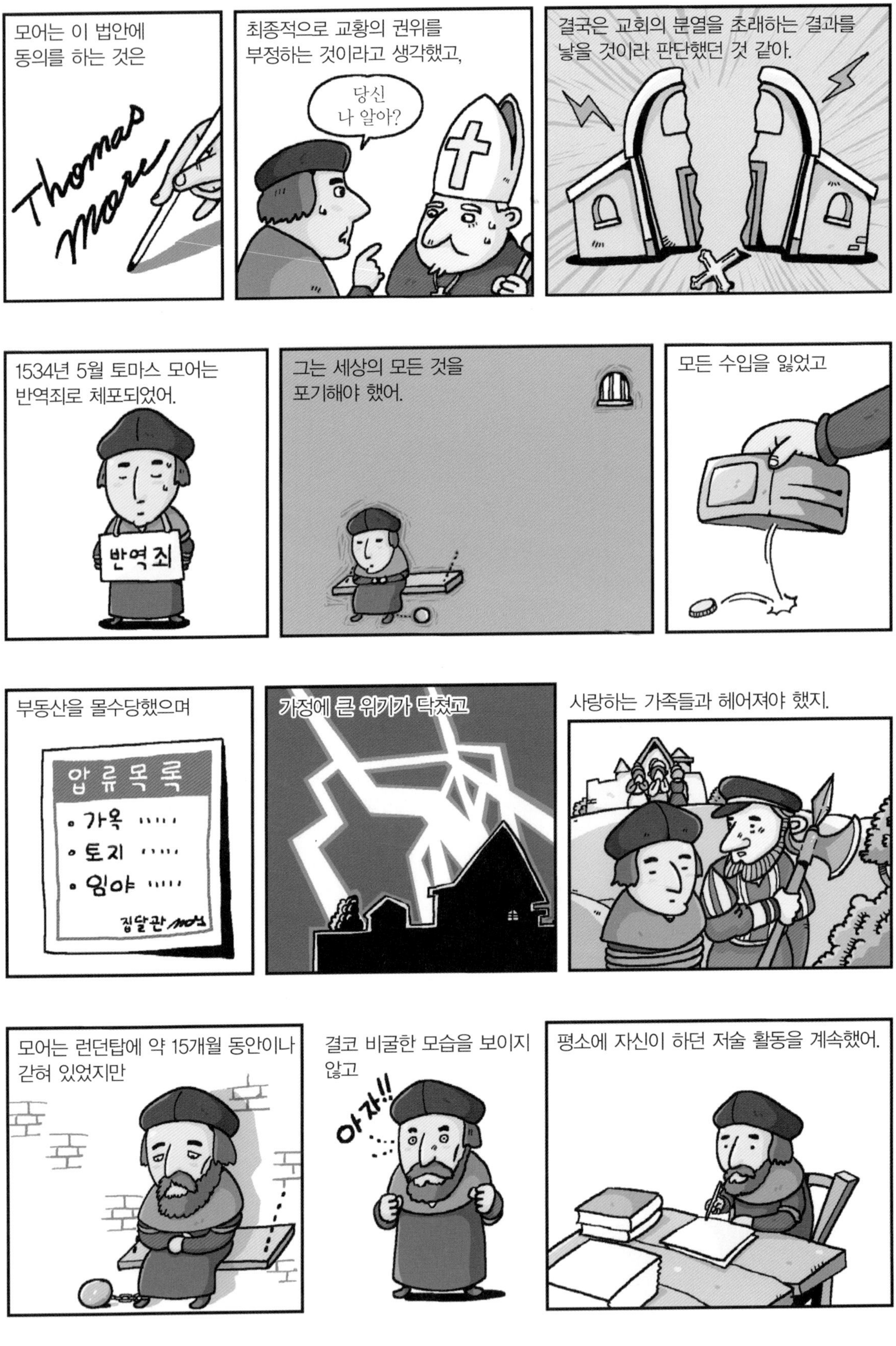

모어는 이 법안에 동의를 하는 것은
Thomas more
최종적으로 교황의 권위를 부정하는 것이라고 생각했고,
당신 나 알아?
결국은 교회의 분열을 초래하는 결과를 낳을 것이라 판단했던 것 같아.
1534년 5월 토마스 모어는 반역죄로 체포되었어.
반역죄
그는 세상의 모든 것을 포기해야 했어.
모든 수입을 잃었고
부동산을 몰수당했으며
압류목록
• 가옥
• 토지
• 임야
집달관
가정에 큰 위기가 닥쳤고
사랑하는 가족들과 헤어져야 했지.
모어는 런던탑에 약 15개월 동안이나 갇혀 있었지만
결코 비굴한 모습을 보이지 않고
아자!!
평소에 자신이 하던 저술 활동을 계속했어.

그러나 이 일도 오래 가지 못했어. 그는 펜을 빼앗겼고
책도 들여오지 못하여 저술 활동도 더 이상 할 수 없게 되었어.
또 심문은 불시로 반복되었지.
식사량은 점차 줄었고,
관절염이 도져 심한 고통을 겪었으며 건강이 많이 나빠지기도 했어.
비가 오려나?
쿨럭
그럼에도 불구하고 그는 끝까지 타협하지 않았으며 또 웃음을 잃지 않았다고 해.
1535년 7월 1일 그는 재판에 회부되었어.
진실하고 충직한 신하는 이 세상 무엇보다도
영혼과 양심을 존중해야 할 의무가 있다.
그는 자신의 죽음을 담담하게 받아들였어.
사형!!

그리고 같은 해 7월 6일, 단두대로 향했어.
그는 자신의 죽음을 슬퍼하며 눈물을 흘리는 가족과 친구들에게
나를 위해 기도해 주시오. 나도 당신을 위해 기도하겠소.
천국에서 다시 만나 유쾌하게 삽시다.
또한 차마 사형 집행을 하지 못하고 망설이는 형리들에게는
기운을 내게. 자네의 직책을 과감하게 수행해야 하네.
내 목은 짧으니 조심해서 자르게.
아차! 수염은 반역에 가담하지 않았으니 잘리면 안 되지.
그들을 일일이 포옹한 다음
마지막으로 헨리 8세를 위해 기도하도록 부탁 했다고 해.
그리고 의연하게 최후를 맞이했다고 해.
나는 왕의 충실한 신하로 죽습니다. 그러나 나는 그에 앞서 하느님의 신하로 죽는 것입니다.

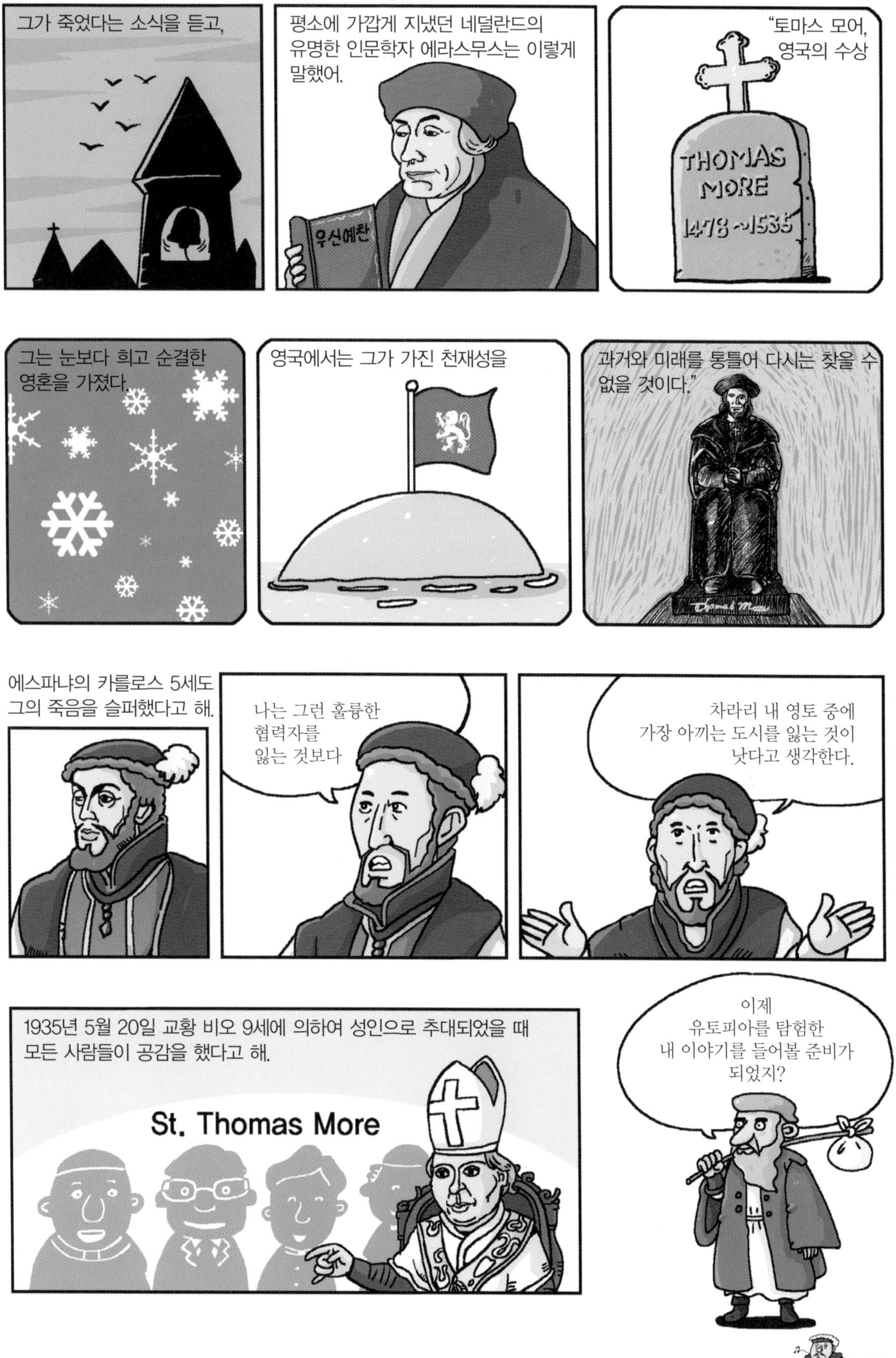
그가 죽었다는 소식을 듣고,
평소에 가깝게 지냈던 네덜란드의 유명한 인문학자 에라스무스는 이렇게 말했어.
우신예찬
"토마스 모어, 영국의 수상
THOMAS MORE 1478~1535
그는 눈보다 희고 순결한 영혼을 가졌다.
영국에서는 그가 가진 천재성을
과거와 미래를 통틀어 다시는 찾을 수 없을 것이다."
에스파냐의 카를로스 5세도 그의 죽음을 슬퍼했다고 해.
나는 그런 훌륭한 협력자를 잃는 것보다
차라리 내 영토 중에 가장 아끼는 도시를 잃는 것이 낫다고 생각한다.
1935년 5월 20일 교황 비오 9세에 의하여 성인으로 추대되었을 때 모든 사람들이 공감을 했다고 해.
St. Thomas More
이제 유토피아를 탐험한 내 이야기를 들어볼 준비가 되었지?

천일의 앤

헨리 8세(1491~1547)

앤 불린

유토피아의 작가 토마스 모어가 섬겼던 영국의 왕은 튜더 왕조의 국왕 헨리 8세(King Henry Ⅷ)였습니다. 헨리 8세는 형의 부인이었던 캐서린과 정략결혼을 했지요. 나이가 들고, 국왕으로서 권위를 찾은 헨리 8세는 불행한 결혼 생활에 늘 불만을 가졌답니다. 그러다가 앤 불린(Anne Boleyn)이라는 젊은 여인을 보고 한 눈에 사랑에 빠져 버렸습니다. 이 사랑 때문에 토마스 모어는 나중에 반역죄로 몰려 목숨을 잃게 되지요.

헨리 8세와 앤의 사랑은 〈천일의 앤〉이라는 영화로 만들어졌습니다. 리처드 버튼이라는 유명한 배우가 주인공으로 나오는 오래된 영화지요. 영화의 내용은 다음과 같습니다.

헨리 8세는 자신이 연 무도회에서 앤을 처음 보게 됩니다. 프랑스에서 이제 막 돌아온 불린(Boleyn)가(家)의 막내 딸 앤은 약혼자인 퍼시(Percy)와 함께 무도회에 참석하지요. 울지 추기경이 이 앤과 퍼시의 결혼을 허락해 달라고 왕께 간청하는데, 이미 앤에게 마음을 빼앗긴 헨리 8세는 허락을 하지 않고, 퍼시와 앤의 사이를 떼어 놓습니다. 이런 왕의 마음을 눈치 챈 앤은 왕을 거부합니다. 왜냐하면 이미 앤의 언니인 메리가 왕의 아기를 임신하고 있었거든요. 하지만 혈기 왕성한 헨리 8세는 오히려 냉정한 앤의 태도에 더욱 마음을 빼앗기게 되지요. 그러는 동안에 퍼시는 다른 여자와 결혼을 합니다.

헨리 8세는 앤을 차지하기 위해, 앤을 캐서린 왕비의 시종으로 삼아 궁궐로 불러들이지요. 궁으로 들어온 앤도 점점 시간이 지나면서 마음이 바뀌게 됩니다. 궁전 생활의 화려함과 권력의 맛을 느끼게 된 것이지요. 앤은 헨리 8세에게 그와 결혼하고, 아들을 낳아 주면 대신에 자신을 영국의 왕비로 만들어 줄 것을 요구한답니다. 헨리 8세는 그러기로 하고 앤과 잠자리를 같이하지요.

He was King. She was barely 18.
And in their thousand days they played out
the most passionate and shocking love story in history!
RICHARD BURTON
GENEVIEVE BUJOLD
HAL WALLIS
IRENE PAPAS
헨리 8세와 앤의 사랑과 증오를 담은 영화 〈천일의 앤〉 포스터

그러나 앤과의 정식 결혼은 쉬운 일이 아니었어요. 캐서린과 이혼하고 앤과 결혼하기 위해서는 교황청의 허락을 받아야 하기 때문이었지요. 교황청은 헨리 8세와 스페인 출신 왕비 캐서린의 이혼을 허락하지 않았습니다. 헨리 8세는 앤과 결혼하기 위해 로마 교황청과의 관계를 끊고, 영국 국왕인 자신을 수장으로 하는 새로운 교회를 만들었습니다. 바로 영국 국교회 또는 성공회라고 불리는 교회입니다. 헨리 8세는 자신을 반대하는 많은 사람들을 없애고, 결국 앤과 결혼을 한답니다.

그렇지만 헨리 8세와 앤의 결혼 생활은 오래가지 못했어요. 앤이 아들을 낳지 못하고, 딸을 낳았기 때문이지요. 뿐만 아니라 앤의 딸 엘리자베스(나중에 영국의 여왕이 되어 세계를 호령하지요.)의 왕위계승권으로 인해 주위의 사람들이 목숨을 잃게 되었거든요. 결국 앤은 헨리 8세의 심복 크롬웰의 모함에 빠져 간통죄로 기소되고, 런던탑에 갇히게 되었어요. 그러는 동안에 새로운 여자에게 마음을 빼앗긴 헨리 8세는 앤을 단두대의 이슬로 세상을 떠나게 만들지요.

웨스트민스터 사원

성공회

영국의 국교로 1534년에 시작되었다. 성공회는 영국의 국왕 헨리 8세와 캐서린 왕비의 결혼 무효 소송에서 발단이 되었다고 할 수 있다. 헨리 8세의 이혼 소송을 당시 교황이었던 클레멘트 7세가 거절하자, 헨리 8세는 영국의 교회는 로마 교황의 감독권을 인정하지 않는다는 법령을 발표해 로마 교회와 대립하였다. 그 후 한동안 로마 교회와 관계 모색을 시도했으나, 1570년 교황 비오 5세가 영국의 여왕 엘리자베스 1세를 파문하자, 성공회는 로마 교회와 완전히 갈라섰다.

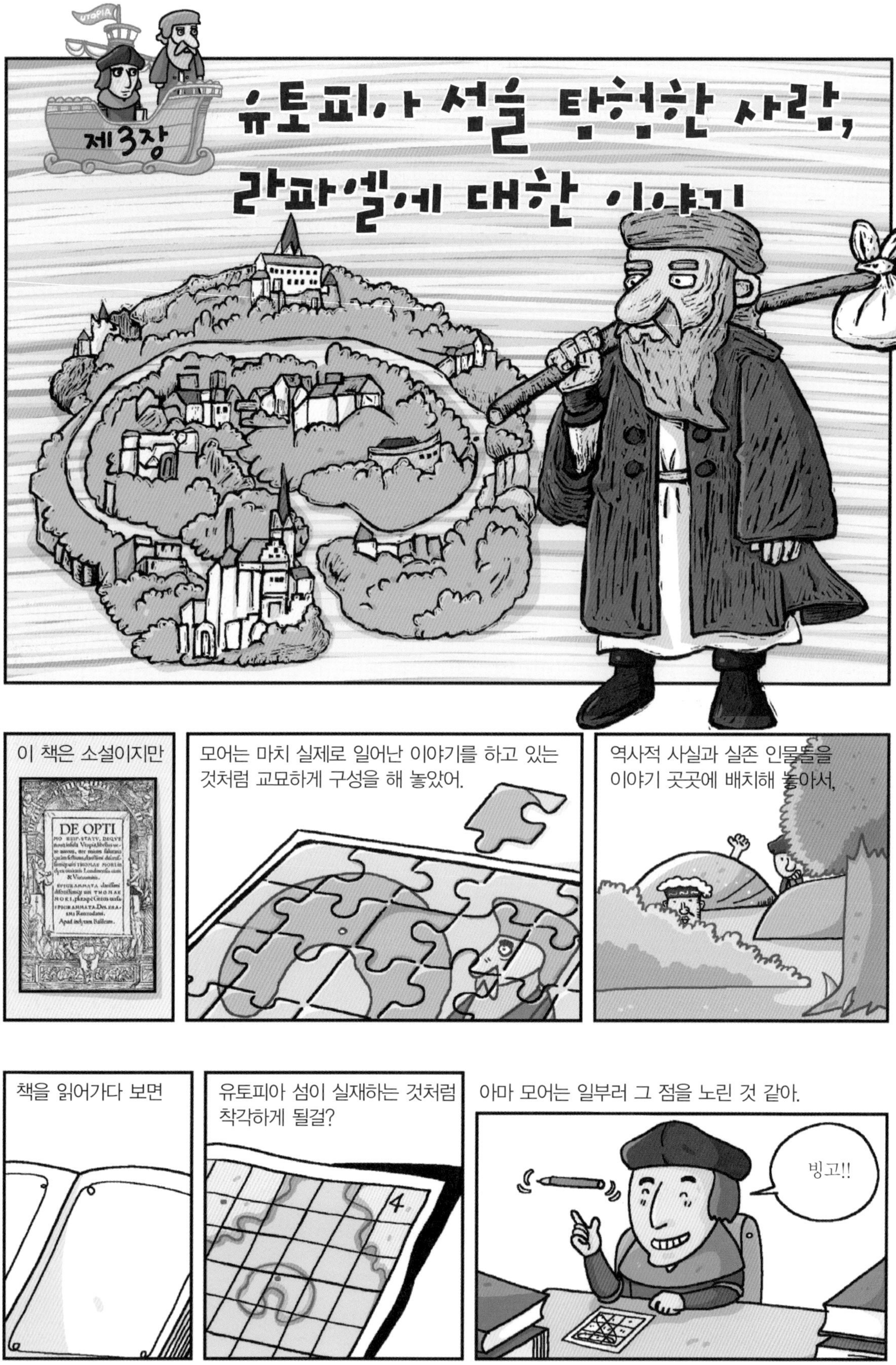
UTOPIA
제3장
유토피아 섬을 탐험한 사람,
라파엘에 대한 이야기
이 책은 소설이지만
DE OPTI
모어는 마치 실제로 일어난 이야기를 하고 있는 것처럼 교묘하게 구성을 해 놓았어.
역사적 사실과 실존 인물들을 이야기 곳곳에 배치해 놓아서,
책을 읽어가다 보면
유토피아 섬이 실재하는 것처럼 착각하게 될걸?
4
아마 모어는 일부러 그 점을 노린 것 같아.
빙고!!

한 가지 예로,
책의 도입부에 보면
도입부
모어가 외국과의 협상차
네덜란드로 출장을 갔다가
네델란드
거기서 라파엘을 만났다는 대목이 나오는데
실제로 모어는 1515년 네덜란드의
플랑드르에 외교 사절로 파견된
일이 있거든.
플랑드르
물론, 라파엘이란 사람은 모어가
창조해 낸 가상의 인물이야.
책을 읽어보면 모어가 라파엘과
열띤 토론을 벌이는 장면이
많이 나오는데
사실은 모어가 라파엘이라는 인물의 입을
빌려 자신의 생각을 이야기하고 있는 거지!
복화술의
대가.
1인 2역을 훌륭히 소화해 낸
모어의 경이적인 연기력에
우리 모두 박수를!
모어가 라파엘이란
인물을 앞세운 것은
주인공
나갑니다!
사회 고위층 인사로서
상서경
파격적인 이야기를 풀어놓았을
때의
정치
사회
종교
UTOPIA
여성
정치적 · 사회적 부담을 피해
보려고 한 고도의 전술 아니었을까?
다 작전
아니겠어?

그럼, 지금부터는 모어가
1인 2역을 하고 있다는 생각을
싹 지우고
라파엘이라는 훌륭한 아저씨를
만나 보도록 할까?
나?
아무도 가본 적 없는 유토피아 섬을
탐험하고 거기서 살아보기까지
했다는
행운아 라파엘은 모어 앞에
어떻게 등장할까?
그리고 그는 어떤 개성을 지닌
사람일까?
아무래도 진취적이고 도전적이며
호기심이 많은
인물이겠지?
외모를 상상해 본다면, 혹시 검게
그을린 얼굴에 거친 구레나룻을
기르고 있진 않을까?
짙은 선글라스를 쓰고 있을 것
같기도 하군.
어쩌면 애꾸눈일지도 몰라.
이런! 이런! 점점 해적 비슷한
이미지가 되어 가잖아!
이제야 정리가 되는군.

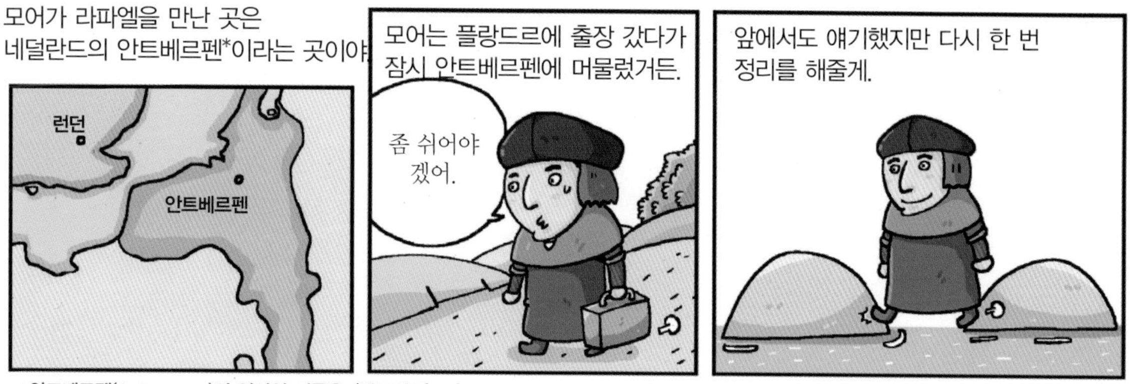

모어가 라파엘을 만난 곳은
네덜란드의 안트베르펜*이라는 곳이야.
런던
안트베르펜
모어는 플랑드르에 출장 갔다가
잠시 안트베르펜에 머물렀거든.
좀 쉬어야
겠어.
앞에서도 얘기했지만 다시 한 번
정리를 해줄게.

*안트베르펜(Antwerpen)의 영어식 이름은 '앤트워프'

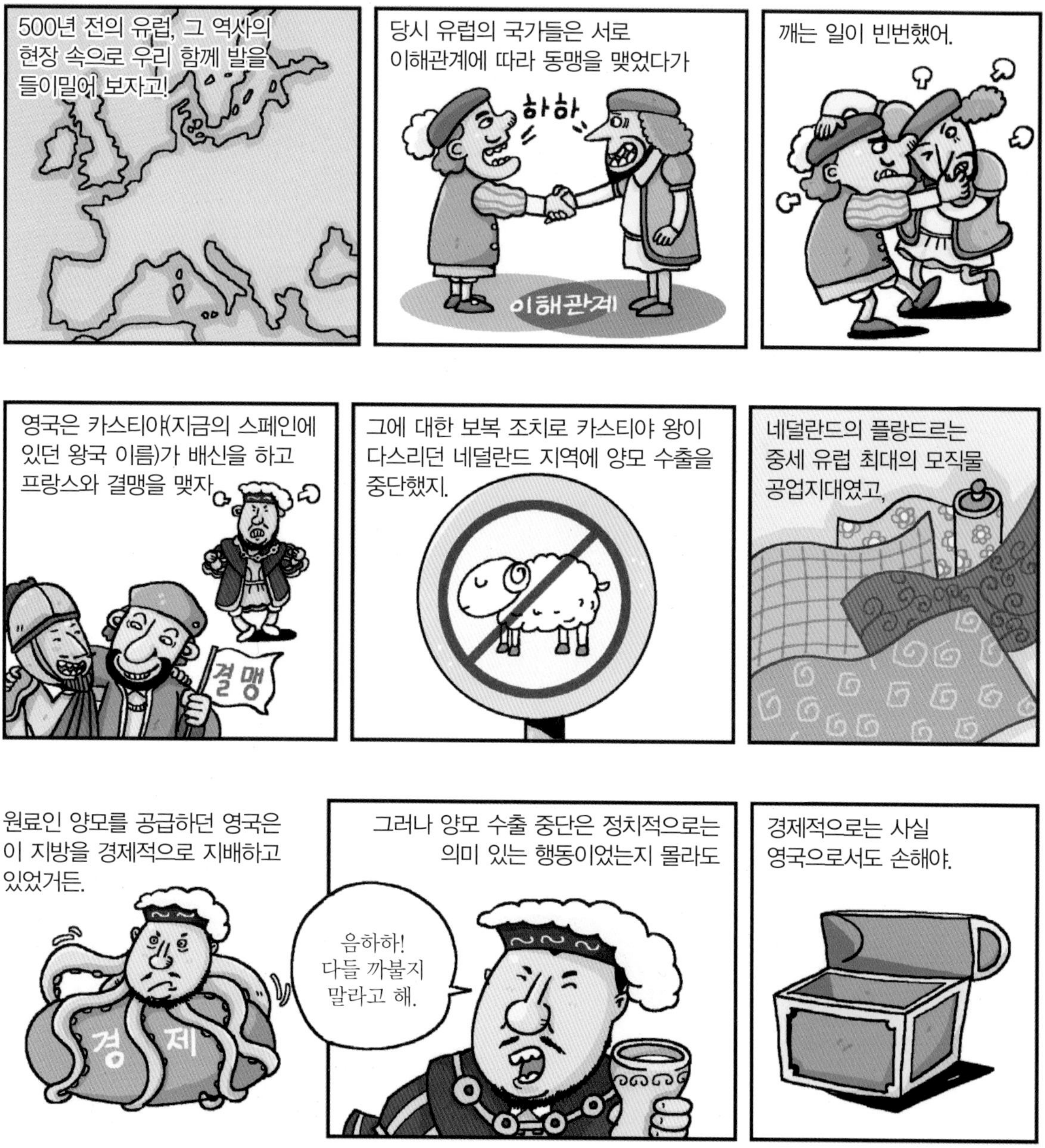

500년 전의 유럽, 그 역사의
현장 속으로 우리 함께 발을
들이밀어 보자고!
당시 유럽의 국가들은 서로
이해관계에 따라 동맹을 맺었다가
하하
이해관계
깨는 일이 빈번했어.
영국은 카스티야(지금의 스페인에
있던 왕국 이름)가 배신을 하고
프랑스와 결맹을 맺자
결맹
그에 대한 보복 조치로 카스티야 왕이
다스리던 네덜란드 지역에 양모 수출을
중단했지.
네덜란드의 플랑드르는
중세 유럽 최대의 모직물
공업지대였고,
원료인 양모를 공급하던 영국은
이 지방을 경제적으로 지배하고
있었거든.
경제
그러나 양모 수출 중단은 정치적으로는
의미 있는 행동이었는지 몰라도
음하하!
다들 까불지
말라고 해.
경제적으로는 사실
영국으로서도 손해야.

그래서 다시 무역 관계를 재개하고자
플랑드르로 사절단을 보낸 거야.
당시 영국의 정치와 행정, 외교를 주름잡던 모어는 영국 상인들의
요구로 이 사절단의 일원이 된 거지.
모어경을
사절단으로!
드디어 영국과 카스티야
양측의 사절단이 만나
여러 번 회의를 했으나
쉽게 결론이 나지 않았어.
휴~
힘들다.
얼마간 회의를 쉬기로 했고,
정 회
모어는 그 틈을 타서 얼른 개인
볼 일을 보러 안트베르펜으로 갔지.
좀 쉬어야
겠어.
안트베르펜
모어는 안트베르펜에 머물면서
피터 자일스라는 청년을 자주 만났어.
자일스는 똑똑하고 훌륭한
학자였는데
모어는 자일스와
이런 저런 대화를 나누며
향수병을 달래곤 했지.

이 자일스라는 사람은
실존 인물로
모어의 친구야.
자일스는 에라스무스의 친구이기도 해서,
에라스무스를 모어에게 소개하였지.
에라스무스는
《우신예찬》이라는 풍자 소설을 쓴
네덜란드의 유명한 인문학자라고 앞에서
말했지?
우신 예찬
Encomium Mariae
이런 걸 유유상종*이라고 해도 되나?
풍자소설의
쌍두마차!
우신예찬
유토피아
*유유상종(類類相從) – 비슷한 사람들끼리 어울림.
에라스무스는 1509년 이탈리아에서
영국으로 여행하던 중
영감을 얻어서
런던에 있는 모어 집에서
이 책을 집필했어.
그리고 모어에게 헌정했지.
둘이 굉장히 친했던 모양.
모어경에게
이 책을
바칩니다.
– 에라스 무스 –
《우신예찬》의
우신(Moria)은
모어(Morus)의
라틴어 발음과
비슷하지.
어느 날 모어는 자일스의 소개로 '문제의 인물'
라파엘 히드로다에우스와 운명적인 만남을 갖게 되지.

라파엘은 '신은 병을 고친다' 는 뜻이고,
히드로다에우스는 '넌센스의 조제사' 라는 뜻이야.
주저리
주저리
히드로 다에우스야.
굳이 이름을 해석하자면 '넌센스의 조제사(허풍선이)가 말하길 신은 병을 고친다' 라고 할까?
라파엘은 외모에 약간 무관심한 편이었나 봐.
보이는 게 전부는 아냐.
얼굴은 햇볕에 그을렸으며, 수염은 길게 나 있고,
망토는 아무렇게나 걸치고 있어서 모어는 그를 뱃사람으로 생각했어.
그러나 자일스의 소개에 따르면
라파엘은 학식이 매우 높고 라틴어와 그리스어에 정통하며
라틴어
그리스어
철학에도 관심이 많은 학구파야.
플라톤
게다가 호기심이 얼마나 많았는지
다른 세계를 보고 싶다는 열망 하나로 고향 포르투갈을 떠나,
'아메리고 베스푸치' 가 이끄는 팀에 합류해서

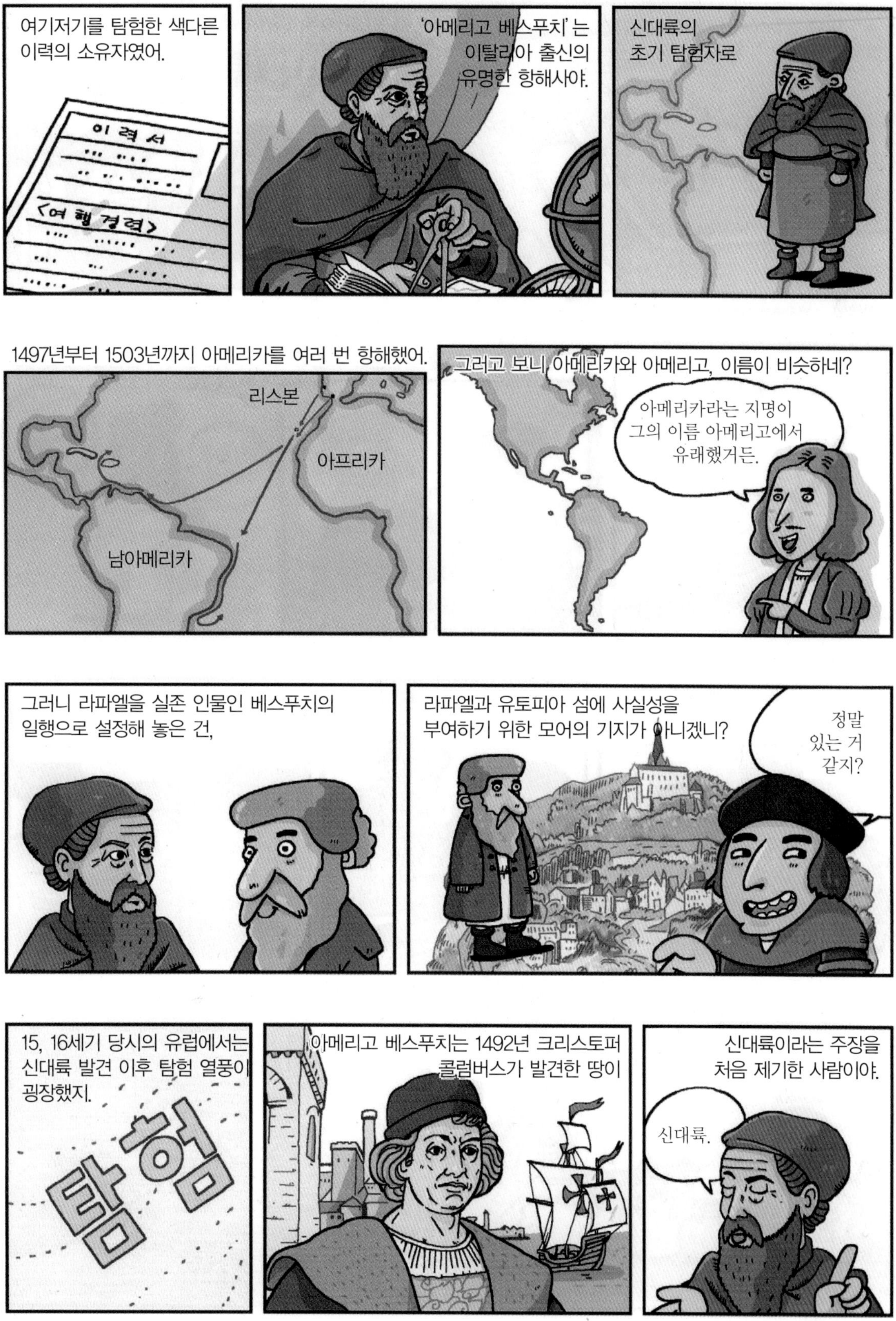

여기저기를 탐험한 색다른 이력의 소유자였어.
이력서
<여행경력>
'아메리고 베스푸치'는 이탈리아 출신의 유명한 항해사야.
신대륙의 초기 탐험자로
1497년부터 1503년까지 아메리카를 여러 번 항해했어.
리스본
아프리카
남아메리카
그러고 보니 아메리카와 아메리고, 이름이 비슷하네?
아메리카라는 지명이 그의 이름 아메리고에서 유래했거든.
그러니 라파엘을 실존 인물인 베스푸치의 일행으로 설정해 놓은 건,
라파엘과 유토피아 섬에 사실성을 부여하기 위한 모어의 기지가 아니겠니?
정말 있는 거 같지?
15, 16세기 당시의 유럽에서는 신대륙 발견 이후 탐험 열풍이 굉장했지.
탐험
아메리고 베스푸치는 1492년 크리스토퍼 콜럼버스가 발견한 땅이
신대륙이라는 주장을 처음 제기한 사람이야.
신대륙.

그가 항해 경험담을 엮어서 펴낸 《신세계》*라는
책자는 유럽 전역에서 날개 돋친 듯이 팔려 나갔고,
Mundus Novus
Mundus Novus
그야말로 신대륙 붐을 일으켰거든.
신대륙
신대륙

*《신세계》 – Mundus Novus

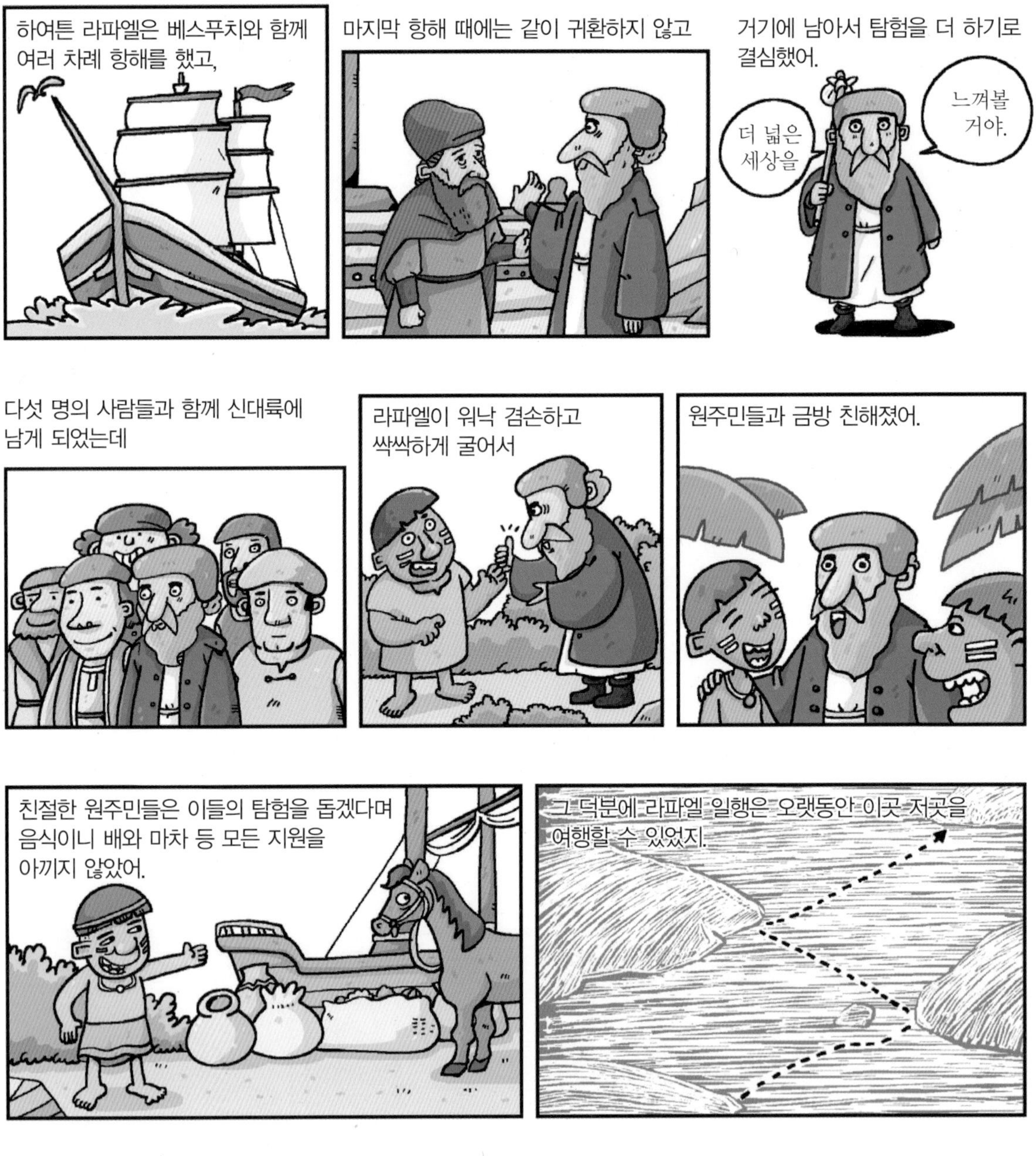
하여튼 라파엘은 베스푸치와 함께
여러 차례 항해를 했고,
마지막 항해 때에는 같이 귀환하지 않고
거기에 남아서 탐험을 더 하기로
결심했어.
더 넓은 세상을
느껴볼 거야.
다섯 명의 사람들과 함께 신대륙에
남게 되었는데
라파엘이 워낙 겸손하고
싹싹하게 굴어서
원주민들과 금방 친해졌어.
친절한 원주민들은 이들의 탐험을 돕겠다며
음식이니 배와 마차 등 모든 지원을
아끼지 않았어.
그 덕분에 라파엘 일행은 오랫동안 이곳 저곳을
여행할 수 있었지.

개중에는 아주 높은 수준의 정치 조직을 갖춘 인상적인 나라도 여럿 있었는데,
그 중의 하나가 바로 유토피아라는 거야.
물론 그들의 여행이 순탄했던 것만은 아니야.
순풍에 돛 달아라
처음에 적도 지방에 가게 되었는데,
0°
0°
그곳은 열기로 모든 것이 바싹 메말라버린 광대한 사막이었어.
모든 것이 황량해서, 인간이 농사를 지은 흔적을 전혀 찾을 수가 없었지.
그러나 열대 지방을 조금 벗어나니 환경이 훨씬 좋아져서
비로소 평범한 보통 사람들을 만날 수 있었어.
살기 좋은 환경 덕분인지 사람들 인심도 좋아서
꺼~윽!
출발 직전의 배를 만나 태워달라고 요청을 하면
그들은 언제나 기꺼이 태워주었지.

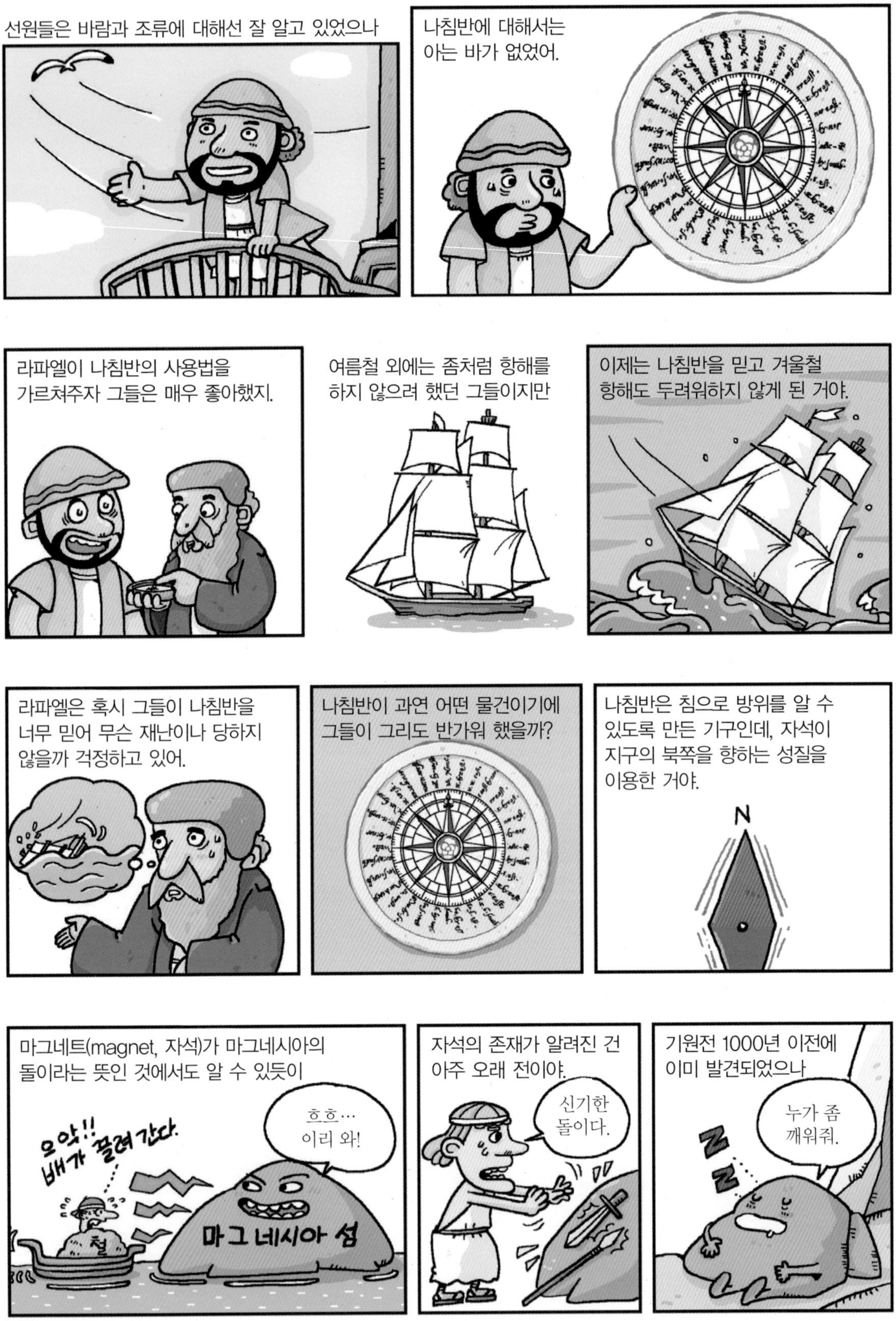

선원들은 바람과 조류에 대해선 잘 알고 있었으나
나침반에 대해서는 아는 바가 없었어.
라파엘이 나침반의 사용법을 가르쳐주자 그들은 매우 좋아했지.
여름철 외에는 좀처럼 항해를 하지 않으려 했던 그들이지만
이제는 나침반을 믿고 겨울철 항해도 두려워하지 않게 된 거야.
라파엘은 혹시 그들이 나침반을 너무 믿어 무슨 재난이나 당하지 않을까 걱정하고 있어.
나침반이 과연 어떤 물건이기에 그들이 그리도 반가워 했을까?
나침반은 침으로 방위를 알 수 있도록 만든 기구인데, 자석이 지구의 북쪽을 향하는 성질을 이용한 거야.
N
마그네트(magnet, 자석)가 마그네시아의 돌이라는 뜻인 것에서도 알 수 있듯이
으악!! 배가 끌려간다.
철
흐흐… 이리 와!
마그네시아 섬
자석의 존재가 알려진 건 아주 오래 전이야.
신기한 돌이다.
기원전 1000년 이전에 이미 발견되었으나
누가 좀 깨워줘.

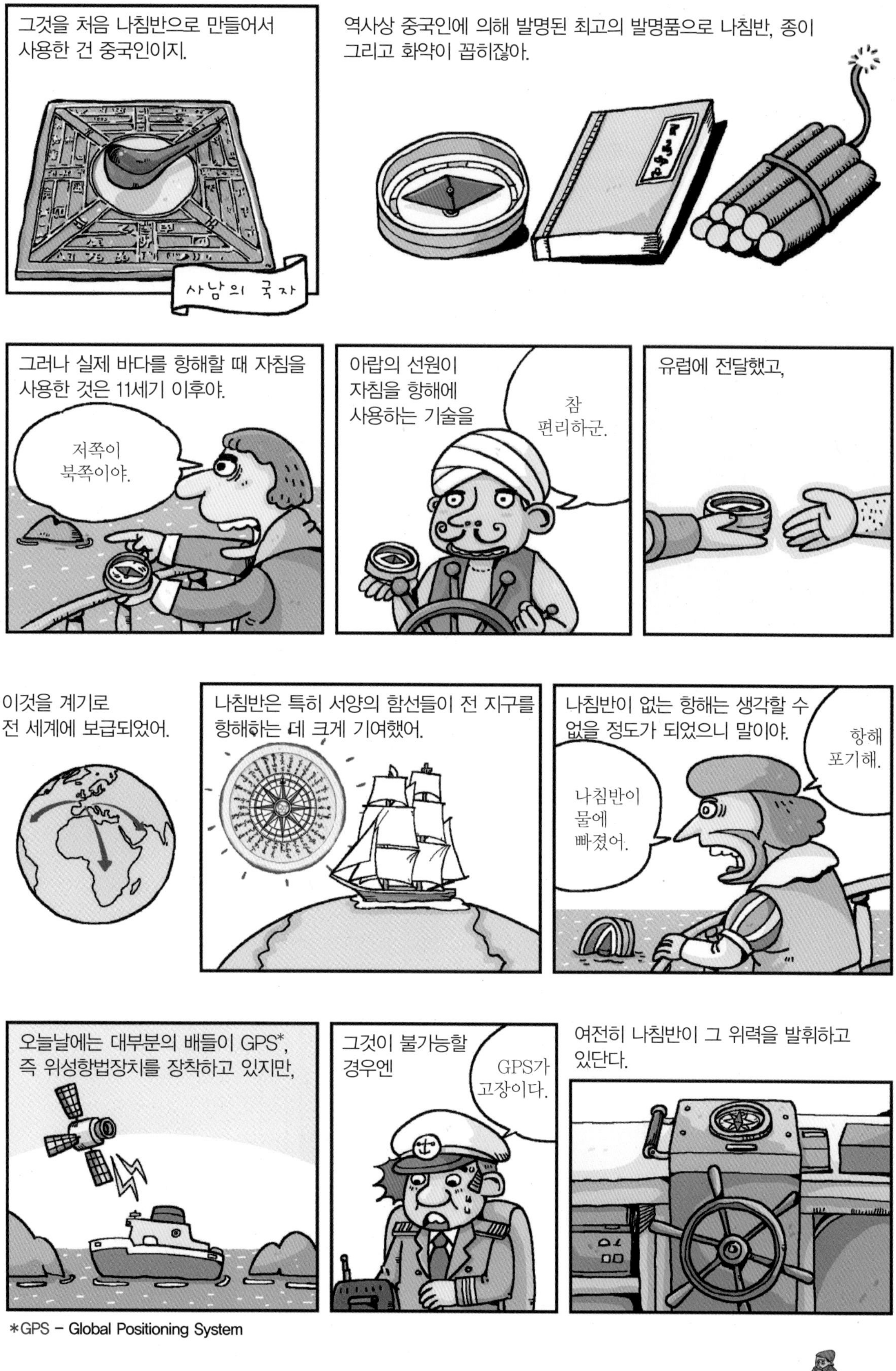

그것을 처음 나침반으로 만들어서 사용한 건 중국인이지.
사남의 국자
역사상 중국인에 의해 발명된 최고의 발명품으로 나침반, 종이 그리고 화약이 꼽히잖아.
그러나 실제 바다를 항해할 때 자침을 사용한 것은 11세기 이후야.
저쪽이 북쪽이야.
아랍의 선원이 자침을 항해에 사용하는 기술을
참 편리하군.
유럽에 전달했고,
이것을 계기로 전 세계에 보급되었어.
나침반은 특히 서양의 함선들이 전 지구를 항해하는 데 크게 기여했어.
나침반이 없는 항해는 생각할 수 없을 정도가 되었으니 말이야.
항해 포기해.
나침반이 물에 빠졌어.
오늘날에는 대부분의 배들이 GPS*, 즉 위성항법장치를 장착하고 있지만,
그것이 불가능할 경우엔
GPS가 고장이다.
여전히 나침반이 그 위력을 발휘하고 있단다.

*GPS – Global Positioning System

라파엘이 자기가 가본 나라들에 대하여 이런저런 이야기를 풀어놓는데,
모어와 자일스가 찬찬히 들어보니 라파엘이란 사람이 학식과 경험도 풍부하고 대단히 지혜로운 사람인 거야.
그래서 왕의 고문관이 되어 나라를 위해 봉사해 보지 않겠냐고 권유했지 뭐야?
공직에 나가심이…
왕의 고문관이면 국정 자문 위원 같은 건데,
전진!
국정호
비유를 들자면, 은둔 중인 '은둔 고수'에게
'강호'에 출현해 줄 것을 청했다고나 할까?
음… 중원이 곧 평정되겠군.
하지만 역시 진정한 고수는 함부로 나서지 않는 법인가봐!
식기 전에 차나 한잔 하고 가시지요.
라파엘은 일언지하에 거절했어.
NO!!
제법 똑똑하다 싶은 사람이라면 누구나 탐내는 자리일 텐데 말이야.
우리는 그가 내세운 이유를 곱씹어 볼 필요가 있겠지?

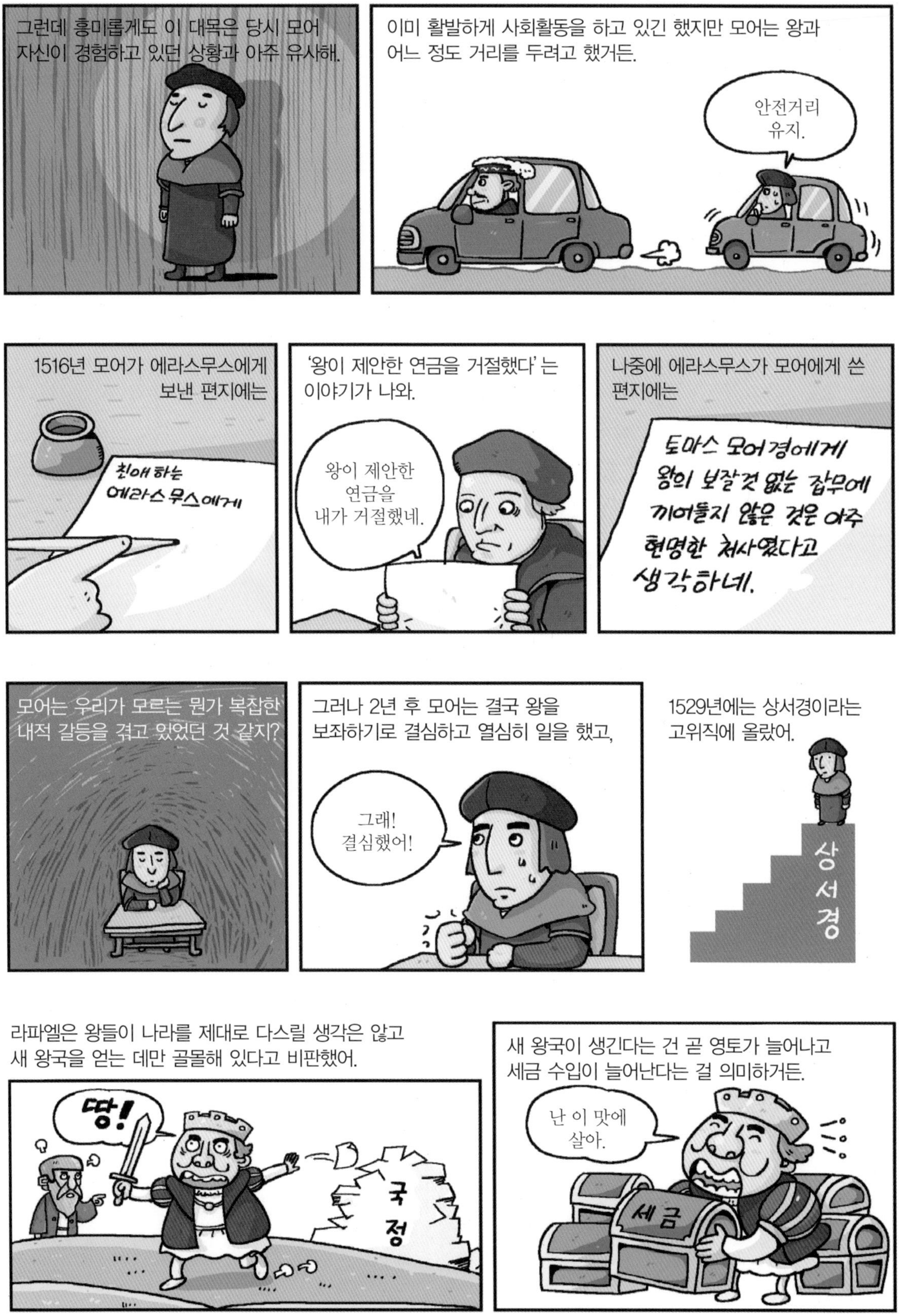

그런데 흥미롭게도 이 대목은 당시 모어 자신이 경험하고 있던 상황과 아주 유사해.
이미 활발하게 사회활동을 하고 있긴 했지만 모어는 왕과 어느 정도 거리를 두려고 했거든.
안전거리 유지.
1516년 모어가 에라스무스에게 보낸 편지에는
친애하는 에라스무스에게
'왕이 제안한 연금을 거절했다'는 이야기가 나와.
왕이 제안한 연금을 내가 거절했네.
나중에 에라스무스가 모어에게 쓴 편지에는
토마스 모어경에게 왕의 보잘것 없는 잡무에 끼어들지 않은 것은 아주 현명한 처사였다고 생각하네.
모어는 우리가 모르는 뭔가 복잡한 내적 갈등을 겪고 있었던 것 같지?
그러나 2년 후 모어는 결국 왕을 보좌하기로 결심하고 열심히 일을 했고,
그래! 결심했어!
1529년에는 상서경이라는 고위직에 올랐어.
상서경
라파엘은 왕들이 나라를 제대로 다스릴 생각은 않고 새 왕국을 얻는 데만 골몰해 있다고 비판했어.
땅!
국정
새 왕국이 생긴다는 건 곧 영토가 늘어나고 세금 수입이 늘어난다는 걸 의미하거든.
난 이 맛에 살아.
세금

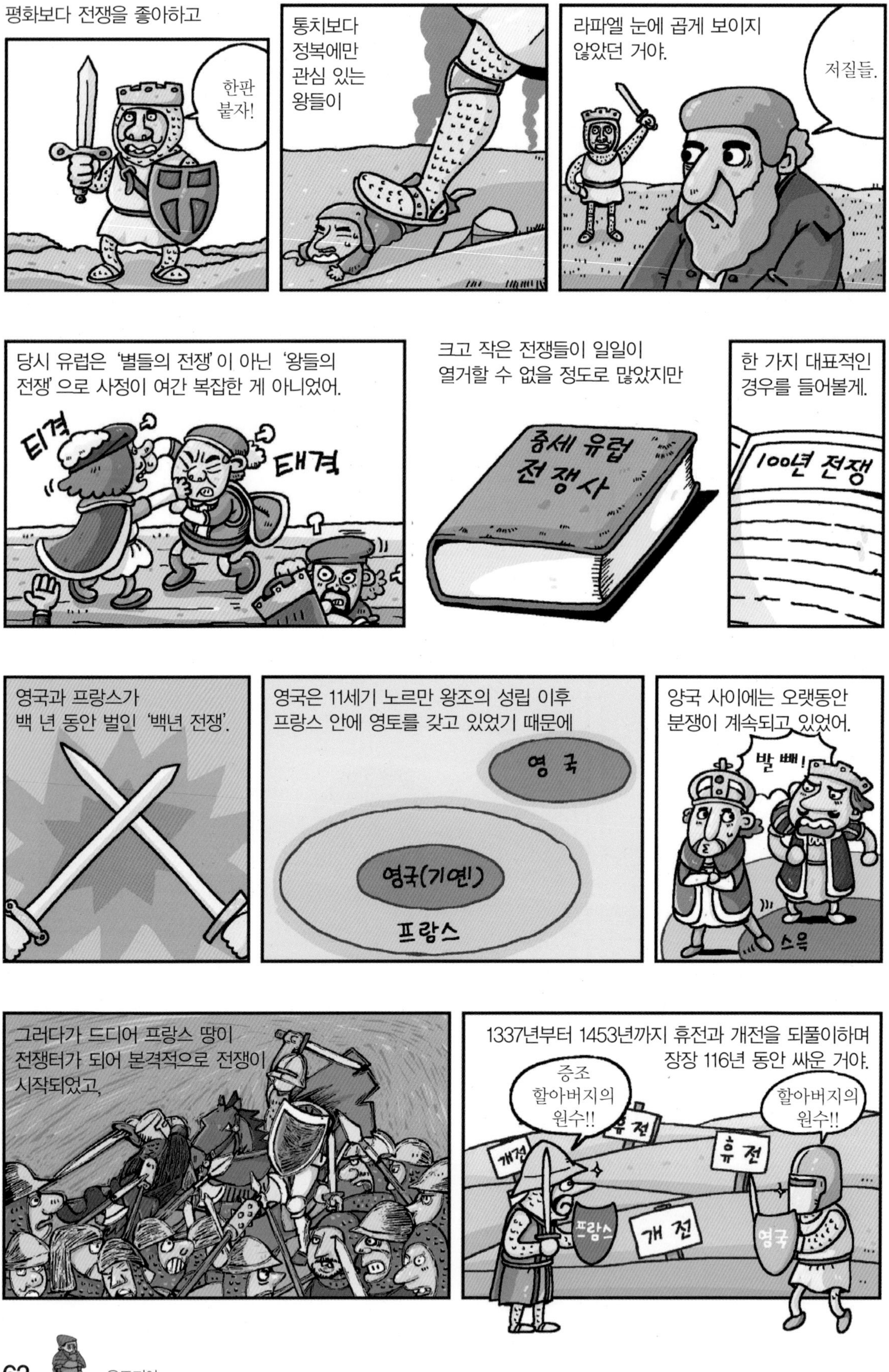
평화보다 전쟁을 좋아하고
한판 붙자!
통치보다 정복에만 관심 있는 왕들이
라파엘 눈에 곱게 보이지 않았던 거야.
저질들.
당시 유럽은 '별들의 전쟁'이 아닌 '왕들의 전쟁'으로 사정이 여간 복잡한 게 아니었어.
티격
태격
크고 작은 전쟁들이 일일이 열거할 수 없을 정도로 많았지만
중세 유럽 전쟁사
한 가지 대표적인 경우를 들어볼게.
100년 전쟁
영국과 프랑스가 백 년 동안 벌인 '백년 전쟁'.
영국은 11세기 노르만 왕조의 성립 이후 프랑스 안에 영토를 갖고 있었기 때문에
영국
영국(기옌)
프랑스
양국 사이에는 오랫동안 분쟁이 계속되고 있었어.
발 빼!
스윽
그러다가 드디어 프랑스 땅이 전쟁터가 되어 본격적으로 전쟁이 시작되었고,
1337년부터 1453년까지 휴전과 개전을 되풀이하며 장장 116년 동안 싸운 거야.
증조 할아버지의 원수!!
할아버지의 원수!!
개전
휴전
휴전
개전
프랑스
영국

라파엘은 정치 현실에 대하여 대단히 부정적이고 비판적이야.
물론 어떤 사람은 그럴수록 현실 정치에 참여해서
개혁을 추진해야 되지 않겠냐고 주장하기도 하겠지만
개혁.
라파엘은 이런 정치판에 끼어들어 개혁을 논해 본들 무의미하다고 봤어.
개혁…
그 주장이 받아들여질 여지가 없을 만큼 이미 타락하고
밥 뺏어 먹으려고 그러지?
부정한 상태라고 본 거야.
우~와! 맛있는 쓰레기다.
또한 라파엘은 왕의 신하들과 고문들도
도마 위에 올렸어.
그들은 직언과 간언으로 왕을 제대로 보좌하기는커녕 왕에게 잘 보이기 위해
폐~하
왕이 어리석은 결정을 내릴 때도 맞장구나 치고 있다는 거야.
뿌웅
시원하시겠습니다!
게다가 그들은 나름대로 자부심이 강한 족속이라서 다른 사람들의 의견은 제대로 듣지도 않는다는 거지.
직언을 하셔야죠.
감히 내게 충고를 하다니.

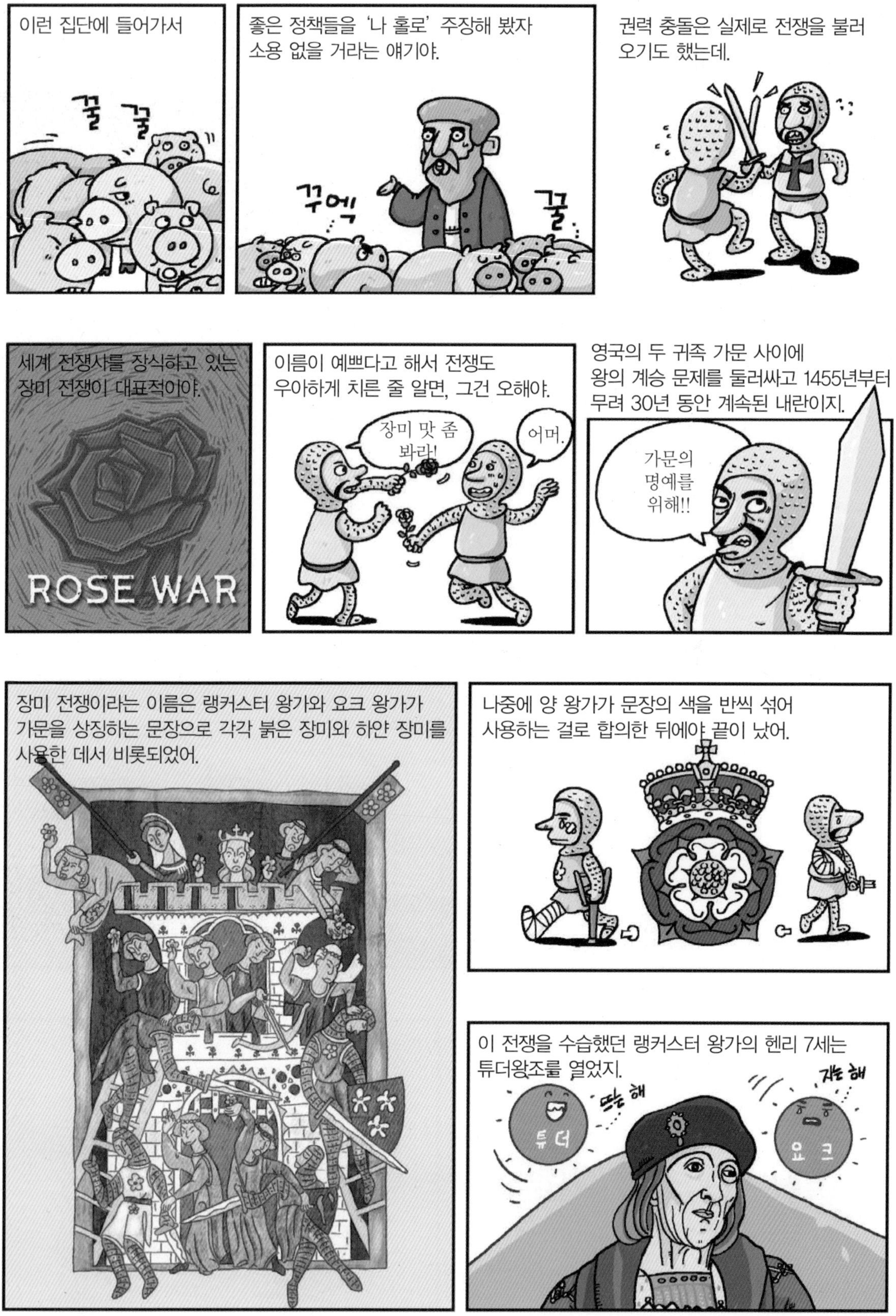

이런 집단에 들어가서
꿀 꿀
좋은 정책들을 '나 홀로' 주장해 봤자 소용 없을 거라는 얘기야.
꿀
권력 충돌은 실제로 전쟁을 불러오기도 했는데.
세계 전쟁사를 장식하고 있는 장미 전쟁이 대표적이야.
ROSE WAR
이름이 예쁘다고 해서 전쟁도 우아하게 치른 줄 알면, 그건 오해야.
장미 맛 좀 봐라!
어머.
영국의 두 귀족 가문 사이에 왕의 계승 문제를 둘러싸고 1455년부터 무려 30년 동안 계속된 내란이지.
가문의 명예를 위해!!
장미 전쟁이라는 이름은 랭커스터 왕가와 요크 왕가가 가문을 상징하는 문장으로 각각 붉은 장미와 하얀 장미를 사용한 데서 비롯되었어.
나중에 양 왕가가 문장의 색을 반씩 섞어 사용하는 걸로 합의한 뒤에야 끝이 났어.
이 전쟁을 수습했던 랭커스터 왕가의 헨리 7세는 튜더왕조를 열었지.
뜨는 해
튜더
지는 해
요크

라파엘은 이렇게 자만심과 어리석음,
고집으로 똘똘 뭉친 사람들을
여러 곳에서 보았고
영국에서도 만났다면서
화살을 슬쩍 영국 쪽으로 돌렸어.
영국
라파엘이 영국에 머무른 것은 1497년 콘월 지역에서
일어난 농민 반란 직후라는군.
콘월 지역
반란이 진압되고 난 직후였으니
상당히 인심이 흉흉했겠지?
휴~
이해된다.
이 반란은 스코틀랜드 침략을 위한
세금에 반대하여 일어났는데,
우리는
세금 낳는
닭이 아니다.
더이상
세금은
못 내겠다.
토마스 플래밍크
마이클 조지프
영국 남서부에서 처음 시작되었지.
중북부
런던
남서부
남동부
남중부
얼마나 살기 힘들었으면 목숨을 걸고 반란을 일으켰을까.
더이상
못 살겠다
동서고금을 막론하고
세금이 문제야.
녹두장군 전봉준

라파엘이 영국에 머무는 동안
캔터베리 대주교 존 모턴 경의
후의를 많이 입었다고 말하는데,
이 대목은 실제로 모어의
자전적인 내용이기도 해.
내
이야기야.
추기경이자 대법관인 모턴 경은
추기경
대법관
신분도 높지만 지혜와 미덕으로
지혜.
미덕.
더욱 존경 받는 사람이었어.
게다가 말 솜씨도 뛰어나고 지능과
기억력도 뛰어난 인물이었지.
10년 전에
한 번 만난 적
있지?
모어는 열두 살 때부터 모턴 경 집에서 자랐는데, 모턴 경은
모어의 총명함을 알아보고 매우 아꼈다고 해.
W.로퍼가 쓴 모턴 전기에 보면
John
Morton
모턴 경은 모어의 기지와
싹싹함을 좋아해서,
주변 사람들에게 모어가 장차 훌륭한 인물이
될 거라고 칭찬을 많이 했다는군.
모어.
모어…

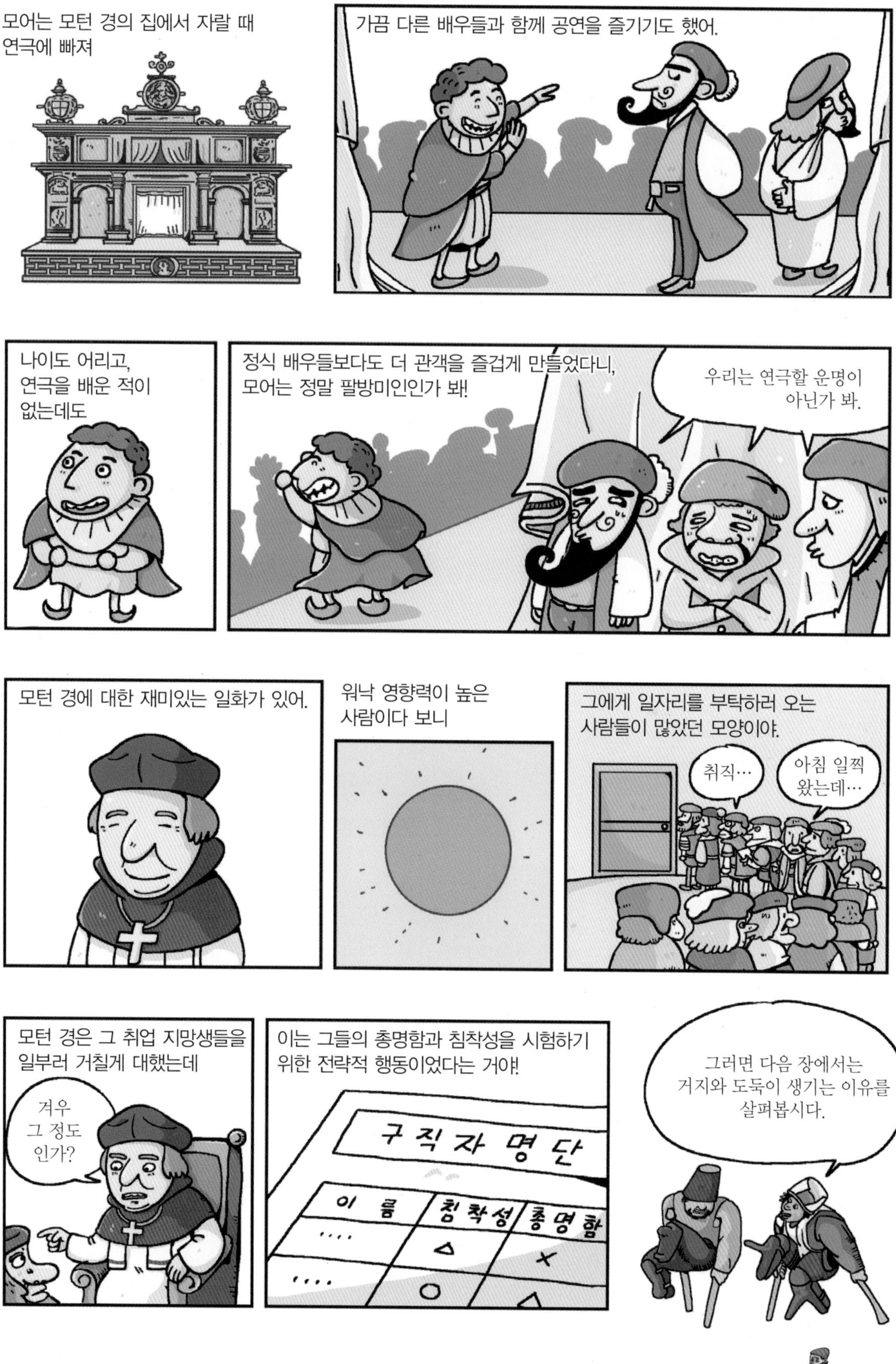
모어는 모턴 경의 집에서 자랄 때
연극에 빠져
가끔 다른 배우들과 함께 공연을 즐기기도 했어.
나이도 어리고,
연극을 배운 적이
없는데도
정식 배우들보다도 더 관객을 즐겁게 만들었다니,
모어는 정말 팔방미인인가 봐!
우리는 연극할 운명이
아닌가 봐.
모턴 경에 대한 재미있는 일화가 있어.
워낙 영향력이 높은
사람이다 보니
그에게 일자리를 부탁하러 오는
사람들이 많았던 모양이야.
취직…
아침 일찍
왔는데…
모턴 경은 그 취업 지망생들을
일부러 거칠게 대했는데
겨우
그 정도
인가?
이는 그들의 총명함과 침착성을 시험하기
위한 전략적 행동이었다는 거야!
구직자 명단
이름
침착성
총명함
그러면 다음 장에서는
거지와 도둑이 생기는 이유를
살펴봅시다.

대항해 시대의 유럽

모어는 라파엘이 유토피아 섬에 닿을 수 있었던 까닭은 베스푸치의 항해에 참여했기 때문이라고 해요. 모어가 살던 시대 유럽은 지리상의 대 발견이 이어지는 시대였습니다. 중세 교회의 권력에서 벗어난 유럽 각 나라의 왕들은 강력한 중앙집권제를 이루기 위해 경쟁적으로 해외로 나갔답니다. 새로운 시장을 개척하고, 무역을 통해 국부를 쌓아 부강한 나라를 만들기 위해서였지요. '황금의 나라'로 알려진 아시아 여러 나라 즉, 중국이나 일본 그리고 인도 등에 대한 막연한 동경은 이를 더욱 부채질했어요. 특히 향료 같은 무역 상품은 아랍 상인과 베네치아, 제노바 상인들이 독점하고 있어서 엄청난 웃돈을 줘야만 얻을 수 있었는데, 항해를 통해 이런 향료도 얻을 수 있을 거라고 생각했답니다.

AMERICI
VESPVCII
아메리카 대륙이 신대륙임을 밝힌 아메리고 베스푸치(1454~1512)

이 때 활동한 모험가들로는 아프리카 항로를 개발하여 대항해 시대의 서막을 연 포르투갈의 엔리케 왕자, 아메리카 대륙을 발견한 콜럼버스, 아메리카 대륙이 신대륙이란 사실을 밝혀낸 아메리고 베스푸치, 아프리카 남쪽 끝인 희망봉을 발견한 바르톨로뮤 디아스, 아프리카를 돌아 인도의 캘리컷에 도착한 바스코 다 가마, 파나마 지협을 건너 태평양을 발견한 발보아,

세계 일주에 성공한 마젤란 등이 있습니다.

특히 마젤란은 1519년 출발해 1522년까지 카나리아제도, 아메리카, 태평양 등 세계를 일주하였는데 이 성공은 유럽 지식인 사회에 큰 충격을 주었습니다. 교회의 가르침과 달리 '지구는 둥글다' 는 사실이 실제 항해를 통해 입증됐기 때문이지요. 이 일로 사람들은 학회를 만들고 사색과 회의, 실증적 실험에 빠지게 되었어요.

잉카 문명의 유적지
유럽인들의 대항해는 유럽에는 막대한 부를 안겨다 주었지만, 아메리카 원주민들에게는 비참한 역사를 남겨 주었다.

여러 모험가들의 미지의 세계에 대한 탐험은 대항해 시대를 열었고, 자본을 축적하고, 과학 기술 발전을 재촉했으나, 한편으로는 많은 민족에게 큰 고통을 안겨 주었어요. 유럽 사람들의 잇따른 침략으로 당시 아메리카의 아즈텍 문명과 잉카 문명은 완전히 파괴되고 말았거든요. 또한 아프리카에서는 15세기부터 19세기까지 노예무역으로 약 1,200만 명의 원주민들이 유럽으로 팔려갔다고 해요. 그때의 슬픈 역사는 아직도 전 세계 곳곳에 남아 있답니다.

대항해 시대를 연 나침반

나침반은 지자기에 의해 자침이 항상 자기 북쪽을 향하는 성질을 이용한 것으로 항해, 여행 등 먼 거리를 이동할 때 없어서는 안 될 귀중한 도구이다.

후한 시대 왕충의 저서 《논형》에 의하면 '사남의 국자' 라는 기록이 있는데 "'사남의 국자' 는 천연 자석을 국자 모양으로 만든 것으로, 이것을 테이블 위에 두면 그 머리가 남쪽을 향한다"고 돼 있어 자석을 나침반으로 처음 사용한 것은 중국인 것을 알 수 있다. 나침반을 항해에 처음 이용한 것은 12세기 초로, 초기에는 물에 띄워 놓은 나무 판자에 자침을 고정시킨 형태로 사용하였고, 이를 '수침반', 자침은 '지남어' 라고 불렀다.

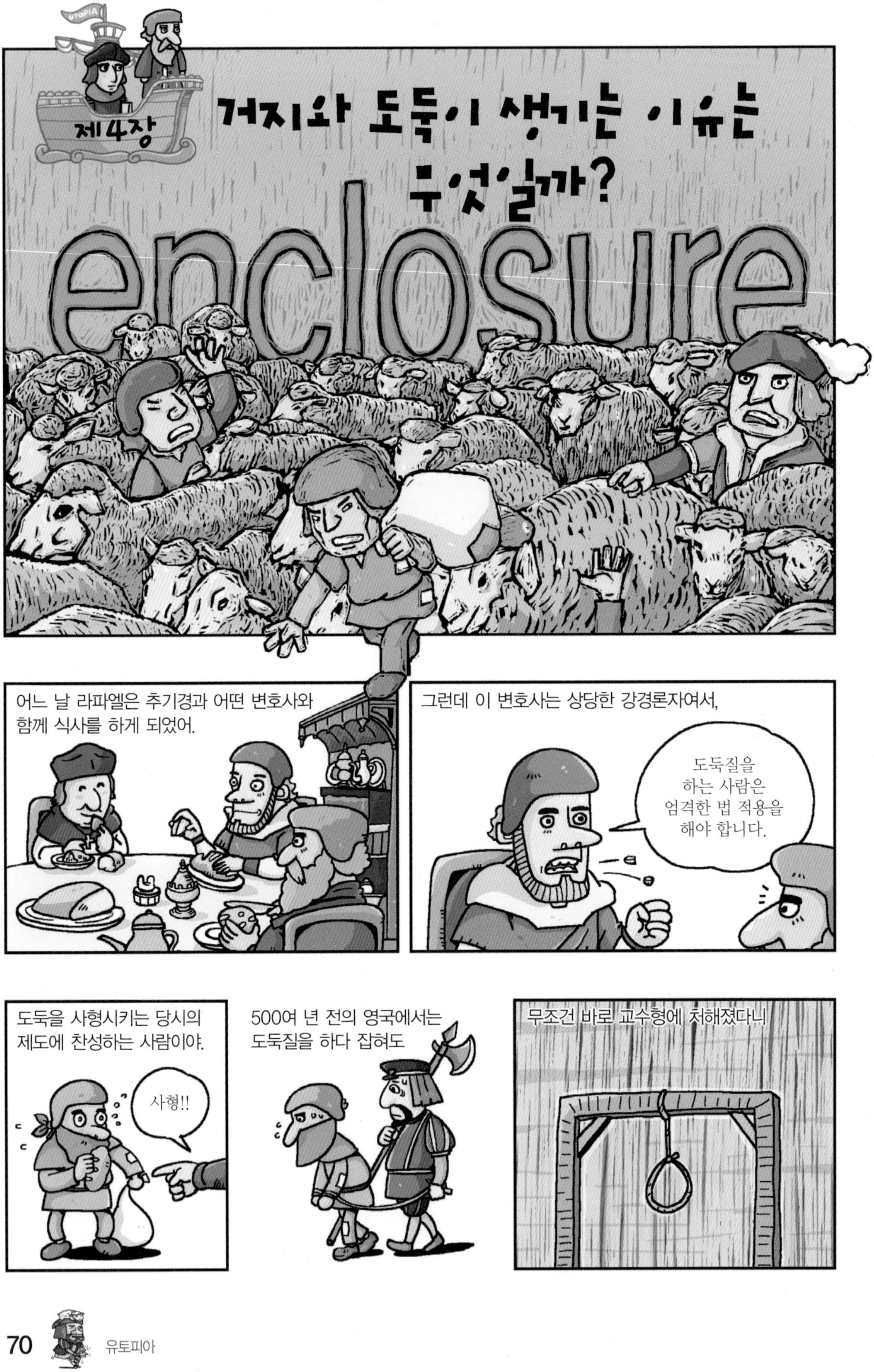
UTOPIA
제4장
거지와 도둑이 생기는 이유는 무엇일까?
enclosure
어느 날 라파엘은 추기경과 어떤 변호사와 함께 식사를 하게 되었어.
그런데 이 변호사는 상당한 강경론자여서,
도둑질을 하는 사람은 엄격한 법 적용을 해야 합니다.
도둑을 사형시키는 당시의 제도에 찬성하는 사람이야.
사형!!
500여 년 전의 영국에서는 도둑질을 하다 잡혀도
무조건 바로 교수형에 처해졌다니

아무리 절도가 나쁜 짓이긴 해도
분위기가 상당히 살벌하지?
그런데, 아무리 사형으로 엄히
다스려도 도둑이 줄지 않는 사실이
뛰는 사형제.
날으는 도둑 증가율.
도저히 이해가 안 된다며
이 변호사가 고개를
갸웃거리지 뭐야?
이해가 안 돼.
여기서 잠시 도둑과의
인터뷰 시간을 가져볼까?
저기, 잠시만요.
궁금한 건 못 참거든.
뭐하는 거예요?
아, 모자이크
해주는 센스.
좋아요, 물어 보세요.
장래 희망이 원래부터
거지 또는 도둑이었는지?
장래 희망
도둑
혹시, 적성에 맞아서 선택한 건지?
당신의 적성에 맞는 직업
도둑
설마… 아니겠지?
절대 아니죠.
남들처럼 제대로 살아보려고 했는데
굿모닝~
어찌어찌 하다보니 여기까지?
정신을 차려보니 감옥이었어요.
나도 착하게 살고 싶어요.

고수 라파엘의 명쾌한 처방도 이와 비슷해.
처방은 아주 간단해.
남의 것을 훔치지 않고도 살 수 있게끔 해주면
내 것이 있는데 왜 훔쳐?
저절로 문제는 해결된다는 거야.
도둑
거지
생각해 봐.
으~ 배고파.
양식을 얻을 수 있는 유일한 방법이 훔치는 길밖에 없다면,
맛있는 냄새다.
사형보다 더한 처벌이 기다리고 있다 하더라도
일단 도둑질에 나설 수밖에 없지 않아?
덥석
라파엘은 도둑과 거지가 생겨날 수 밖에 없는 구조적인 요인들을 콕콕 짚어주고 있어.
도둑과 거지로 전락하는 사람들은 크게 두 부류로 나뉘어.
한푼만
양모 산업으로 인해 농지를 잃은 불쌍한 농민들,
나가!
그리고 귀족 계급에 얹혀 살다 중도 탈락한 시종들이야.
더이상 필요 없어!

중세 유럽의 농민들은 장원에 소속되어
지주(귀족)로부터 땅을 빌려 농사를 지었어.
일, 열심히 해!
땅
감사…
이처럼, 농지 소유자가 땅을 남에게 빌려주어
농사를 짓게 하는 제도를 소작제도라고 해.
넌 이 땅을 경작해.
농민들이 애써 농사를 지으면
지주(귀족)들은 놀고 먹으면서
지대와 소작료를 거둬 가지.
재주는 곰이 넘고 돈은
사람이 챙긴다는 말이 있잖아?
게다가 당시 농민들은
지주에게 예속된 상태여서
농사뿐 아니라 부역에도
동원되곤 했어.
중세 장원의 농민들을 '농노(農奴)'라고
부르는 이유가 바로 여기에 있단다.
농민
노예
농민임에도 종처럼 매여 있었거든.
게다가 귀족들에게 딸린
수많은 시종들까지
손 하나 까딱 않고 소작인들의
노동에 의존해서 살고 있었지.
물 가져와.

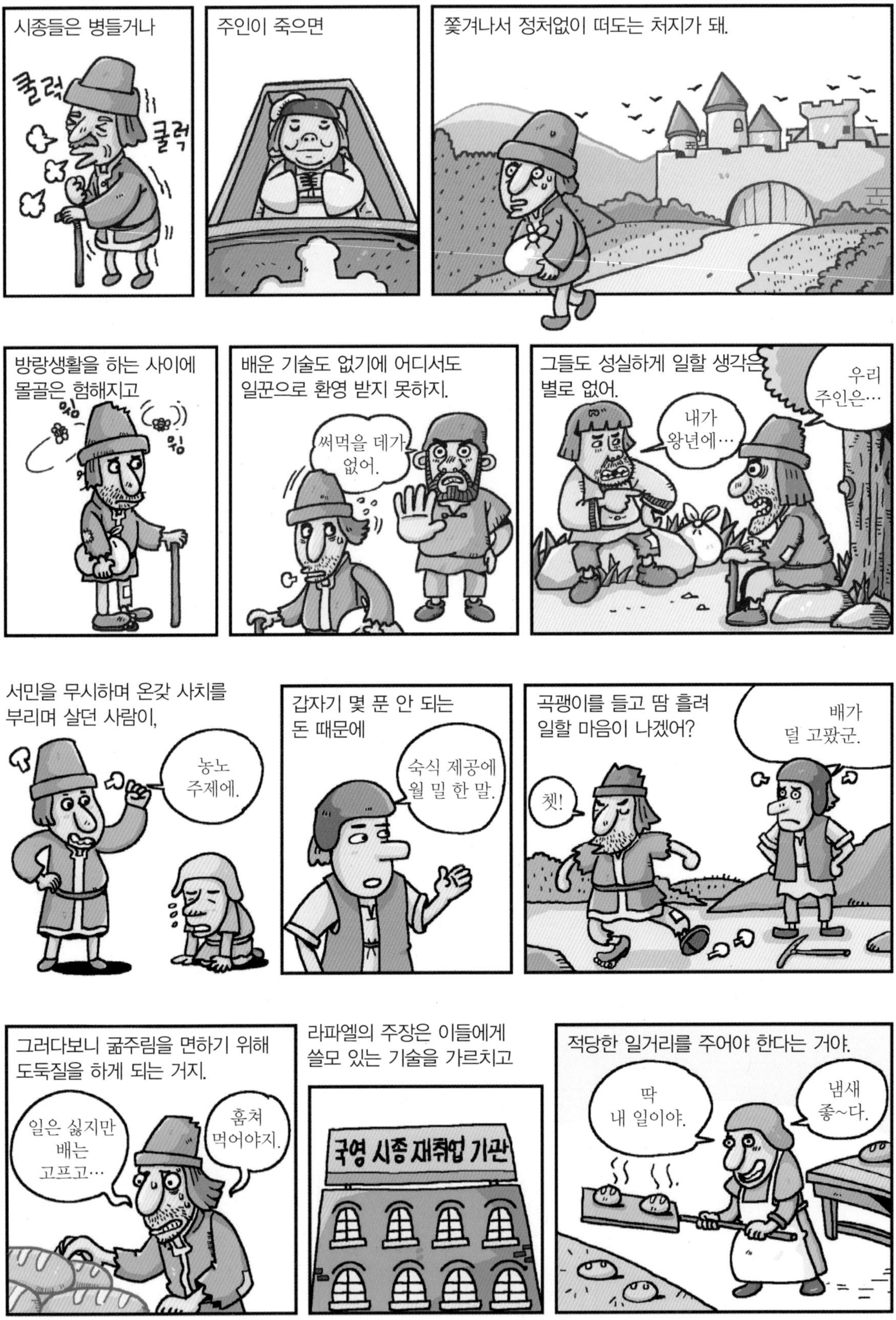

시종들은 병들거나
쿨럭
쿨럭
주인이 죽으면
쫓겨나서 정처없이 떠도는 처지가 돼.
방랑생활을 하는 사이에 몰골은 험해지고
윙
윙
배운 기술도 없기에 어디서도 일꾼으로 환영 받지 못하지.
써먹을 데가 없어.
그들도 성실하게 일할 생각은 별로 없어.
내가 왕년에…
우리 주인은…
서민을 무시하며 온갖 사치를 부리며 살던 사람이,
농노 주제에.
갑자기 몇 푼 안 되는 돈 때문에
숙식 제공에 웬 밀 한 말.
곡괭이를 들고 땀 흘려 일할 마음이 나겠어?
배가 덜 고팠군.
쳇!
그러다보니 굶주림을 면하기 위해 도둑질을 하게 되는 거지.
일은 싫지만 배는 고프고…
훔쳐 먹어야지.
라파엘의 주장은 이들에게 쓸모 있는 기술을 가르치고
국영 시종 재취업 기관
적당한 일거리를 주어야 한다는 거야.
딱 내 일이야.
냄새 좋~다.

그러나, 도둑으로 직업을 바꾼 이 전직 시종들을 활용하는 방안에 대해서 변호사는 생각이 좀 달라.
이 변호사는 전직 시종들은 비록 도둑으로 전락했다 하더라도 평범한 농부나 직공들보다는 용감하고 자존심도 강할 테니
준치는 썩어도 준치라고!
전쟁이 나면 군인으로 쓰자는 거야.
그렇다면 전쟁을 위해서 도둑을 보호하자는 재미있는 논리가 되는 거네?
전쟁아, 나지 마라.
불공평해.
라파엘이 가만있을 리 없지.
장난하는 것도 아니고…
이는 도둑을 없애자는 취지에도 어긋나고,
또한 군대라는 것 자체가 그리 믿을 만한 것이 못 되지 않느냐고
변호사의 말을 반박했어.
라파엘은 군대라는 무장 조직을 상당히 위험한 집단으로 보고 있거든.
도둑이나 군인이나,
행동에 앞서 상당한 '용기'를 필요로 한다는 점에서 공통점이 있다는 거야.

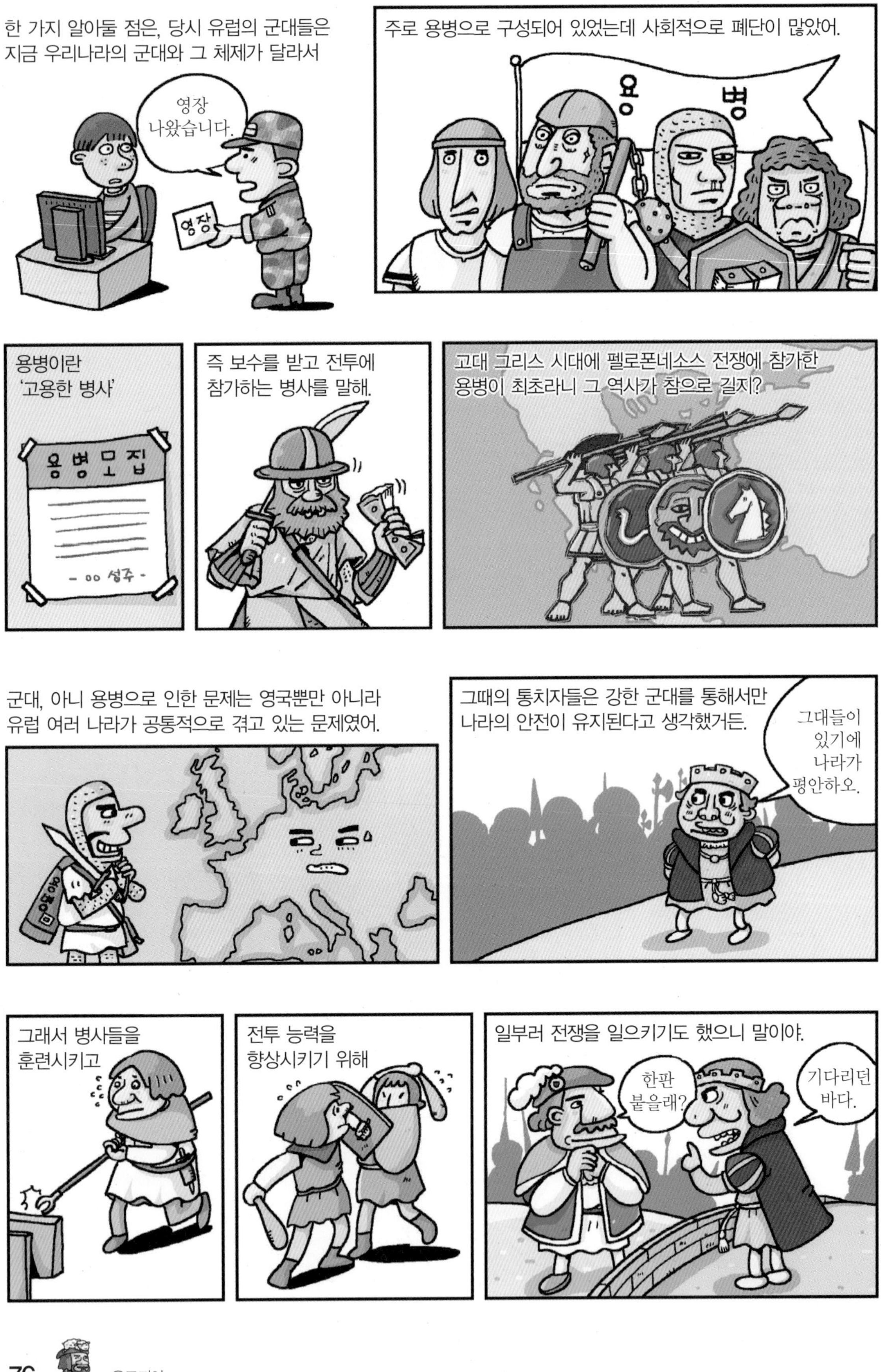
한 가지 알아둘 점은, 당시 유럽의 군대들은
지금 우리나라의 군대와 그 체제가 달라서
영장
나왔습니다.
영장
주로 용병으로 구성되어 있었는데 사회적으로 폐단이 많았어.
용 병
용병이란
'고용한 병사'
용병모집
- oo 성주 -
즉 보수를 받고 전투에
참가하는 병사를 말해.
고대 그리스 시대에 펠로폰네소스 전쟁에 참가한
용병이 최초라니 그 역사가 참으로 길지?
군대, 아니 용병으로 인한 문제는 영국뿐만 아니라
유럽 여러 나라가 공통적으로 겪고 있는 문제였어.
그때의 통치자들은 강한 군대를 통해서만
나라의 안전이 유지된다고 생각했거든.
그대들이
있기에
나라가
평안하오.
그래서 병사들을
훈련시키고
전투 능력을
향상시키기 위해
일부러 전쟁을 일으키기도 했으니 말이야.
한판
붙을래?
기다리던
바다.

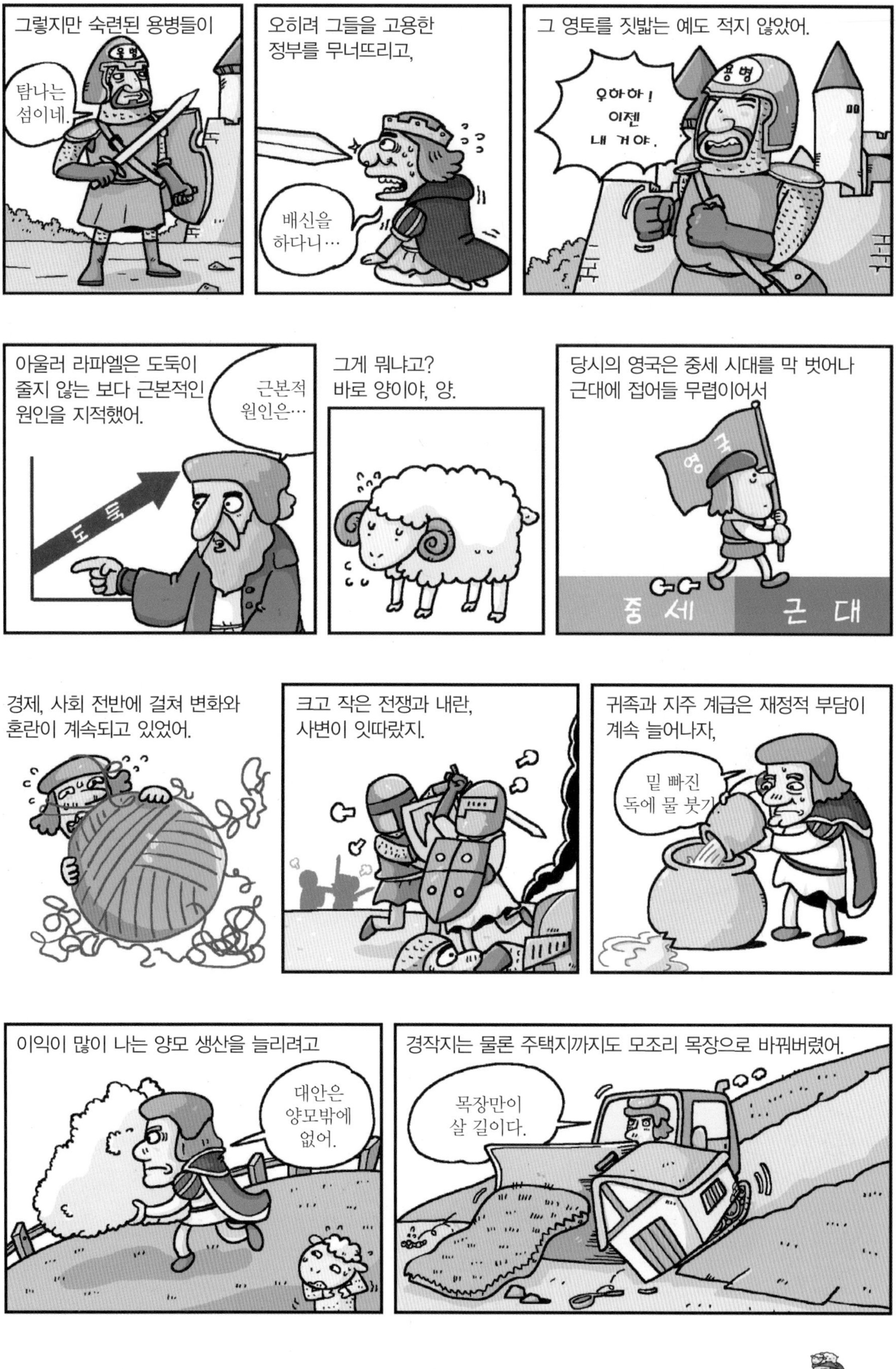
그렇지만 숙련된 용병들이
용병
탐나는 섬이네.
오히려 그들을 고용한 정부를 무너뜨리고,
배신을 하다니…
그 영토를 짓밟는 예도 적지 않았어.
우하하! 이젠 내 거야.
용병
아울러 라파엘은 도둑이 줄지 않는 보다 근본적인 원인을 지적했어.
근본적 원인은…
도둑
그게 뭐냐고? 바로 양이야, 양.
당시의 영국은 중세 시대를 막 벗어나 근대에 접어들 무렵이어서
영국
중세
근대
경제, 사회 전반에 걸쳐 변화와 혼란이 계속되고 있었어.
크고 작은 전쟁과 내란, 사변이 잇따랐지.
귀족과 지주 계급은 재정적 부담이 계속 늘어나자,
밑 빠진 독에 물 붓기
이익이 많이 나는 양모 생산을 늘리려고
대안은 양모밖에 없어.
경작지는 물론 주택지까지도 모조리 목장으로 바꿔버렸어.
목장만이 살 길이다.

이를 '인클로저' 라고 하는데,
일종의 농업 말살 정책이야.
인클로저

아참, 교회는 남겨 두었다는군.

양의 우리는 필요하니까.
양을 위한 교회라…

원래 인클로저라는 말 자체는

미개간지, 공유지 등
공동 이용이 가능한 토지에

경계선을 쳐서 사유지로 만드는 것을 뜻해.*
내 땅

*enclosure – '울타리로 두른 땅' 이라는 의미

주로 영국에서 일어난 현상인데 중세 때 시작되어
19세기까지 끊임없이 계속되었지.

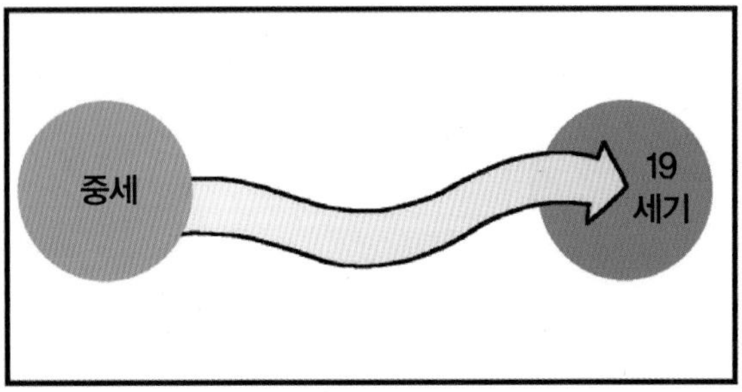
중세
19
세기

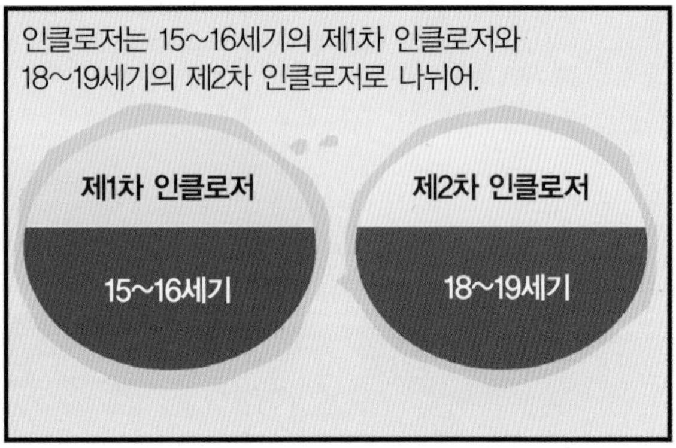
인클로저는 15~16세기의 제1차 인클로저와
18~19세기의 제2차 인클로저로 나뉘어.
제1차 인클로저
15~16세기
제2차 인클로저
18~19세기

흔히 인클로저라고 하면 여기서
라파엘이 말하고 있는 1차를 지칭하지.

제1차 인클로저
15~16세기

영국 정부에서도
인클로저의 폐해를 알고

이를 막기 위해 여러 번 금지령을
내렸지만 거의 효과를 거두지 못 했어.
금지

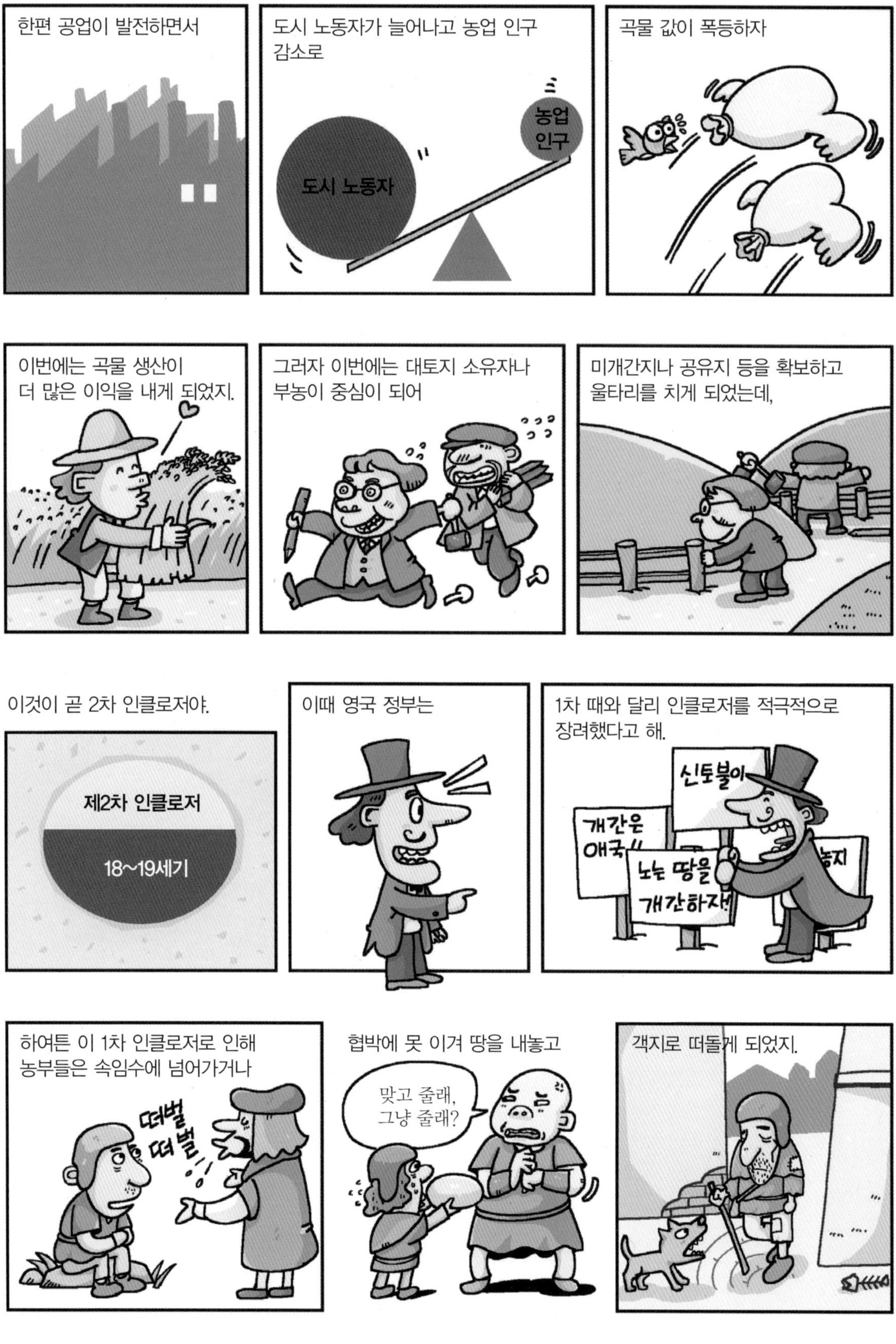
한편 공업이 발전하면서
도시 노동자가 늘어나고 농업 인구 감소로
농업 인구
도시 노동자
곡물 값이 폭등하자
이번에는 곡물 생산이 더 많은 이익을 내게 되었지.
그러자 이번에는 대토지 소유자나 부농이 중심이 되어
미개간지나 공유지 등을 확보하고 울타리를 치게 되었는데,
이것이 곧 2차 인클로저야.
제2차 인클로저
18~19세기
이때 영국 정부는
1차 때와 달리 인클로저를 적극적으로 장려했다고 해.
신토불이
개간은 애국!!
노는 땅을 개간하자!
농지
하여튼 이 1차 인클로저로 인해 농부들은 속임수에 넘어가거나
떠벌 떠벌
협박에 못 이겨 땅을 내놓고
맞고 줄래, 그냥 줄래?
객지로 떠돌게 되었지.

하루 아침에 농가는
허물어지고,
마을 공동체는 사라졌어.
내몰린 농부와 그 가족들은 어디로 가서
무엇을 하며 살았을까?
그들에게 일거리는
주어지지 않았어.
취직…
우리도
남아 돌아!
목장으로 변해버린 넓은 땅은 목동 한 사람이면
족하거든.
당시 유명한 학자이자 주교인 휴 라티머의 말대로
많은 사람들이
살던 곳에 이제는
한 사람의 양치기와
그의 개가 있을 뿐.

*휴 라티머(Hugh Latimer 1485~1555)-메리 여왕의 청교도 박해로 순교.

이렇게 여기저기
떠도는 사이,
가재도구를 처분한 몇 푼의
돈마저 모두 써버리게 되면
그들은 거지가 되거나, 부랑자로 몰려
감옥에 들어갔지.
거지가 된 농부들은 굶주리다 못해
처음엔 도둑이 되고
다음에는 시체가 되는 절박한
상황으로 내몰렸어.

게다가 농산물이 줄어들자
곡물 값이 폭등하니
우리도 없어서 못 팔아.
귀리품절
밀 품절
사람들의 생활은 더욱 어려워졌어.
이 귀한 빵을…
당신 생일이라 특별히…
양이 많아졌다고 해서 양털 값이
내려간 것도 아니야.
양털 값이 비싸기 때문에,
양털을 사서 모직물을 짜 생계를
유지하던 사람들도
더 이상 그 일을 할 수 없게 되었지.
방직공장
왜냐하면 양들에게 전염병이
돌기도 했지만
이미 소수가 시장을 좌지우지하는
과점 상태로 접어 들었거든.
그들은 원하는 값을 받을 때까지
결코 양털을 팔지 않았어.
500 더 얹어 줘.
결과적으로, 양모 산업으로 더 많은 이윤을 챙기고자 했던
소수의 사람들로 인해
대다수의 힘 없고 가난한 사람들이 비참한
상태로 내몰린 거야.

이런 구조적인 요인을 무시한 채
도둑과 거지만을 탓할 수 없다는 것이 라파엘의 주장이지.
라파엘이 보기에 더욱 절망적인 것은 이런 비참한 빈곤 속에서도
사람들이 사치를 일삼고 있다는 거야.
하인, 직공 심지어 농민들에 이르기까지 온 사회가
옷과 음식에 쓸데없는 낭비를 하고 있었어.
선술집이니 요릿집이니 하는 유흥업소에 들락거리며
흥청망청 살고 있는 사람들도 적지 않고
또 트럼프 놀이, 주사위 놀이, 테니스, 볼링, 쇠고리 던지기 놀이 등
방탕한 노름을 즐기다가 돈을 순식간에 날리고
도둑이 된 이들도 부지기수라는 거야.
라파엘은 사람들의 생활 자세에도 문제가 있다는 걸 지적하는 거지.
정신 차려!

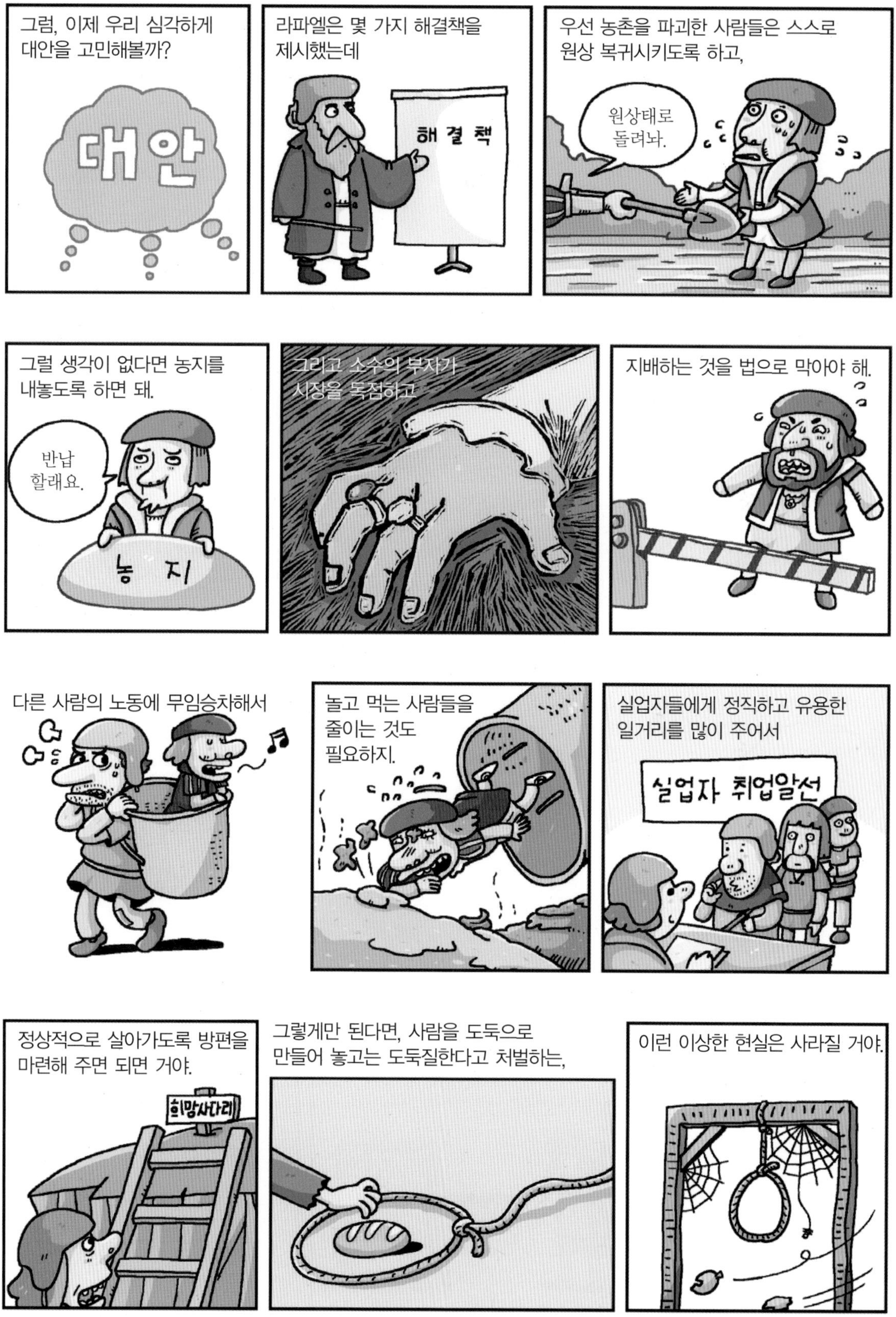
그럼, 이제 우리 심각하게
대안을 고민해볼까?
대안
라파엘은 몇 가지 해결책을
제시했는데
해결책
우선 농촌을 파괴한 사람들은 스스로
원상 복귀시키도록 하고,
원상태로
돌려놔.
그럴 생각이 없다면 농지를
내놓도록 하면 돼.
반납
할래요.
농지
그리고 소수의 부자가
시장을 독점하고
지배하는 것을 법으로 막아야 해.
다른 사람의 노동에 무임승차해서
놀고 먹는 사람들을
줄이는 것도
필요하지.
실업자들에게 정직하고 유용한
일거리를 많이 주어서
실업자 취업알선
정상적으로 살아가도록 방편을
마련해 주면 되면 거야.
희망사다리
그렇게만 된다면, 사람을 도둑으로
만들어 놓고는 도둑질한다고 처벌하는,
이런 이상한 현실은 사라질 거야.

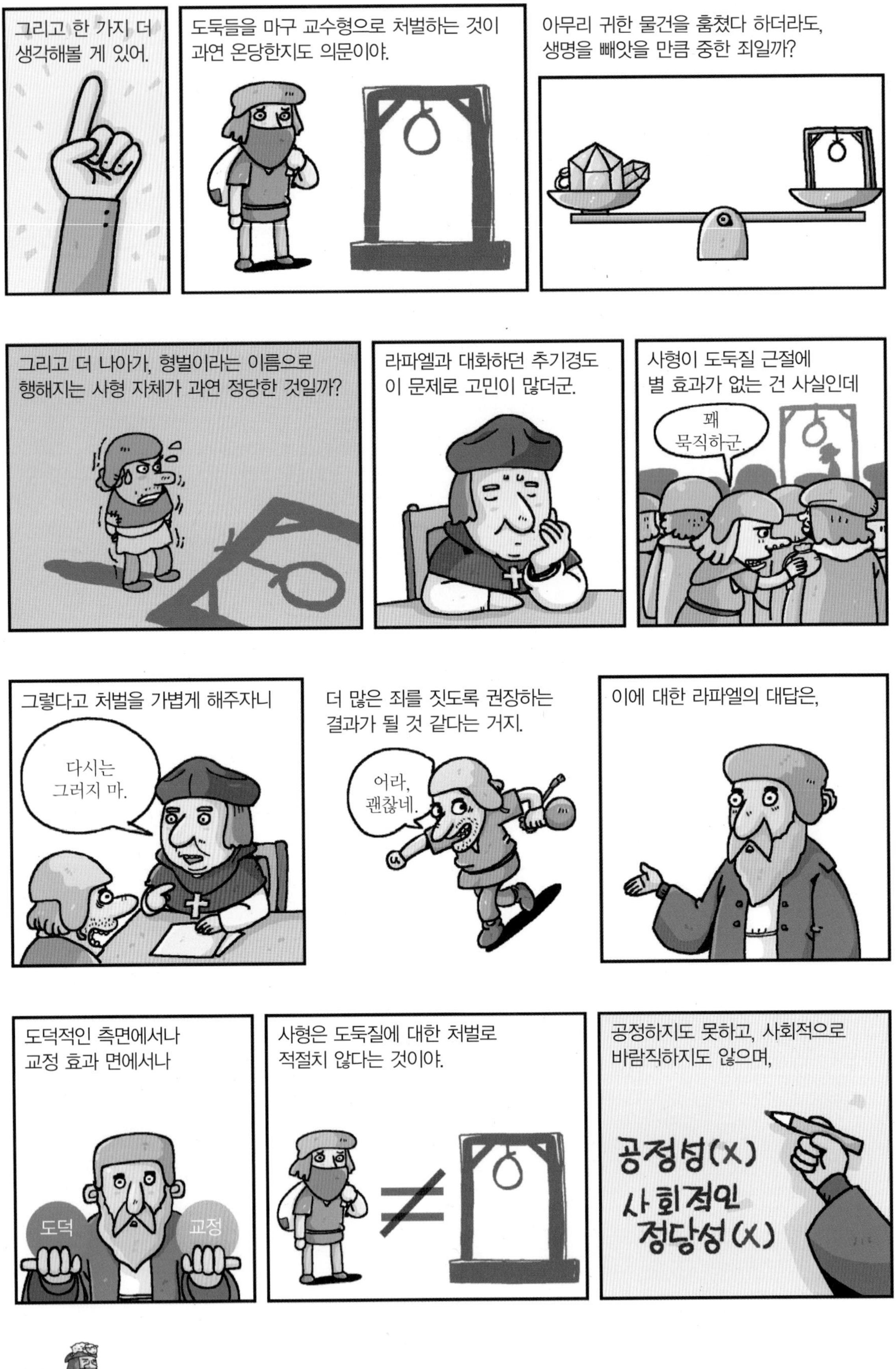

그리고 한 가지 더 생각해볼 게 있어.
도둑들을 마구 교수형으로 처벌하는 것이 과연 온당한지도 의문이야.
아무리 귀한 물건을 훔쳤다 하더라도, 생명을 빼앗을 만큼 중한 죄일까?
그리고 더 나아가, 형벌이라는 이름으로 행해지는 사형 자체가 과연 정당한 것일까?
라파엘과 대화하던 추기경도 이 문제로 고민이 많더군.
사형이 도둑질 근절에 별 효과가 없는 건 사실인데
꽤 묵직하군.
그렇다고 처벌을 가볍게 해주자니
다시는 그러지 마.
더 많은 죄를 짓도록 권장하는 결과가 될 것 같다는 거지.
어라, 괜찮네.
이에 대한 라파엘의 대답은,
도덕적인 측면에서나 교정 효과 면에서나
도덕
교정
사형은 도둑질에 대한 처벌로 적절치 않다는 것이야.
공정하지도 못하고, 사회적으로 바람직하지도 않으며,
공정성(X)
사회적인 정당성(X)

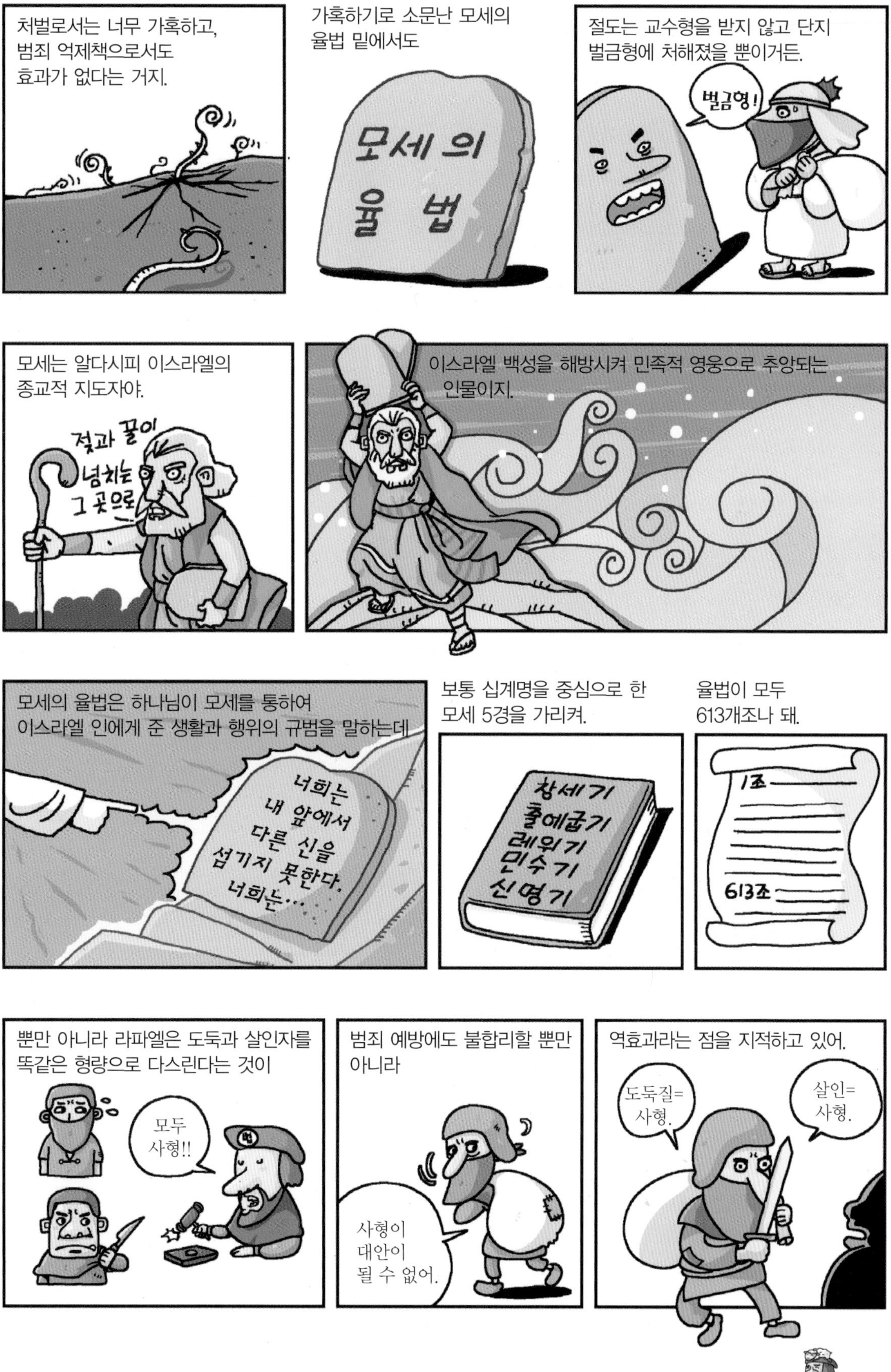

처벌로서는 너무 가혹하고,
범죄 억제책으로서도
효과가 없다는 거지.
가혹하기로 소문난 모세의
율법 밑에서도
모세의
율법
절도는 교수형을 받지 않고 단지
벌금형에 처해졌을 뿐이거든.
벌금형!
모세는 알다시피 이스라엘의
종교적 지도자야.
젖과 꿀이
넘치는
그 곳으로
이스라엘 백성을 해방시켜 민족적 영웅으로 추앙되는
인물이지.
모세의 율법은 하나님이 모세를 통하여
이스라엘 인에게 준 생활과 행위의 규범을 말하는데
너희는
내 앞에서
다른 신을
섬기지 못한다.
너희는…
보통 십계명을 중심으로 한
모세 5경을 가리켜.
창세기
출애굽기
레위기
민수기
신명기
율법이 모두
613개조나 돼.
1조
613조
뿐만 아니라 라파엘은 도둑과 살인자를
똑같은 형량으로 다스린다는 것이
모두
사형!!
범죄 예방에도 불합리할 뿐만
아니라
사형이
대안이
될 수 없어.
역효과라는 점을 지적하고 있어.
도둑질=
사형.
살인=
사형.

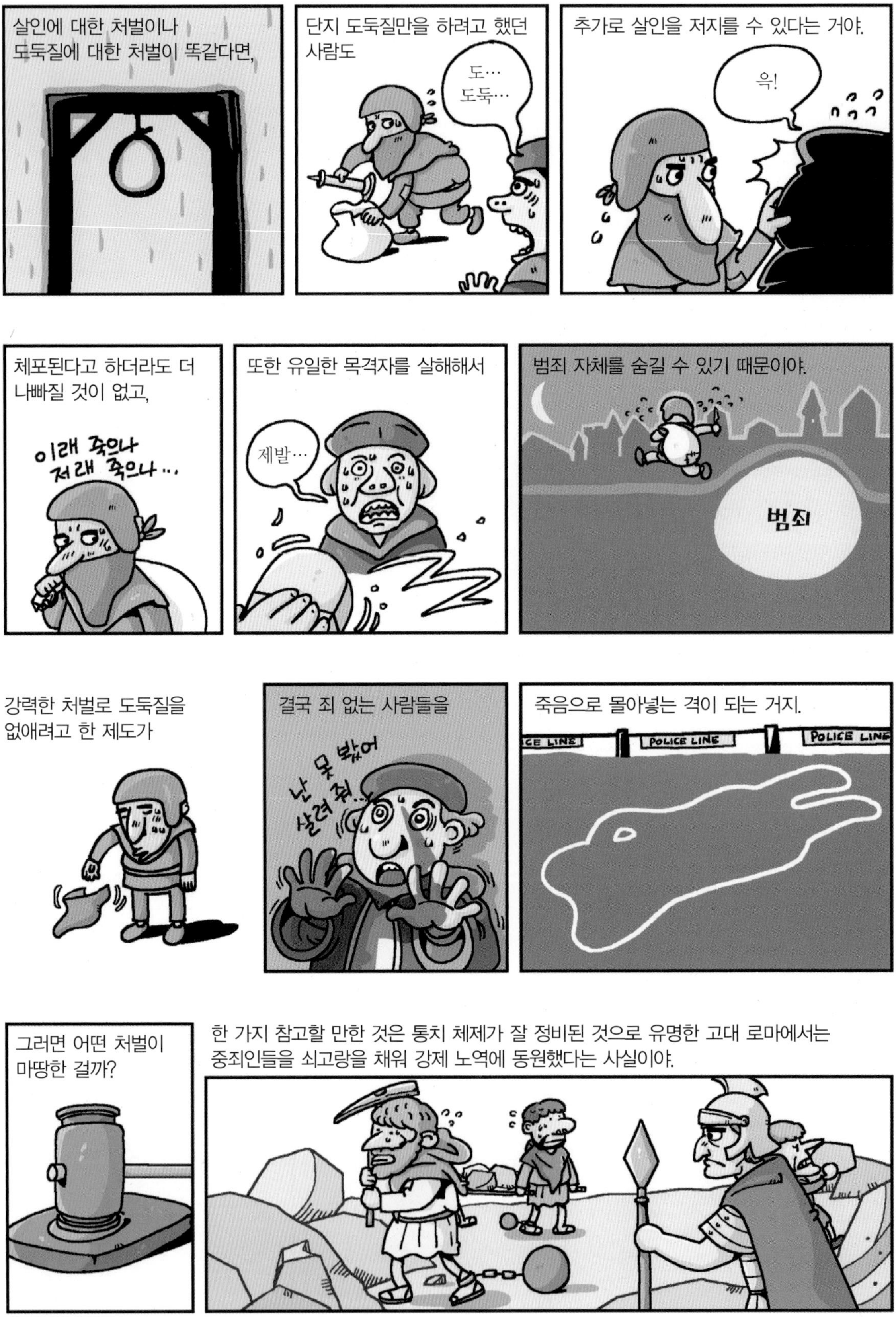
살인에 대한 처벌이나
도둑질에 대한 처벌이 똑같다면,
단지 도둑질만을 하려고 했던 사람도
도…
도둑…
추가로 살인을 저지를 수 있다는 거야.
윽!
체포된다고 하더라도 더 나빠질 것이 없고,
이래 죽으나 저래 죽으나…
또한 유일한 목격자를 살해해서
제발…
범죄 자체를 숨길 수 있기 때문이야.
범죄
강력한 처벌로 도둑질을 없애려고 한 제도가
결국 죄 없는 사람들을
난 못 봤어 살려 줘…
죽음으로 몰아넣는 격이 되는 거지.
POLICE LINE
그러면 어떤 처벌이 마땅한 걸까?
한 가지 참고할 만한 것은 통치 체제가 잘 정비된 것으로 유명한 고대 로마에서는
중죄인들을 쇠고랑을 채워 강제 노역에 동원했다는 사실이야.

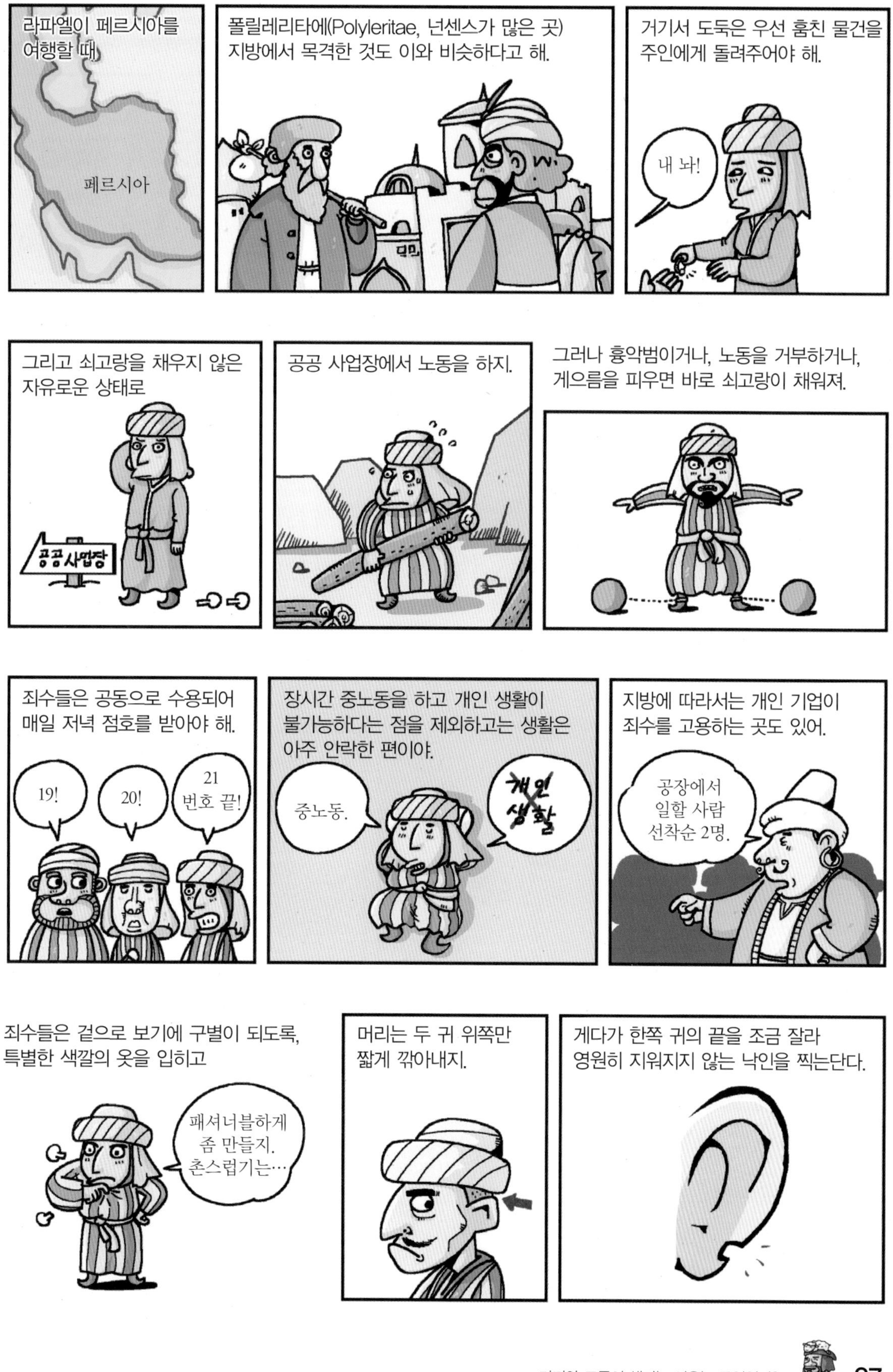
라파엘이 페르시아를 여행할 때
페르시아
폴릴레리타에(Polyleritae, 넌센스가 많은 곳) 지방에서 목격한 것도 이와 비슷하다고 해.
거기서 도둑은 우선 훔친 물건을 주인에게 돌려주어야 해.
내 놔!
그리고 쇠고랑을 채우지 않은 자유로운 상태로
공공사업장
공공 사업장에서 노동을 하지.
그러나 흉악범이거나, 노동을 거부하거나, 게으름을 피우면 바로 쇠고랑이 채워져.
죄수들은 공동으로 수용되어 매일 저녁 점호를 받아야 해.
19!
20!
21 번호 끝!
장시간 중노동을 하고 개인 생활이 불가능하다는 점을 제외하고는 생활은 아주 안락한 편이야.
중노동.
개인 생활
지방에 따라서는 개인 기업이 죄수를 고용하는 곳도 있어.
공장에서 일할 사람 선착순 2명.
죄수들은 겉으로 보기에 구별이 되도록, 특별한 색깔의 옷을 입히고
패셔너블하게 좀 만들지. 촌스럽기는…
머리는 두 귀 위쪽만 짧게 깎아내지.
게다가 한쪽 귀의 끝을 조금 잘라 영원히 지워지지 않는 낙인을 찍는단다.

이밖에도 죄수의 도주나 반란 자체를
원천봉쇄하는 강력한 규정이 있어.
도주
반란
죄수는 어떤 종류의 무기든
손을 대면 안 돼.
자신이 속한 지역을 나타내는
표지를 달고 있어서
이 표지를 떼어서도 안 되지.
자기 지역을 벗어나거나
다른 지역에서 온 죄수와
이야기하는 것도 금지되어 있어.
이 규정들을 어기면
무조건 사형에 처해져.
게다가 누구든 죄수에게 돈을 주면,
준 사람과 죄수 둘 다 사형이야.
그러니 거기서는 도주는 물론 도주 계획을
세우는 것조차도 모험이겠지?
괜히 헛수고 하지 마요.
그래도 혹시 도주 계획을 세우는
죄수가 있다면 물론 사형이지.
도주계획
이러한 제도의 취지는 범죄자가
자기 잘못을 뉘우치고
잘못 했어요.
다시는 안 그럴게요.
선량한 시민이 되도록
유도하자는 데 있지.
죄는 미워하더라도 사람은 미워하지 말자.

그래서 모든 죄수는 그들의 임무를 성실히 수행하고,
임무
그가 장차 올바르게 살리라는 확신을 주기만 하면 누구든 자유인이 될 수 있다는군.
자유
매년 상당수의 죄수가 선행을 했다는 이유로 석방되고 있기도 하고 말이야.
착하게 살 거야.
형님, 두부요.
이런 폴릴레리타에의 제도를 영국에서도 도입해 봅시다.
나도.
나는 반대요.
나도.
이 제도를 시험해 보기 전에는 효과를 예측할 수 없지 않겠소? 좋은 생각인데… 해 봅시다.
기회주의자들…
대찬성!
찬성!
대찬성!
사형 제도에 대해서는 지금까지도 논란이 많아.
사형제 존폐 논란
찬성
반대
기타
폐지론자들과 찬성론자들의 주장이 팽팽히 맞서고 있는 가운데,
찬성!
반대!
우리나라는 아직 사형을 법정 최고형으로 채택하고 있어.
법정최고형인 사형을 구형한다!
법
국제 사면위원회에 따르면 2003년 기준으로 전 세계 112개국에서 사형제가 폐지됐으며
amnesty international
시행되는 국가는 우리나라, 미국, 일본, 중국, 북한 등 83개국 정도야.*
잠시 쉬었다가 정치에 대해서 알아볼까?
정치

*우리나라는 1997년 12월 30일 사형 집행 이후 지난 10년간 사형집행을 하지 않아 2007년 12월 30일로 국제 사면위원회가 분류하는 '사실상 사형폐지 국가'가 되었다.

장원제도

장원이란 유럽의 봉건 사회에서 경제적 단위를 이루는 영주의 토지 소유 형태를 말합니다. 장원의 기본적인 형태는 중앙에 영주나 장원 관리인이 사는 장원청이 있고, 장원청으로 가는 길 양편으로는 농민들이 사는 마을과 교회가 있습니다. 장원의 토지는 영주 직영지와 농민 보유지로 나뉘어요. 직영지는 장원 관리인이 농노들을 부려 직접 경영하고, 농민 보유지는 농민이 자기가 경영하는 대신에 영주에 대하여 부역, 공납의 의무를 지니고 있던 토지랍니다.

장원제도는 로마 제국 말기 원로원 의원들이나 귀족들이 경영한 대규모의 농장(라티푼디움latifundium)에서 시작된 것이라고 해요. 로마의 의원과 귀족들은 로마 제국의 말기에 중앙 정부의 지방 통제력이 점점 약해지는 것을 틈타 자신이 가진 토지를 바탕으로 지방에 많은 수의 농노들을 거느리고 독자적인 세력을 형성했는데, 이것이 바로 중세 유럽의 장원제도의 기원이 된 것이죠.

중세 농노의 생활모습을 그린 랭브르 형제의 〈가장 호화로운 기도서 9월〉.

장원제도는 6~7세기 무렵에 각지의 농민들이 무력을 가진 영주의 휘하에서 보호를 받으면서 자리 잡게 되었습니다. 영주는 농민들을 바탕으로 점차 세력을 길러 나갔고 더 이상 자신의 재산만으로는 군대를 유지할 수 없게 되자 일부 자유민에게 일정한 크기의 땅을 주어 그 보답으로 영주가 필요할 때 군사적 의무를 지게 했는데, 이들이 나중에 기사 계급이 된 것이죠.

중세 귀족의 결혼식 모습. 랭브르 형제 〈가장 호화로운 기도서 5월〉.

장원제도는 중세 봉건시대 때 유럽의 군사적, 경제적 기본 단위를 이루는 사회 체제라고 할 수 있습니다. 영주는 장원 안에서는 왕과 같은 역할을 했고, 바탕을 이루는 집단은 농민들이었습니다. 농민은 자유민과 농노로 나누었는데, 자유민은 거주의 자유가 있고, 병역의 의무를 지는 대신에 영주에게 돈으로 세금을 내지만, 영주의 땅을 경작해 줄 의무는 없었습니다. 반면에 농노는 '농민+노예'의 의미를 가진 이름으로 거주의 자유가 없고, 영주에게 노역의 의무를 지는 사람들로서 노예처럼 영주의 땅에 와서 일을 해야 했습니다. 농노들은 자신들이 경작한 농작물의 1/3을 영주에게 바치고, 매주 일요일마다 영주에게 닭과 계란을 바쳐야 했습니다. 그 대가로 영주는 이들의 신변을 보호해 주었답니다. 장원제도는 농민들에게 많은 고통을 주는 제도였습니다. 영주에게 소작료를 바쳤고, 심지어 사망세나 결혼세와 같은 말도 안 되는 세금을 착취당하기도 했거든요.

착취에 시달리는 장원의 농노들

장원제도는 십자군 전쟁 이후 교역이 성행하고 경제가 발달하게 됨에 따라서 점차적으로 해체되었습니다. 14세기 이후 영국에서는 상공업의 발달로 화폐경제가 발달하자 그 영향이 농촌에까지 미쳐 영주들이 받는 세금이 줄어들었습니다. 영주의 권한은 계속 축소되다가 결국에는 유명무실한 제도가 되었답니다. 그래서 영국은 유럽에서 가장 먼저 장원제도가 해체된 나라가 된 것이지요. 그 결과 농민보다는 높고 귀족보다는 낮은 계급의 새로운 계층의 사람들(젠트리gentry)이 생겼는데, 나중에 이들이 청교도 혁명을 일으키고, 영국 민주주의 혁명의 주도 세력이 되었답니다.

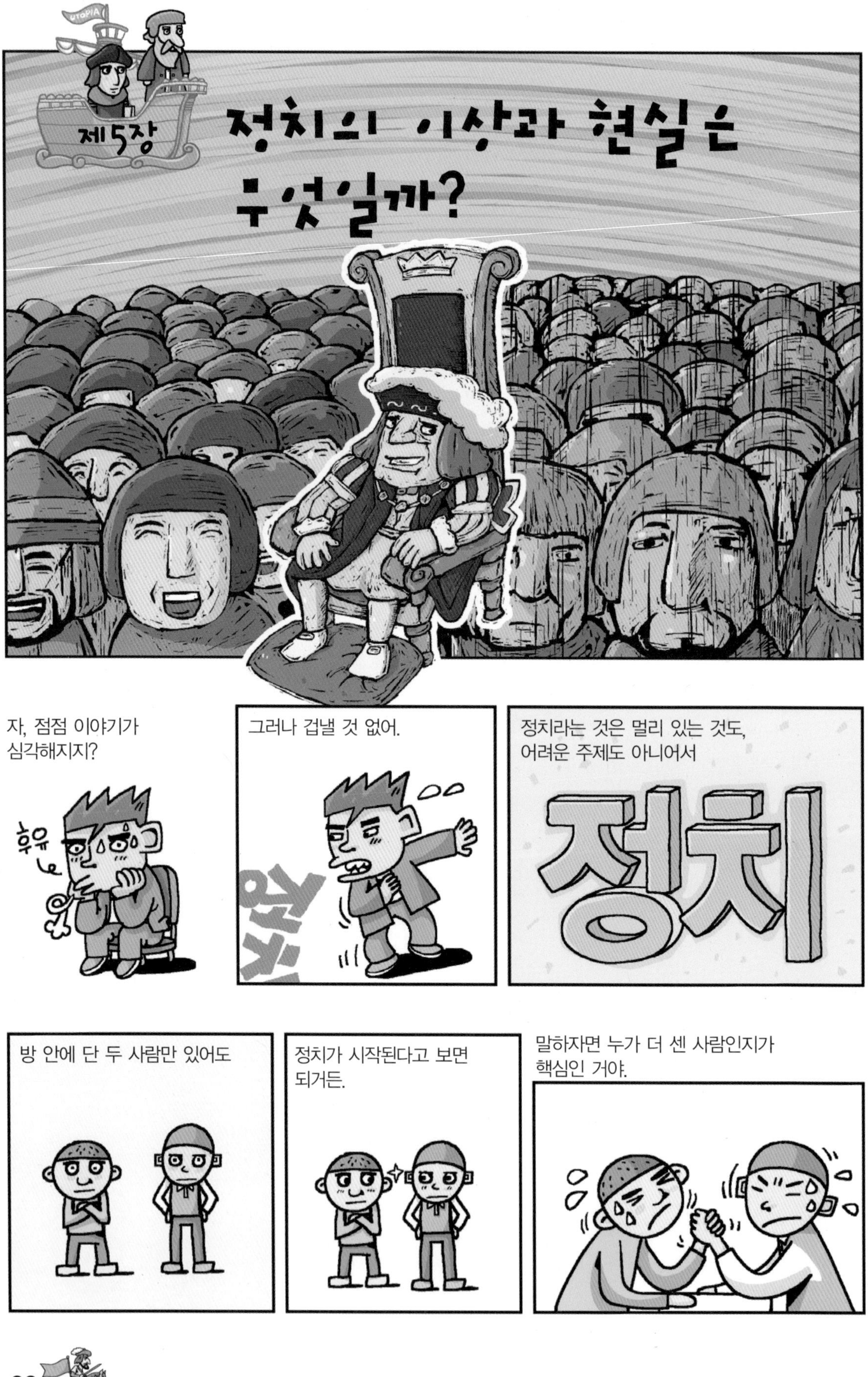
UTOPIA
제5장
정치의 이상과 현실은 무엇일까?
자, 점점 이야기가
심각해지지?
후유
그러나 겁낼 것 없어.
정치라는 것은 멀리 있는 것도,
어려운 주제도 아니어서
정치
방 안에 단 두 사람만 있어도
정치가 시작된다고 보면
되거든.
말하자면 누가 더 센 사람인지가
핵심인 거야.

정치라는 것이 본래 구성원 간의 '권력 관계'를 출발점으로 하는
준비~
대단히 원초적인 현상이거든.
꿀꺽
내가 다 먹을 때까지 기다려.
사냥은 우리가 했는데…
권력을 쥔 사람에게 다른 '좋은 것들'도 몽땅 쏠리게 마련이잖아.
세상에는 권력에 초연한 사람도 있지만
아무래도 권력 지향적인 사람들이 더 많을 거야.
왜냐하면 권력은…, 음…
소중하니까요! 히히히!
力
그러니, 최고 권력자로서 모든 자원을 지배하고 있는 왕이 현명하지 못하다면 국민들이 고생하게 될 것은 뻔한 이치지.
부디 무한한 권력을 주시옵소서.
백성은 보이지도 않아.
게다가 왕을 보좌하는 고위층 인사들이 아첨하느라고 왕을 제대로 통제해 주지 못한다면 나라꼴이 어떻게 될까?
현실 정치에 대한 라파엘의 혐오감은 대단히 뿌리 깊어서
정치
정치에 참여하여 사회에 기여할 것을 권하는 모어에게
정치에 참여해 보심이…
라파엘은 신랄한 비판으로 대답을 대신하지.

실제로 모어는 고위직으로
국정에 참여했던 사람이야.
그는 당시 사회의 병폐를 분명하게 파악하고 있었고,
권위
인간의 본성으로 미루어 볼 때
폭군이 등장할 가능성이 많다고
생각했어.
그런 모어가 정치 일선에
나섰던 것은
누구나 자신이 담당한 직무를
성실히 수행해야
직무
폭군의 등장을 막고
왕이 선정을 하게 된다고
믿었기 때문이지.
모어의 '참여론'은 선한 의지의
사람들이 책임을 저버릴 때
책임
악한 의지의 사람들이 승리한다는
입장에서 출발해.
모어의 설득은 계속돼.

플라톤이
《국가》에서 남긴
국가론
행복한 국가는 철학자가 왕이 되거나, 또는 왕이 철학을 공부하게 될 때 비로소 실현된다.
는 이야기를 상기시키며
행복한 국가를 이루기 위해
철학자로서 왕에게 조언할 것을 권고하지.
조언
아마도 모어는 철인 정치*를 꿈꾸었던 모양이야.
철인정치 (哲人政治)
*철인정치 – 플라톤의 정치사상으로 대표되는 이상정치. 철학으로 국가지배가 통일되지 않으면 안 된다는 주장.
이에 대한 라파엘의 대답은
문제는 철학자들에게 있는 것이 아니라 통치자들에게 있다.
철학자들의 충고를 받아들일 마음 자세가 안 되어 있는 왕에게,
난 안 들려.
권력
훌륭한 법률을 제정하고
1.
2.
3.
4.
5.
마음속에 있는 악의 씨앗을 없애라고 말해봤자
궁정에서 쫓겨나거나
바보 취급을 받을 게 뻔하다는 거지.

예를 들어, 라파엘이 프랑스 왕의 고문이 되어
어전 회의에 참석하고 있다고
상상해 보라는 거야.
왕이 앉아 있는 탁자 둘레에는 노련한 고문관들이 앉아서
진지하게 여러 가지 문제들을 의논 중이야.
당시 유럽은 왕실과 나라의
구분이 아직 모호한 상태였고
왕실?
나라?
국가 조직도 느슨해서,
비서관이 없잖아.
정치라고 해봤자 왕이 측근들을 통해 자기 마음
대로 나라를 다스리는 수준이었거든.
너희는 오늘부터 비서관 해라. 자, 회의하러 가자!
유럽 왕실에서 열리는 회의의
주된 안건은 한마디로 영토 늘리기야.
회의 안건
어제도, 오늘도 그리고 내일도 영토 확장!!
구체적인 방법으로는
남의 땅 빼앗기와
뺏긴 땅 되찾기, 두 가지가 주로 쓰여.
내 땅 내놔!
심지어는 왕이 꿈 속에서 정복한
땅이 어딘지 찾아내기 위해
묘안을 짜내야 될 때도 있어.
Z Z
당시 유럽에서는 침략과 탈환이 수시로,
정신없이 이루어지고 있었거든.
땅 내놔!
오늘의 안건은 왕이 계속 밀라노를
장악하고 나폴리를 다시 빼앗을 수
있는 방법을 강구하는 거야.

프랑스 왕실 회의에서 이런 안건이 나오게 된 배경을 이해하려면 당시 유럽 상황에 대해 알아둘 필요가 있지.
프랑스
1498년부터 1515년까지 프랑스의 왕이었던 루이 12세는 재위 중 이탈리아의 밀라노와 나폴리를 점령했어.
밀라노
나폴리
루이 12세
1515년 루이 12세가 죽자 프란시스 1세가 왕이 되었지.
프란시스 1세
그 무렵 밀라노를 원래 왕에게 빼앗기고
밀라노 돌려 줘!
나폴리도 스페인의 페르디난도 왕에게 뺏긴 마당이라
나폴리 내 놔!
페르디난도 왕
프란시스 1세는 이 두 영토를 회복하려고 고심 중이었어.
자존심 상하네.
나중에 결국 프란시스 1세는 밀라노를 되찾기 위해 이탈리아를 침략하고,
밀라노 탈환
도저히 참을 수 없어.
밀라노에서 스위스 용병을 물리쳤지.
스위스 용병
회의에 참석한 훌륭한 고문관들은 영토 회복을 위한 갖가지 비상한 아이디어를 왕에게 내놓지.
Idea.
베니스인과 조약을 맺었다가
조 약
필요할 때 파기하기.
조 약

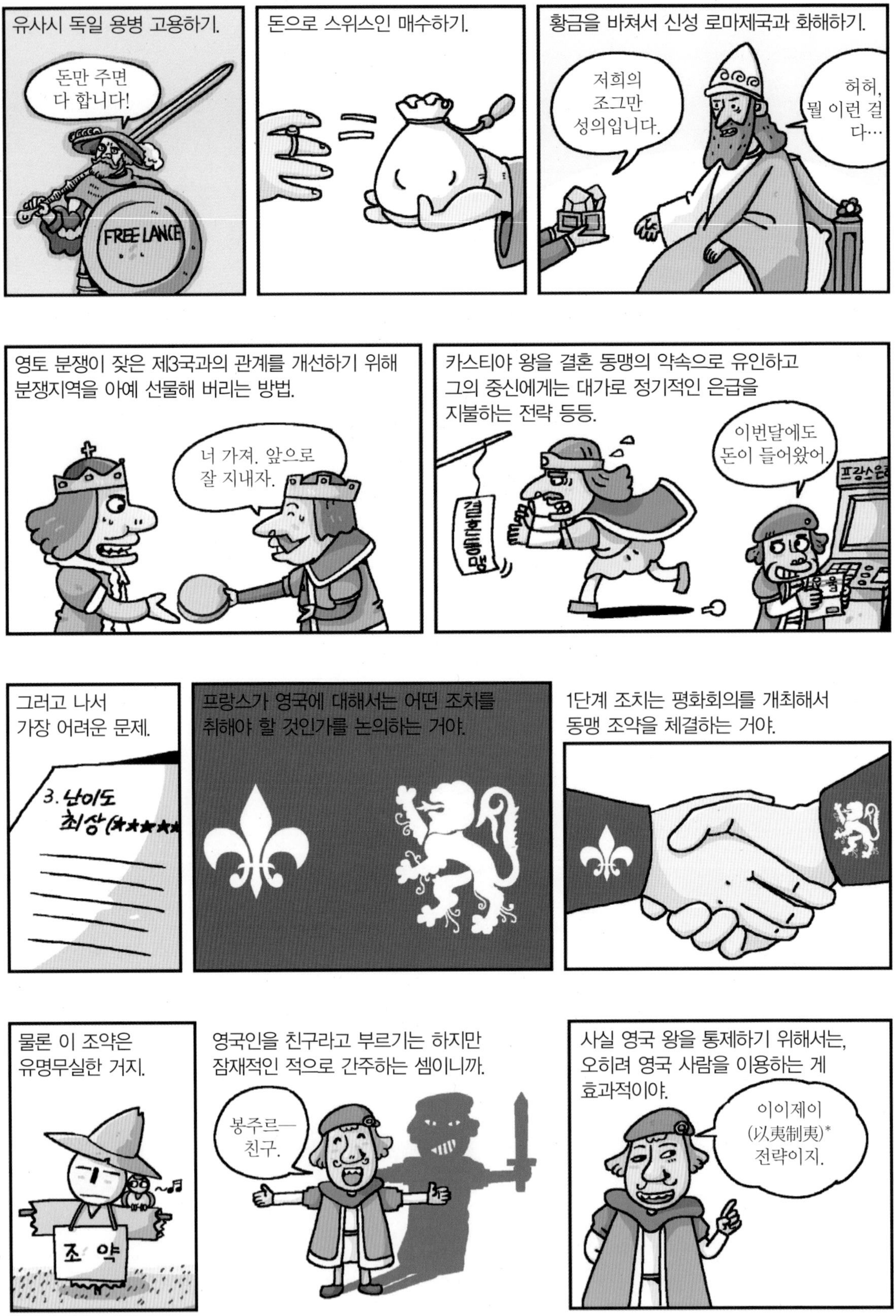
유사시 독일 용병 고용하기.
돈만 주면 다 합니다!
FREE LANCE
돈으로 스위스인 매수하기.
황금을 바쳐서 신성 로마제국과 화해하기.
저희의 조그만 성의입니다.
허허, 뭘 이런 걸 다…
영토 분쟁이 잦은 제3국과의 관계를 개선하기 위해 분쟁지역을 아예 선물해 버리는 방법.
너 가져. 앞으로 잘 지내자.
카스티야 왕을 결혼 동맹의 약속으로 유인하고 그의 중신에게는 대가로 정기적인 은급을 지불하는 전략 등등.
결혼동맹
이번달에도 돈이 들어왔어.
그러고 나서 가장 어려운 문제.
3. 난이도 최상
프랑스가 영국에 대해서는 어떤 조치를 취해야 할 것인가를 논의하는 거야.
1단계 조치는 평화회의를 개최해서 동맹 조약을 체결하는 거야.
물론 이 조약은 유명무실한 거지.
조 약
영국인을 친구라고 부르기는 하지만 잠재적인 적으로 간주하는 셈이니까.
봉주르— 친구.
사실 영국 왕을 통제하기 위해서는, 오히려 영국 사람을 이용하는 게 효과적이야.
이이제이(以夷制夷)* 전략이지.

＊이이제이(以夷制夷) – 오랑캐를 오랑캐로 제압한다. 중국의 오랜 외교 원칙으로 주변국들을 서로 싸우게 해 자국의 안전을 도모하는 외교술.

이럴 땐 왕위 계승을 주장하다가 추방된
영국 귀족을 격려하는 게 좋은 방법이지.
공개적으로 할 수는 없으므로 비밀리에 접촉해야 하는 건 물론이고
실제로 요크 대공이라고 자처한 영국의 귀족, 퍼긴 워벡*은
프랑스 샤를르 8세의 지지를 받아, 스코틀랜드의 제임즈 4세와 함께 1496년 9월 영국을 침략하였지.
내가 도와 줄게.
힘내라 힘!
제임즈 4세
샤를르 8세
이런 온갖 논의가 분분한 가운데 라파엘이 일어나서
왕에게 이탈리아를 잊어버리라는 폭탄선언을 하면 어떻게 될까?
이탈리아
더 이상 영토 확장에 신경 쓰지 말고 조상이 물려준 왕국을 번영시키고,
내 땅이나 잘 챙기자.
국민과 함께 행복하게 살기 위해 온 힘을 기울이라고 말이야.
국민의 행복.
과연 왕의 반응은 어떨까?
모어가 상상해 봐도 왕이 별로 달가워하지는 않을 것 같았다는군.

*퍼긴 워벡 (1474~1499)

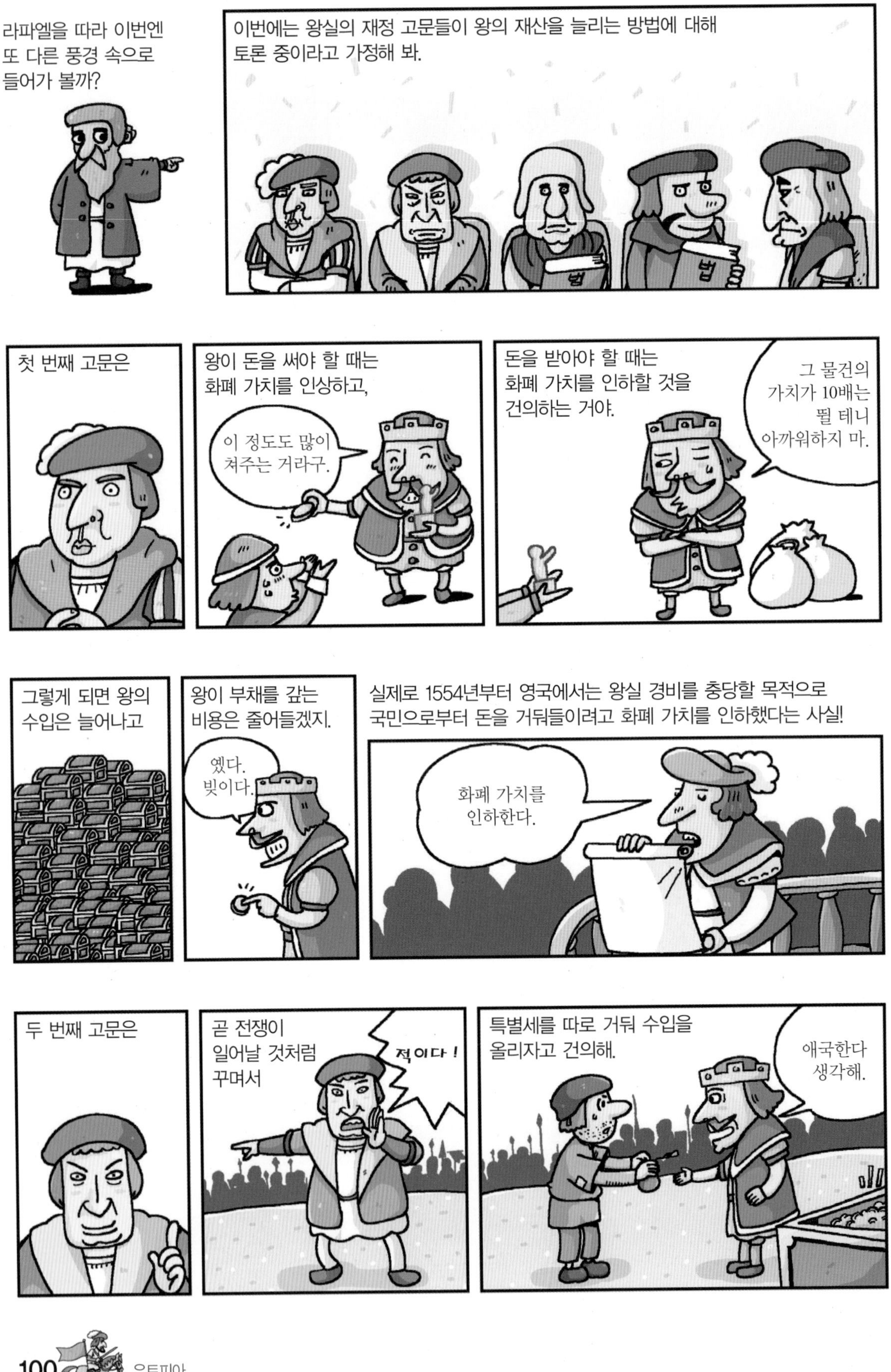
라파엘을 따라 이번엔 또 다른 풍경 속으로 들어가 볼까?
이번에는 왕실의 재정 고문들이 왕의 재산을 늘리는 방법에 대해 토론 중이라고 가정해 봐.
법
법
첫 번째 고문은
왕이 돈을 써야 할 때는 화폐 가치를 인상하고,
이 정도도 많이 쳐주는 거라구.
돈을 받아야 할 때는 화폐 가치를 인하할 것을 건의하는 거야.
그 물건의 가치가 10배는 뛸 테니 아까워하지 마.
그렇게 되면 왕의 수입은 늘어나고
왕이 부채를 갚는 비용은 줄어들겠지.
옛다. 빚이다.
실제로 1554년부터 영국에서는 왕실 경비를 충당할 목적으로 국민으로부터 돈을 거둬들이려고 화폐 가치를 인하했다는 사실!
화폐 가치를 인하한다.
두 번째 고문은
곧 전쟁이 일어날 것처럼 꾸며서
적이다!
특별세를 따로 거둬 수입을 올리자고 건의해.
애국한다 생각해.

그런 다음에는 적당한 때에 상대방과 화해를 해서
수고했어!
'없던 일'로 만들고
다시 평화국면으로 돌아섰다.
또한 국민들의 희생을 걱정한 자비로운 왕으로 행세함으로써 인심도 얻는 거지.
실제로 1492년 헨리 7세는
프랑스와의 전쟁을 위해 특별세를 징수했어.
국민의 단합된 힘을 보이자!!
물론 몇 달 후 에타플 조약으로 평화는 회복되었지.
어때 좀 모았나?
그럭저럭. 자네는?
에타플 조약
세 번째 고문은,
법
아무도 이 법이 있는지 모르고 있었기 때문에 결과적으로 누구나 법을 위반하고 있는
법
오래되어 사문화된 법 조항을 새삼스럽게 들고 나와 이 법을 어기는 사람들로부터 벌금을 거두자고 주장해.
콜럭
이런 법이 어디에…
있구나.
법
법을 이용해 정의를 들먹이는 것이니
정의!
법
도덕적 의미에서나 재정적 의미에서나 왕의 신망을 높이는 데 크게 이바지할 방법이지.
신망
역시 기발하지?

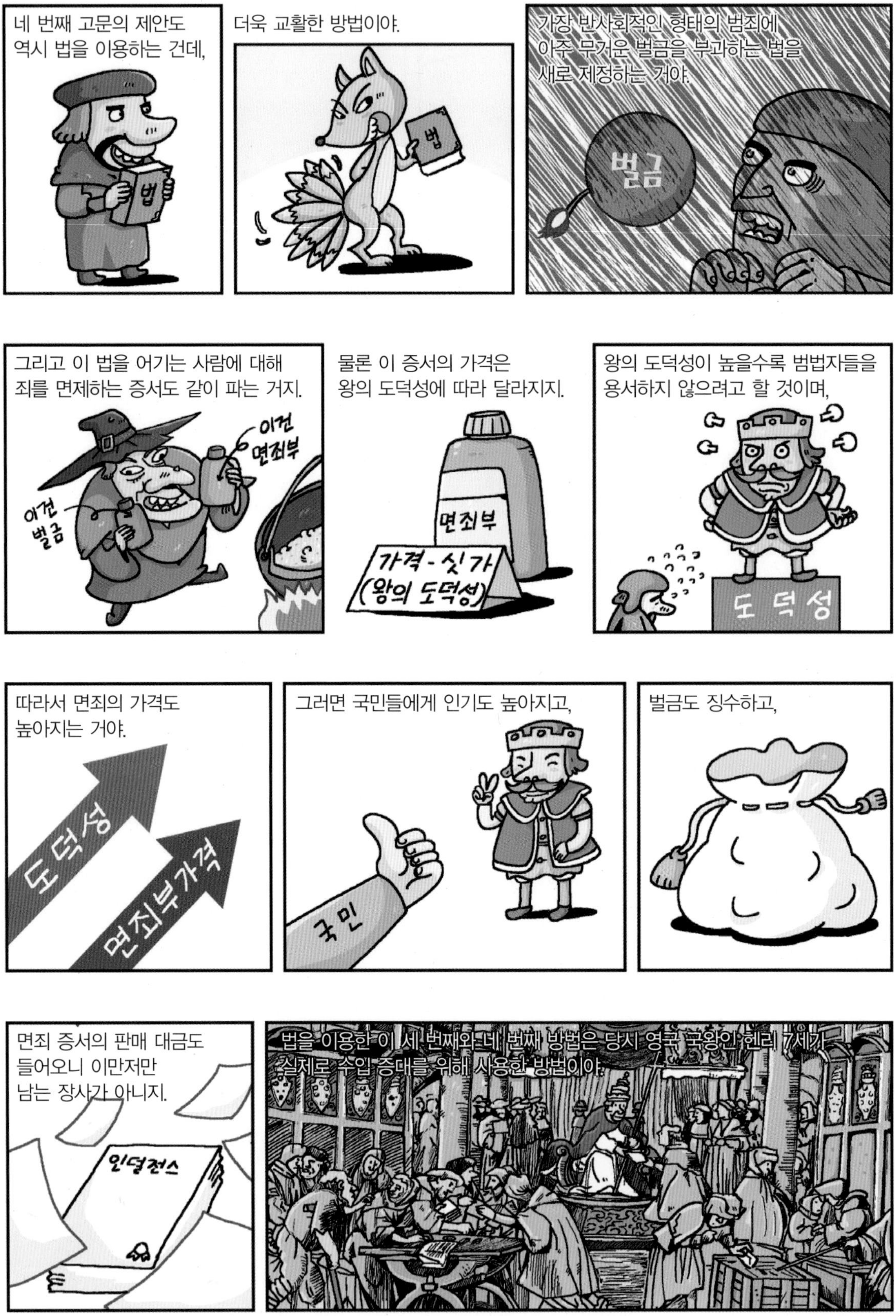
네 번째 고문의 제안도
역시 법을 이용하는 건데,
법
더욱 교활한 방법이야.
법
가장 반사회적인 형태의 범죄에
아주 무거운 벌금을 부과하는 법을
새로 제정하는 거야.
벌금
그리고 이 법을 어기는 사람에 대해
죄를 면제하는 증서도 같이 파는 거지.
이건 면죄부
이건 벌금
물론 이 증서의 가격은
왕의 도덕성에 따라 달라지지.
면죄부
가격-싯가
(왕의 도덕성)
왕의 도덕성이 높을수록 범법자들을
용서하지 않으려고 할 것이며,
도덕성
따라서 면죄의 가격도
높아지는 거야.
도덕성
면죄부가격
그러면 국민들에게 인기도 높아지고,
국민
벌금도 징수하고,
면죄 증서의 판매 대금도
들어오니 이만저만
남는 장사가 아니지.
인덜전스
법을 이용한 이 세 번째와 네 번째 방법은 당시 영국 국왕인 헨리 7세가
실제로 수입 증대를 위해 사용한 방법이야.

다섯 번째
고문은
재판관들을 확실하게 왕의
편으로 만들어서
좀 똑바로 서!
왕이 어떤 잘못을 했더라도 법적으로 빠져나갈 수
있도록 만들어 둘 것을 건의해.
재판중
재판관들이 왕의 입맛에 맞게
행동해 준다면
왕은 법을 자신의 이익에 따라
마음대로 요리할 수 있게 되고
법
왕에게 유리한 판결이
정당화될 수 있거든.
나는
절대 선(善)
이야.
이렇게 되면 법이라는 건 사실
권력 앞에서 유명무실해 지는 거지.
동원되는 방법이
실로 다양하지?
꼬우면
왕해
이런 회의 자리에서 라파엘이 일어나
또 폭탄선언을 한다고 상상해 보라는 거야.
정신
차리십시오.
왕의 임무가
무엇입니까?
왕의 사명은 자기 재산을
늘리는 데 있는 게 아니라
재산
증식
No!
백성을 행복하게 해주는 데 있다고
우렁차게 외치는 거지.
My
way~
백성의
행복
사실 우리가 듣기에는 너무나 당연한
이야기지만 말이야.
하지만
우리 때는
상상도
못 했어.

주위 모든 사람들이 불평과
절망에 싸여 있을 때
사치스러운 생활을 즐기는 자를
왕이라고 부를 수는 없다고 말이야.
어떤 반응이 나올까?
라파엘은 이런 '유능한' 고문들과
왕이 한통속이 되어 있는 현실에서
든든한 방패들
왕궁에 들어가 철학을
들먹이며
철학
조언을 한다 한들 무슨 소용이
있겠느냐고 반문하는 거야.
마이동풍
이지 뭐!
이런 고문들도 문제이지만
우리는
권력의 해바라기!!
이런 고문들의 조언에 열심히 귀 기울이는 왕들이
사실 더 큰 문제 아니겠어?
간언!
직언!
나는 부자가
되기보다는
오히려 부자를
다스리겠다.
파부리시우스
파부리시우스는 통치자의 참된 존엄성은
가난한 자들이 아니라
그대들은
통치의 대상이
아니라
보호받아야 할
대상이다.
풍요로운 자들을 다스리는 데에
있는 점을 지적한 거야.
노블레스
오블리주*.

***노블레스 오블리주(Noblesse Oblige)** – 높은 신분을 가진 자들은 그에 걸맞는 도덕적 의무와 책임을 다해야 한다는 뜻.

파부리시우스는 고대 로마의 집정관이자
고결한 인품의 소유자로서, 사치를 경멸한 것으로 유명해.
가치없는 것들!
몽땅 쓸어버려!
쓰레기통
라파엘이 생각하는 왕다운 왕은
우선 게을러서도, 오만해서도 안 돼.
일 정 표
농민대표 조찬
시장 탐방
고문관 회의
남에게 폐 끼치지 않고 자기의 재산으로 생활해야 하고,
오늘은 빵 한 조각 뿐이군.
월급날까지는 참아야지.
나라의 재정 상태를 살펴서
수입과 지출의 균형도 맞춰야 해.
수입
지출
민생 안전을 챙기는 일도 아주 중요해서,
민생 시찰
범죄 발생을 방치했다가 처벌에만 열심이어서는 곤란하지.
사형!
사형!
사형!
사형!
낡은 법 조항을 끄집어 낸다거나
벌금을 걷기 위해 범죄자를 만들어 내는 행위도 금물이야.

라파엘이 알고 있는 마카렌스(Macarenses,
'행복한 나라' 라는 의미)라는 나라에서는
마카렌스
Macarenses
왕의 탐욕으로 인한 실정을
막기 위해
법으로 왕의 재산을
제한하고 있다는군.
왕의
재산
왕의 즉위식 때 일정 금액 이상을 금고에
보관하지 않겠다고 서약을 하게 되어 있대.
서약서
나는 국왕으로서
천 파운드 이상의
재산을 간직하지
않을 것을 서약합니다.
이 제도는 여러가지 이점이 있는데,
우선 왕의 재산에 상한선을 두고 있어서
MAX
1000
파운드
왕의 욕심을
자제시킬
수가 있지.
많이
벌어도
가질 수가
없어.
또한 반란의 진압이나 외국의 침략을
물리치는 데는 충분하지만
왕이 외국 침략을 계획하기에는
부족한 액수이다 보니 평화 유지에도
효과를 발휘하는 거야.
헉!
헉!
또한 일정 금액 이상의 돈은
반드시 지출되어야 하므로
고정 지출비 항목
국민들의 경제 활동에 필요한 돈이
원활하게 유통될 수 있고,
돌고 돌아서 돈!
왕이 쓸데없이 화폐 가치를
조작하지 않을 테니,
밀가루 시세
어제 500파운드
오늘 200파운드
내일 1000파운드

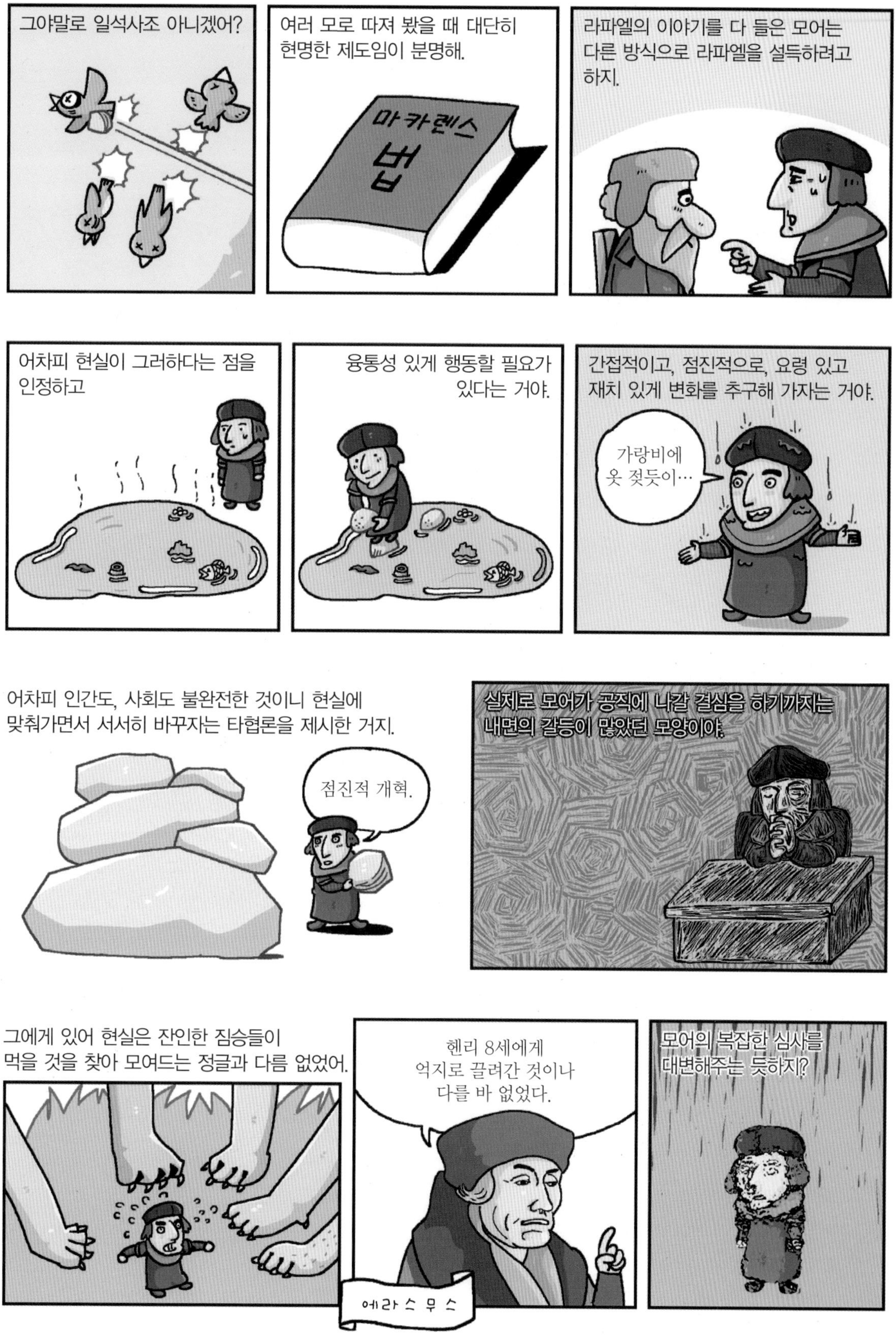

그야말로 일석사조 아니겠어?
여러 모로 따져 봤을 때 대단히 현명한 제도임이 분명해.
마카렌스 법
라파엘의 이야기를 다 들은 모어는 다른 방식으로 라파엘을 설득하려고 하지.
어차피 현실이 그러하다는 점을 인정하고
융통성 있게 행동할 필요가 있다는 거야.
간접적이고, 점진적으로, 요령 있고 재치 있게 변화를 추구해 가자는 거야.
가랑비에 옷 젖듯이…
어차피 인간도, 사회도 불완전한 것이니 현실에 맞춰가면서 서서히 바꾸자는 타협론을 제시한 거지.
점진적 개혁.
실제로 모어가 공직에 나갈 결심을 하기까지는 내면의 갈등이 많았던 모양이야.
그에게 있어 현실은 잔인한 짐승들이 먹을 것을 찾아 모여드는 정글과 다름 없었어.
헨리 8세에게 억지로 끌려간 것이나 다를 바 없었다.
에라스무스
모어의 복잡한 심사를 대변해주는 듯하지?

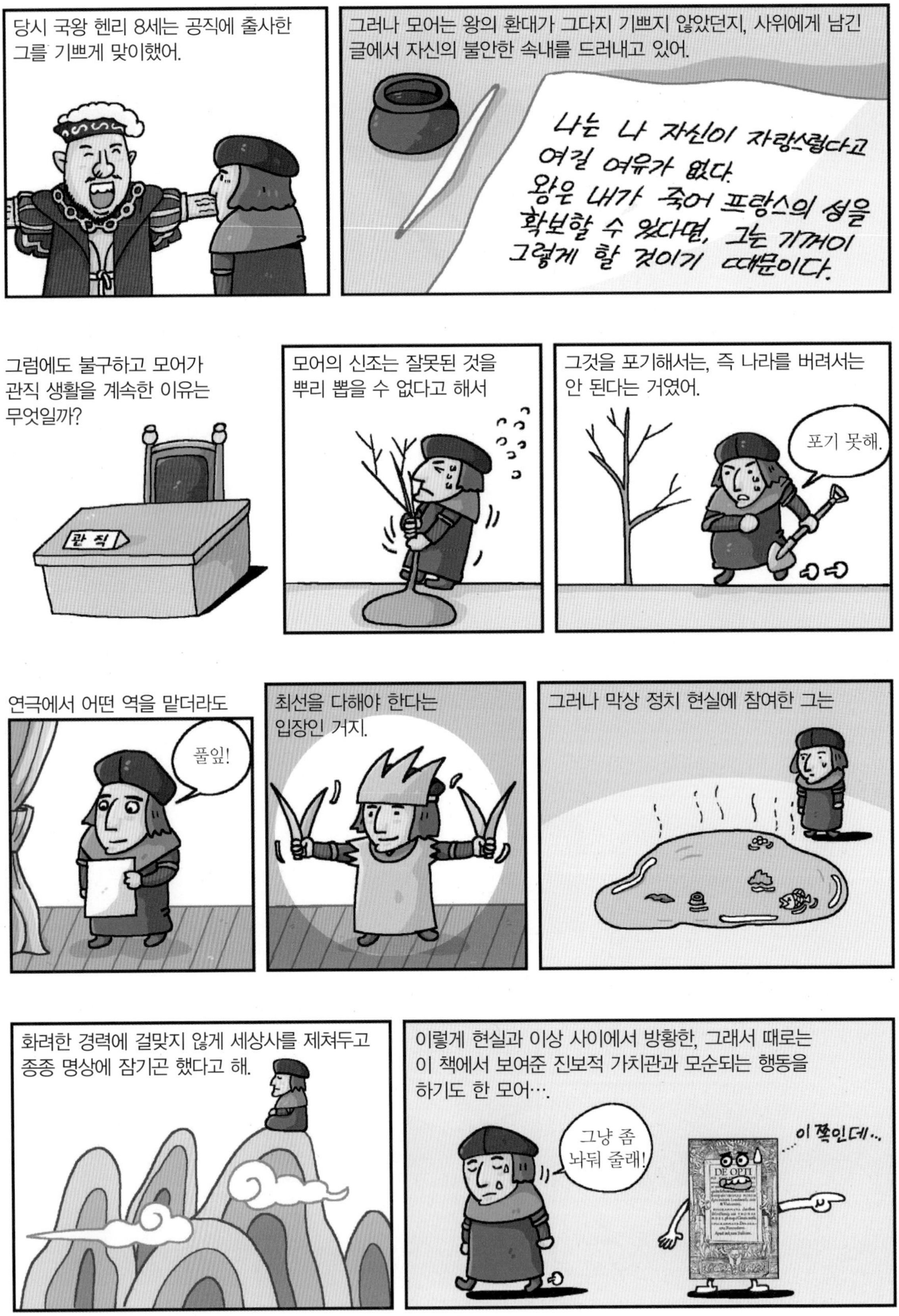
당시 국왕 헨리 8세는 공직에 출사한 그를 기쁘게 맞이했어.
그러나 모어는 왕의 환대가 그다지 기쁘지 않았던지, 사위에게 남긴 글에서 자신의 불안한 속내를 드러내고 있어.
나는 나 자신이 자랑스럽다고 여길 여유가 없다. 왕은 내가 죽어 프랑스의 성을 확보할 수 있다면, 그는 기꺼이 그렇게 할 것이기 때문이다.
그럼에도 불구하고 모어가 관직 생활을 계속한 이유는 무엇일까?
관 직
모어의 신조는 잘못된 것을 뿌리 뽑을 수 없다고 해서
그것을 포기해서는, 즉 나라를 버려서는 안 된다는 거였어.
포기 못해.
연극에서 어떤 역을 맡더라도
풀잎!
최선을 다해야 한다는 입장인 거지.
그러나 막상 정치 현실에 참여한 그는
화려한 경력에 걸맞지 않게 세상사를 제쳐두고 종종 명상에 잠기곤 했다고 해.
이렇게 현실과 이상 사이에서 방황한, 그래서 때로는 이 책에서 보여준 진보적 가치관과 모순되는 행동을 하기도 한 모어….
그냥 좀 놔둬 줄래!
이 쪽인데…
DE OPTI

이 책에서 정치 참여를 두고 벌어지는
모어와 라파엘과의 대화에서
실제로 어느 것이 진정한 모어의 속마음인가를 두고 후에
많은 논란이 벌어지기도 했단다.
다시 라파엘과 모어의
대화 속으로 들어가 보면
모어가 일관되게 주장하는 것은
참여를 통한 점진적 개혁이야.
참여.
이에 대한 라파엘의 대답은 그런 식으로
어정쩡하게 행동해서는
어설픈
진보.
험한 정치판에서 아무 일도
해낼 수가 없고,
오히려 사람들의 광기 어린 행동을
말리려다가
같이 미쳐버리는 격이 된다는 거지.
간접적으로 충고를 하고,
들을 귀
있는 자만 들으라.
요령껏 처신하여 최대한 사태의
악화를 막으라는
가랑비
라도
피해서
가자.
모어와는 평행선을 달리는
입장이야.

회의에서는 타인의 의견에 대해 찬성인지 반대인지 명확하게 입장을 밝혀야 하니
찬성
반대
두루뭉수리 넘어가는 것은 불가능하거든.
열렬하게 지지하지 않는 사람은
와~
첩자나 반역자로 여겨지지.
반역자!
그러니, 그들의 영향을 받아 악에 빠지든가
아니면 그들의 어리석음과 잘못을 못 본 체하든가
안 보고.
말 안 하고.
안 들어야 해.
둘 중의 하나를 택할 수밖에 없게 되지.
홀!
짝!
그러므로 모어가 말하는 간접적인 방법으로 그들을 바른 길로 인도하는 것은
불가능하다는 거야.
답없음

현대 민주주의 사회에서는
전 국민이 참정권을 갖고 있어.

참정권

이제는 정치가 특권층의 전유물이 아니어서 일반인들의 정치 참여가
다양한 경로로 이루어지고 있지.

그러나 동시에 정치에 대한 무관심, 냉소주의가 점차 확산되는 경향을 보이는 것도 사실이야.
정치는 골치 아파.
흥! 썩었어.
정치
미우니 고우니 해도 현실 정치에 참여하여 현실을 개선해 나가기 위해 노력하는 것이 옳은 걸까?
일단 분리 수거부터 해야겠군.
정치
아니면 인간과 사회에 대한 비관적 견해를 갖고 아예 정치와 담을 쌓고 사는 것이 현명한 걸까?
정치
다음은 플라톤의 《국가》 6권에 나오는 비유를 모어가 개작한 거야.
이 이야기는 현명한 사람이 정치에 관여하지 말아야 하는 이유를 말해주는 내용이지요.
어떤 현인이, 사람들이 모두 비가 쏟아지는 거리로 뛰어나가 흠뻑 젖는 것을 봤어.
그는 집 안에 머물러 있어서 그들더러 젖지 않도록 하라고 설득할 수가 없지.
젖으면 안 되는데…
그는 자신도 밖으로 나가면 그들과 마찬가지로 비에 젖게 될 것을 알고 있어.
나가면 나도 젖겠지?
즉, 그는 다른 사람의 어리석음에 대해 손을 댈 수 없는 처지야. 그래서 그는 결국 집 안에 머물러 있으면서 스스로를 위로하지.
그래, 어찌됐든 내가 옳아!
다음 장에는 사유재산에 대해 알아보겠습니다.

플라톤의 《국가》

토마스 모어는 《유토피아》를 쓰면서 플라톤의 《국가》와 성 어거스틴의 《하느님의 도성》이라는 책에서 영향을 크게 받았다고 했어요. 그러므로 플라톤의 《국가》는 '유토피아' 로 대표되는 이상적인 국가(또는 세계)의 가장 오래된 모델이라고 할 수 있어요. 《국가》는 플라톤이 쓴 책 중에서 가장 유명한 것으로 모두 10권으로 이루어져 있습니다. 책에는 그의 스승 소크라테스의 사상과 플라톤 자신의 정치, 교육, 철학 등에 대한 사상을 모두 담고 있습니다.

플라톤은 《국가》에서 약 5,000가구 정도로 제한되는 규모의 도시 국가를 어떻게 하면 가장 이상적으로 꾸려나갈 수 있는지에 대한 방법을 설명하고 있어요. 플라톤은 착함과 정의가 통치 질서의 원칙이 되는 완벽한 공동체의 표본을 제시했습니다. 그러나 그의 생각은 현실과 동떨어진 이상적인 것이었지요. 대표적인 예를 들자면 이상적인 국가를 만들기 위해서는 이상적인 지도자가 있어야 하는데, 그 지도자는 플라톤 자신과 같이 뛰어난 학식과 절제력을 갖춘 철인(哲人=철학자)이어야 했습니다. 플라톤은 정치는 학문이요, 기술이므로 지혜와 소양을 갖춘 철학자 군주만이 나라를 이끌어갈 자격이 있고, 그래야만 이상적인 국가가 될 수 있다고 믿은 것이지요. 그래서 사람들은 《국가》의 핵심을 '철인정치' 라고 한답니다.

플라톤

책의 내용을 간단히 소개하면 1권과 2권에서는 '올바름이 무엇인가?' 에 대한 이야기를 하고, 국가의 개념을 등장시켜

요. 3권에서는 교육을 통해 선발된 수호자들의 생활 방식에 대해 말하고, 4권에서는 지혜로운 자, 용기 있는 자, 절제하는 자들을 구분하여 이들이 국가에서 맡는 지위와 역할에 대해 논의한답니다. 5권은 수호자들의 공동생활, 남녀의 평등과 권리, 철인 통치자의 필요성 등의 생각을 담았고, 6권에서는 철학자가 추구하는 삶에 대해서, 7권에서는 '동굴의 비유'를 소개해요. 8권에서는 서로 다른 정치 체제에 대해서, 9권에서는 참주 정치 제도에서 인간의 불행에 대하여 말했으며 10권에서는 영혼 불멸과 사후의 세계에 대한 이야기를 하고 있답니다.

플라톤이 제자들을 가르치고 토론했던 아테네의 학당 아카데미아

오늘날 플라톤의 《국가》에 대한 평가는 엇갈리고 있습니다. 《국가》는 정치철학의 기원으로서 중요한 문제들을 다루었고, 곳곳에는 정치와 철학, 그리고 인간과 사회를 둘러싼 모든 문제들과, 그에 대한 기지 넘치는 해답들이 들어 있다고 생각하는 이들은 《국가》를 훌륭한 고전으로 보는 반면, 플라톤이 《국가》에서 민주주의 정치를 타락한 국가 형태로 간주하는 점에서는 잘못된 생각을 심어주는 책이라고 비판하는 이들도 있지요.

하지만 플라톤의 《국가》와 모어의 《유토피아》와 같은 책들이 있었기에 우리가 지금도 이상적인 국가에 대한 꿈을 꿀 수 있는 것이겠죠.

My way~
백성의 행복

-자세한 내용은 〈서울대 선정 인문고전 50선 4 플라톤 국가〉 참조!

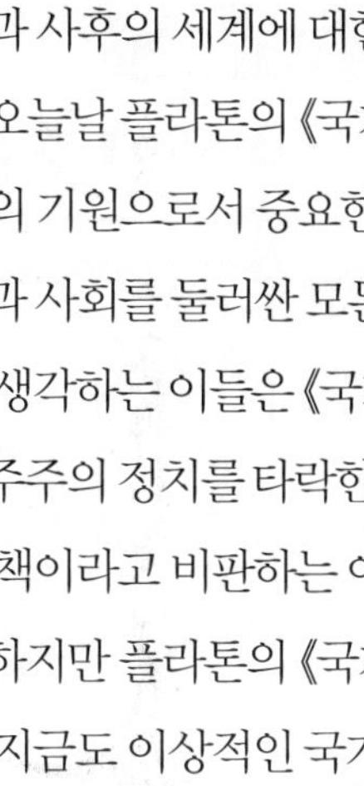
플라톤은 아틀란티스가 지브롤터 해협 서쪽, 즉 지금의 대서양에 있다고 생각했다.

또 다른 유토피아 : 베이컨의 아틀란티스

영국의 철학자 베이컨은 그리스도교를 바탕으로 한 가부장제와 '솔로몬 학술원'이라는 과학 집단을 두 개의 기둥으로 하는 이상주의 국가를 꿈꾸었다. 그의 생각은 저서 《새로운 아틀란티스》에 잘 나타나 있는데 베이컨의 유토피아는 특히 과학적 이상국가라고 할 수 있을 정도로 과학의 힘에 많이 의지하고 있다. 그의 책에는 씨앗 없이 배양토의 혼합만으로 자라는 식물과 그 열매들, 유전자 조작을 통해 새로 태어난 생물종, 자연 현상까지 적절히 조절하는 기계들이 등장한다.

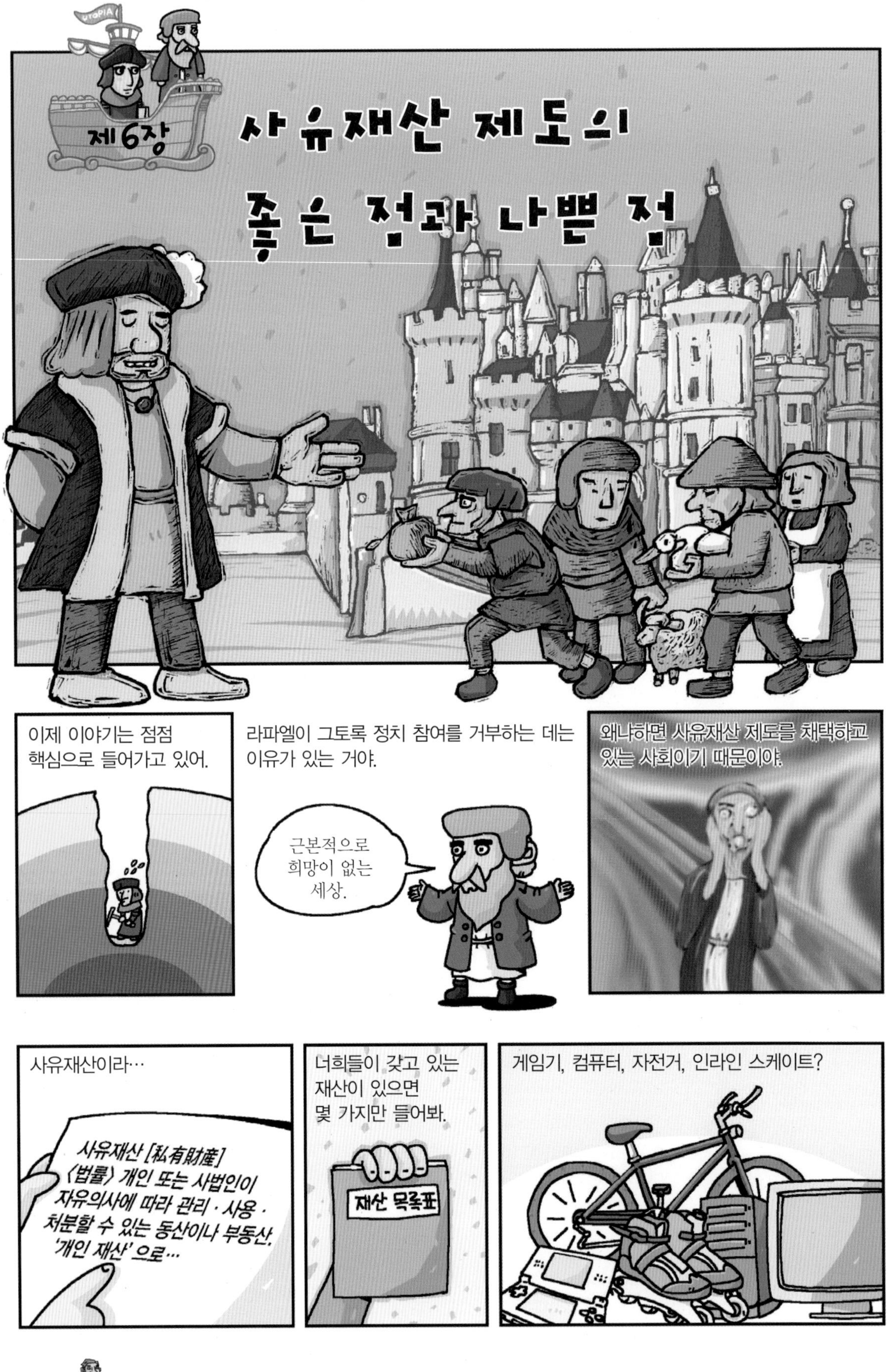
UTOPIA
제6장
사유재산 제도의 좋은 점과 나쁜 점
이제 이야기는 점점 핵심으로 들어가고 있어.
라파엘이 그토록 정치 참여를 거부하는 데는 이유가 있는 거야.
근본적으로 희망이 없는 세상.
왜냐하면 사유재산 제도를 채택하고 있는 사회이기 때문이야.
사유재산이라…
사유재산 [私有財産] 〈법률〉 개인 또는 사법인이 자유의사에 따라 관리 · 사용 · 처분할 수 있는 동산이나 부동산. '개인 재산' 으로…
너희들이 갖고 있는 재산이 있으면 몇 가지만 들어봐.
재산 목록표
게임기, 컴퓨터, 자전거, 인라인 스케이트?

부모님이 장만해 주신 것들일 테니
엄밀하게 얘기하면 너희가 소유권을
갖고 있는 것은 아니다만.
너희들은 '내 것'과 '네 것'을 가르는 사유재산 제도가 마치
늘 먹는 밥처럼 자연스럽고 당연한 것으로 여겨지겠지만
내 자전거야.
네 자전거 한 번 타보자.
인류가 처음부터 사유재산 제도를
채택했던 건 아니야.
사유재산
원시 공동체에서는 부족·씨족이
함께 노동을 하고
토지도 공동으로 소유했었어.
공동 소유
그러다 점차 소유의
관념이 싹트면서
내 조개 목걸이 예쁘지?
가족 단위로 재산의 상속이
이루어지게 되었지.
너희들에게 밭을 물려 주겠노라.
그렇다고 해서 공유재산 제도가 완전히
자취를 감춘 건 결코 아니어서
고대 도시국가에서는
토지의 사적 소유와 공동체 소유가 공존했었어.
그후로도 토지의 공유는
다양한 형태로 존속되었지.

사유재산 제도는 18~19세기의
산업혁명으로 인해,
토지에 얽매였던 노동자가
임금 노동자로 바뀌고
월급
자본주의가 발달하면서 본격적으로 뿌리를
내리게 되었어.
자본주의
사유재산 제도
우선 라파엘이 사유재산 제도를
비판하는 논리를 따라가 볼까?
자본주의
비판.
그러자면 먼저 대다수의 사람들이 가난에 쪼들리며
불행하게 살고 있는 현실을 인정할 필요가 있어.
가난
가난
가난한 사람들은
왜 가난한 걸까?
게을러서?
일하기
싫어.
너희들 혹시 '자본주의의 모순'
이라는 말을 들어본 적 있니?
방패순
(盾)
창모
(矛)
이론상으로는 각자 능력에 따라
얼마든지 차지할 수 있지만
결국 토지 등의 생산 수단을 소유한
소수에게 돈이 집중된다는 거야.
노동과 소작료에 부역까지
감당해야 하는 농민들과
부역
소작료
노동
농지를 갖고 있다는 이유만으로
지대와 소작료를 챙기는 지주들을
대비해 보면 쉽게 이해할 수 있지?

이러한 구조는 갈수록 심해지기 마련이어서
먼저 갈게!
사유재산 제도가 존속하는 한
사람들의 고통과 사회 모순은 줄어들지 않고 그대로일 거라는군.
다수의 사람들에게 행복은 불가능한 꿈이고 진정 정의로운 사회가 될 수도 없단 거야.
파랑새는 없어.
또한 사유재산이 인정되는 사회에서는 누구나 자기 재산을 지키고 늘리기 위해 안달하고 불안해 하게 되니 어떤 법률도 무용지물이라는 거야.
法
내 재산 넘보지 마!
물론 개인이 소유할 수 있는 돈이나 토지의 한도를 법으로 규제할 수는 있겠지.
제 ㅇ조 △항 개인은 재산을 ㅇㅇ까지 소유할 수 있다.
또한 법으로 왕과 국민의 재산권을 제한한다거나
법
일단 정지!
재산권제한
공직자들의 재산 관계를 엄격히 조사하고 공공 경비 지출을 엄격하게 규제한다든가 하는 방법으로
감사팀 입니다.
다소 상황을 개선시킬 수는 있어.
사유재산 쓰레기장
마치 만성 질환을 지닌 환자가 끊임없이 약을 복용함으로써
부분적으로 증상이 나아지고 약간 회복되는 기미가 보이는 것처럼 말이야.
약을 먹으니
그나마 좀 낫네.

그러나 사유재산이 존속하는 한 병이 완치되리라는 희망은 없어.
제거해야 완치됩니다.
사유재산
국가의 한 부분에서 발생한 문제를 처리하려다
다른 부분에서 문제를 발생시키는 게 되거든.
어떤 사람에게는 약이 되는 것이 다른 사람에게는 독이 되는 법이니까.
난 그 약 먹고 나았는데…
윽- 독이다!
그러니 그 어떤 경우에도 사유재산 제도가 살아 있는 한
근본적인 해결책은 없어.
사실 사유재산 제도의 문제점에 대해서 누구보다 앞선 생각을 했던 사람은 플라톤이야.
사유 재산은 문제가 많아.
통치 계급은 권력을 이용하여 부정부패에 빠지기 쉬우므로 사유재산을 가져서는 안 된다.
<국가론>
인간의 욕망에 대한 참으로 예리한 고찰이라고 할 수 있지?
플라톤은 지혜와 지도력을 갖춘 통치자를 찾기 위해서 독특한 방식의 교육 제도를 제안했어.
통치자 교육 제안서
어릴 때부터 부모로부터 격리시켜
체계적으로 지도자 교육을 시키지.
지도자 과정 교본 (기 초)

그리고 능력이 없으면
도태시키는
엄격한 선발 과정을 통해
통치 전문가를 육성하는 거야.
선발된 통치 전문가들은 사유재산과 가정을
갖지 않고 공산제의 원칙 아래 국가에
봉사하는 거지.
나는 사유재산은 포기하고
오직 봉사하는 자세로 살겠어.
라파엘의 자본주의 비판은
계속되고 있어.
각자가 능력에 따라 얼마든지 차지할 수
있다는 자본주의 사회에서,
재산
모든 이용 가능한 재산은 반드시
소수자의 수중에 들어가기
마련이라는 거야.
흥! 그게 어때서?
이는 곧 그들 이외의 사람들은 모두
가난하다는 것을 의미해.
넌 그것만 먹어.
그리고 부유한 사람들의 행태는 대개 공공의 이익에
반하기 마련이니,
미쳤어? 그 길로 가게.
공익
부자는 탐욕스럽고
파렴치하며
전혀 무용한 인간들이고,
헉!
쓰레기
가난한 자는 소박하고
겸손한 사람들이어서
겸손 그 자체…
사회에 훨씬
유용하다는군.

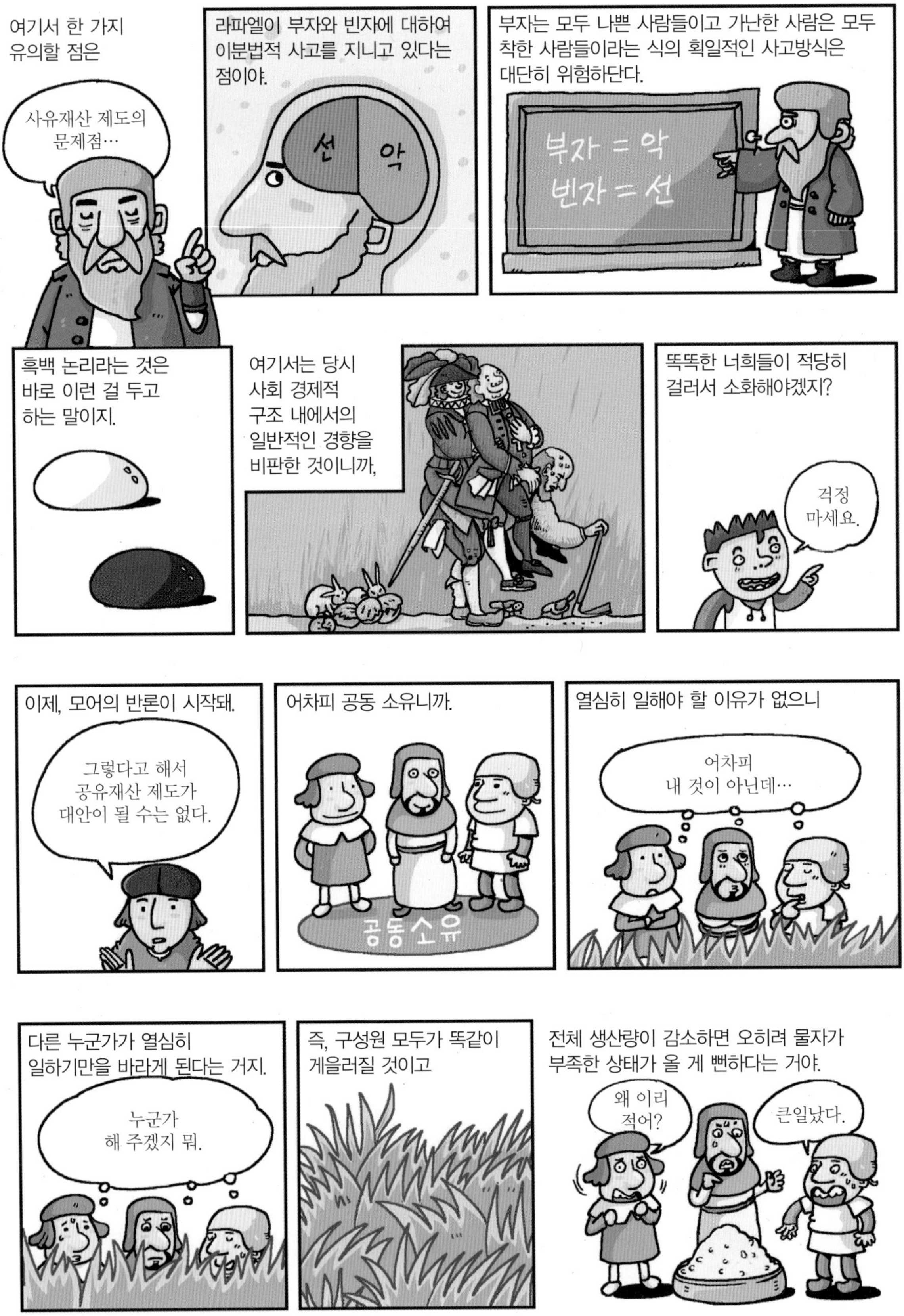
여기서 한 가지 유의할 점은
사유재산 제도의 문제점…
라파엘이 부자와 빈자에 대하여 이분법적 사고를 지니고 있다는 점이야.
선
악
부자는 모두 나쁜 사람들이고 가난한 사람은 모두 착한 사람들이라는 식의 획일적인 사고방식은 대단히 위험하단다.
부자 = 악
빈자 = 선
흑백 논리라는 것은 바로 이런 걸 두고 하는 말이지.
여기서는 당시 사회 경제적 구조 내에서의 일반적인 경향을 비판한 것이니까,
똑똑한 너희들이 적당히 걸러서 소화해야겠지?
걱정 마세요.
이제, 모어의 반론이 시작돼.
그렇다고 해서 공유재산 제도가 대안이 될 수는 없다.
어차피 공동 소유니까.
공동소유
열심히 일해야 할 이유가 없으니
어차피 내 것이 아닌데…
다른 누군가가 열심히 일하기만을 바라게 된다는 거지.
누군가 해 주겠지 뭐.
즉, 구성원 모두가 똑같이 게을러질 것이고
전체 생산량이 감소하면 오히려 물자가 부족한 상태가 올 게 뻔하다는 거야.
왜 이리 적어?
큰일났다.

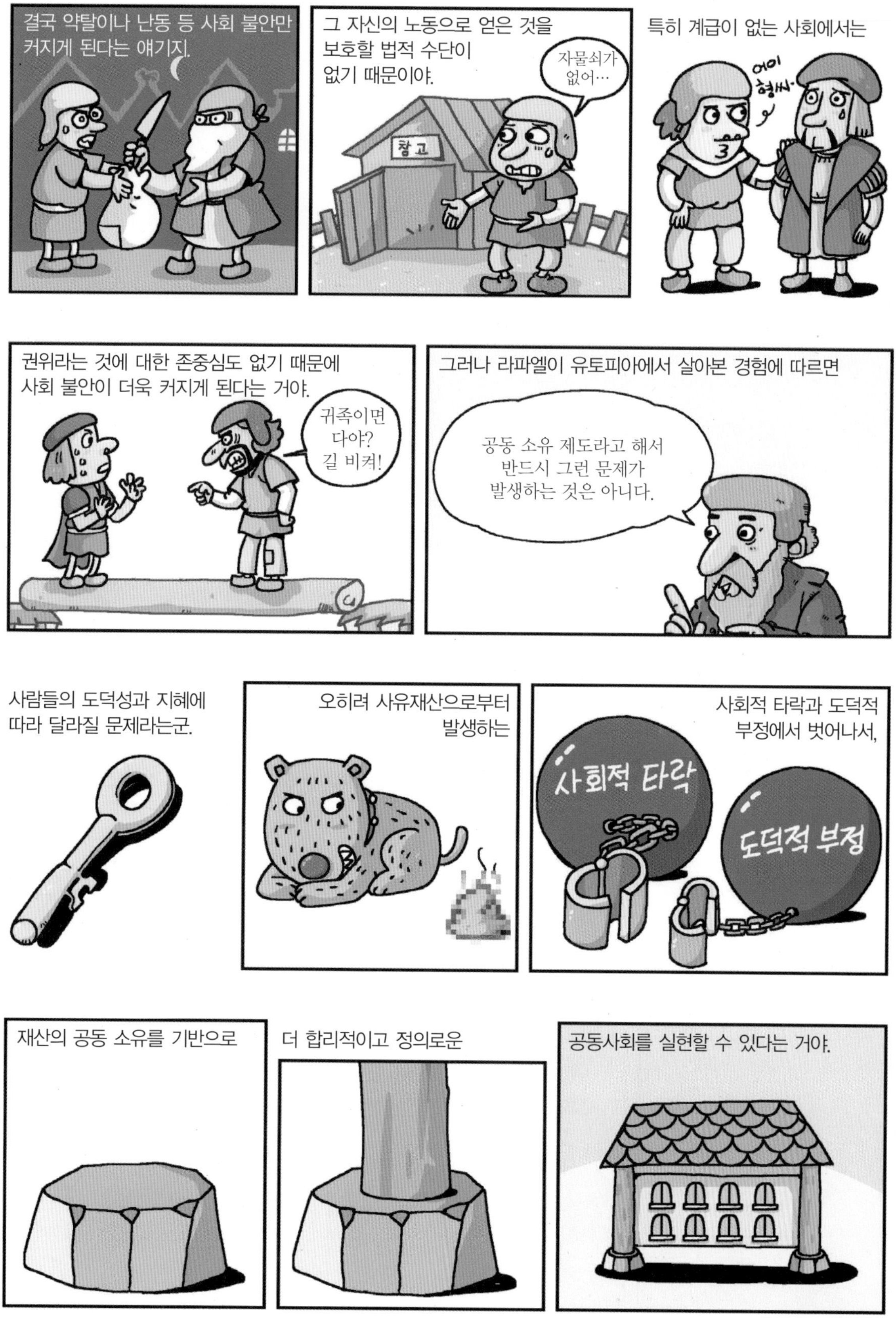
결국 약탈이나 난동 등 사회 불안만 커지게 된다는 얘기지.
그 자신의 노동으로 얻은 것을 보호할 법적 수단이 없기 때문이야.
창고
자물쇠가 없어…
특히 계급이 없는 사회에서는
어이 형씨
권위라는 것에 대한 존중심도 없기 때문에 사회 불안이 더욱 커지게 된다는 거야.
귀족이면 다야? 길 비켜!
그러나 라파엘이 유토피아에서 살아본 경험에 따르면
공동 소유 제도라고 해서 반드시 그런 문제가 발생하는 것은 아니다.
사람들의 도덕성과 지혜에 따라 달라질 문제라는군.
오히려 사유재산으로부터 발생하는
사회적 타락과 도덕적 부정에서 벗어나서,
사회적 타락
도덕적 부정
재산의 공동 소유를 기반으로
더 합리적이고 정의로운
공동사회를 실현할 수 있다는 거야.

자신은 5년 이상을 유토피아에서 살았고,
5년의 경험이야.
그곳이 싫어져서 떠난 게 아니라 유토피아라는 곳에 대해 여러 사람들에게 말해 주고 싶어 떠나온 것이라면서 말이야.
나는 유토피아 전도사.
더 많은 사람들에게 유토피아를 알리겠어.
그동안 주로 얘기를 듣고 있던 자일스가 드디어 입을 열었어.
유토피아가 과연 유럽보다 더 좋은 제도를 가졌을까?
유럽 사람들도 꽤 총명하고
역사도 오래되었으며
유럽사 (HISTORY)
그동안 갖가지 좋은 제도와 문화를 발전시켜 왔다는 거지.
혹시 자일스는 자존심이 강한 걸까?
그걸 말이라고 해?
오해 말고 들어 봐요.
유럽인과 유토피아인을 두루 겪어본 라파엘이 보기에,
유토피아인들도 유럽인 못지않게 총명할 뿐만 아니라
특히 열성과 근면이라는 덕목에서는 오히려 유럽인들보다 더 낫다는데?
열성·근면

게다가 그가 읽어본 유토피아 역사책에 따르면
유토피아 역사
유토피아의 역사가 유럽의 역사보다 더 오래된 것으로 나타나.
유토피아 할아버지.
유럽에서 인간 생활이 시작되기 이전에 이미 신세계에는 도시가 있었다는 거야.
그렇지만, 그들은 라파엘 일행이 그곳에 상륙하기 전까지는
유럽 같은 구세계 사람들과는 접촉한 적이 없었어.
유럽이 어디야?
글쎄?
단 한 번의 예외가 있긴 했지.
유토피아의 역사
1200년 전에
배가 폭풍우 속에서 항로를 잃고
유토피아 해안에 난파하여 소수의 생존자가 해안으로 헤엄쳐 왔어.
로마인과 이집트인도 몇 명 포함되어 있었는데,
그들은 살기 좋은 땅,
유토피아에 영구히 정착해버렸어.
딱 좋아.

이 소수의 정착민들이 유토피아에 끼친 영향은 아주 커.
유토피아인들은 그들로부터 로마 제국의 문화를 받아들였지.
로마제국 문화
정착민들로부터 직접 배우거나
또는 그들의 말을 듣고 연구해 내서
모래
자갈
로마의 도로
로마 제국에서 사용되는 유익한 기술들을 모조리 익혔어.
로마 수도교
게다가 이번에 라파엘 일행을 만나고서는
유럽 사람들이 만들어 낸 유용한 문명을 전부 배웠어.
유럽 문명
입장을 바꿔놓고 생각해서,
입장 바꿔 생각을 해 봐
김건모
만약 유럽인에게 그런 기회나 행운이 왔을 경우에
과연 타 문명의 훌륭한 것들을 그토록 빨리 배울 수 있겠느냐는 거야.
그냥 술이나 마시며 놀아요.
그들이 지능이나 자연자원이 비슷함에도
준비 – 땅!

유럽인들보다 정치적으로나 경제적으로나 훨씬 앞서 있는 것은
헥헥!! 도저히 못 따라 가겠어.
배움에 대한 이러한 자세 때문이라는 거지.
문화를 받아들여야 해.
이제, 모어와 자일스는 라파엘이 살다 왔다는 유토피아가 대체 어떤 곳인지 더이상 궁금증을 참을 수 없어서
라파엘을 마구 조르기 시작했어.
유토피아에 대해 이야기해 줘요.
라파엘도 그동안 뜸을 너무 들였다는 생각이 들었는지
유토피아 섬에 대하여 이야기 보따리를 풀어 놓기로 했지.
일단 점심시간이 다 되어 배가 고팠으므로
꼬르륵
점심을 먹고 나서 오후에는 그 이야기만 듣기로 했어.
일단 식사 후에…
그리고 세 명은 맛있는 점심식사를 마쳤고,
다시 원래 자리로 돌아와 이야기를 계속했지.
하인에게 아무도 들여보내지 말라고 일러두었음은 물론이고.
출입금지

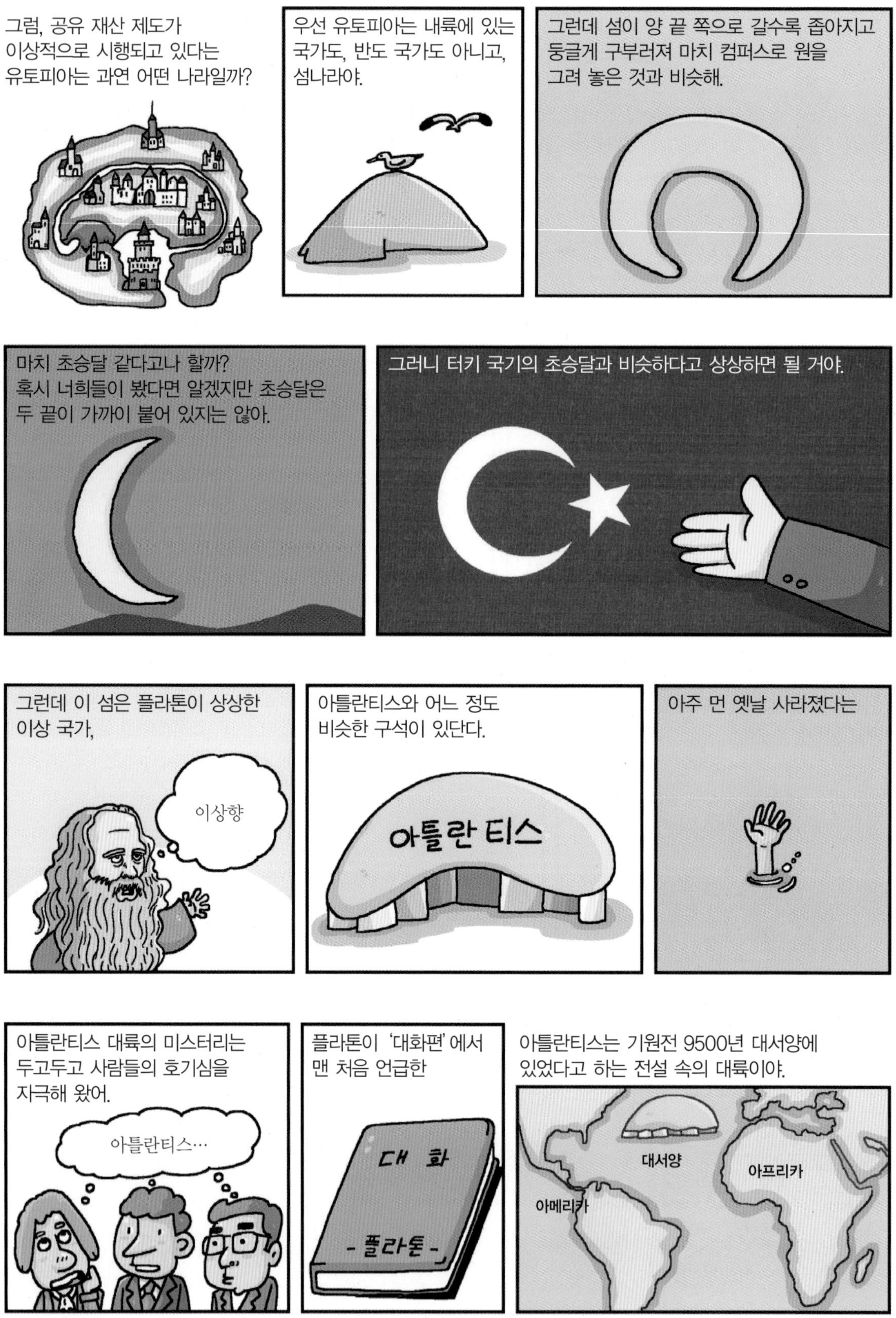
그럼, 공유 재산 제도가 이상적으로 시행되고 있다는 유토피아는 과연 어떤 나라일까?
우선 유토피아는 내륙에 있는 국가도, 반도 국가도 아니고, 섬나라야.
그런데 섬이 양 끝 쪽으로 갈수록 좁아지고 둥글게 구부러져 마치 컴퍼스로 원을 그려 놓은 것과 비슷해.
마치 초승달 같다고나 할까? 혹시 너희들이 봤다면 알겠지만 초승달은 두 끝이 가까이 붙어 있지는 않아.
그러니 터키 국기의 초승달과 비슷하다고 상상하면 될 거야.
그런데 이 섬은 플라톤이 상상한 이상 국가,
이상향
아틀란티스와 어느 정도 비슷한 구석이 있단다.
아틀란티스
아주 먼 옛날 사라졌다는
아틀란티스 대륙의 미스터리는 두고두고 사람들의 호기심을 자극해 왔어.
아틀란티스…
플라톤이 '대화편'에서 맨 처음 언급한
대화
-플라톤-
아틀란티스는 기원전 9500년 대서양에 있었다고 하는 전설 속의 대륙이야.
대서양
아프리카
아메리카

지브롤터 해협(지중해와 대서양이 만나는 해협)의 서쪽에 있었는데,
아틀란티스
유럽
지브롤터 해협
아프리카
리비아와 아시아를 합친 것보다 더 큰 섬이었대.
가소롭군
(리비아+아시아)
이집트 문명보다 훨씬 먼저 존재했고
당시의 그리스보다도 훨씬 발달한 문명을 가지고 있었다는군.
아름답고 신비한 과일이 나고
귀금속이 풍부하게 묻혀 있고
무역품이나 전리품으로 크게 번영하였으니
일종의 낙원인 셈이지.
그러나 심한 지진과
화산 활동으로
하루 사이에 바다 속으로 가라앉고 말았어.
아~ 허무하게 가는구나.

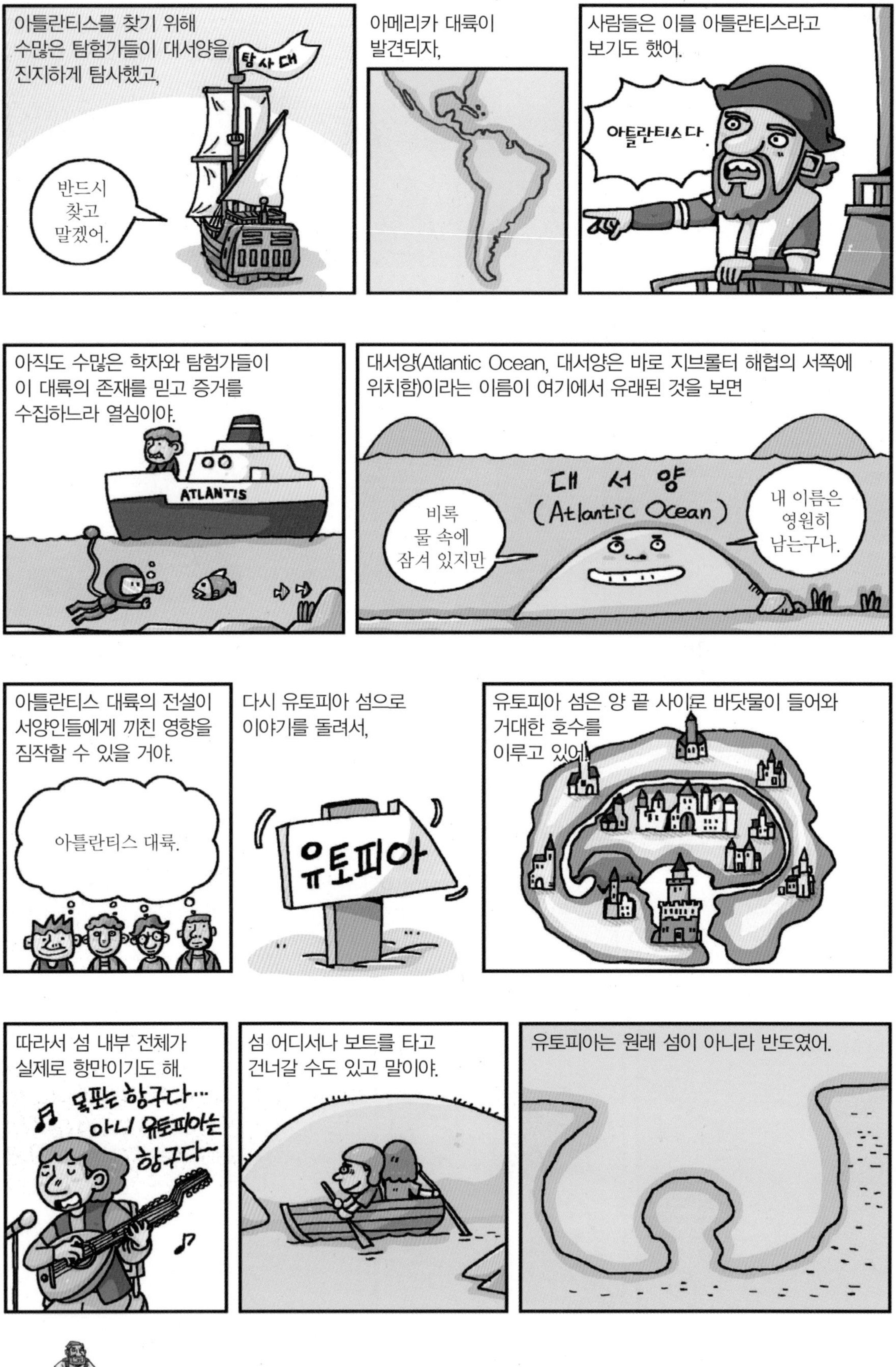
아틀란티스를 찾기 위해
수많은 탐험가들이 대서양을
진지하게 탐사했고,
탐사대
반드시 찾고 말겠어.
아메리카 대륙이
발견되자,
사람들은 이를 아틀란티스라고
보기도 했어.
아틀란티스다.
아직도 수많은 학자와 탐험가들이
이 대륙의 존재를 믿고 증거를
수집하느라 열심이야.
ATLANTIS
대서양(Atlantic Ocean, 대서양은 바로 지브롤터 해협의 서쪽에
위치함)이라는 이름이 여기에서 유래된 것을 보면
대서양
(Atlantic Ocean)
비록 물 속에 잠겨 있지만
내 이름은 영원히 남는구나.
아틀란티스 대륙의 전설이
서양인들에게 끼친 영향을
짐작할 수 있을 거야.
아틀란티스 대륙.
다시 유토피아 섬으로
이야기를 돌려서,
유토피아
유토피아 섬은 양 끝 사이로 바닷물이 들어와
거대한 호수를
이루고 있어.
따라서 섬 내부 전체가
실제로 항만이기도 해.
목포는 항구다…
아니 유토피아는
항구다~
섬 어디서나 보트를 타고
건너갈 수도 있고 말이야.
유토피아는 원래 섬이 아니라 반도였어.

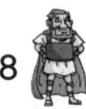

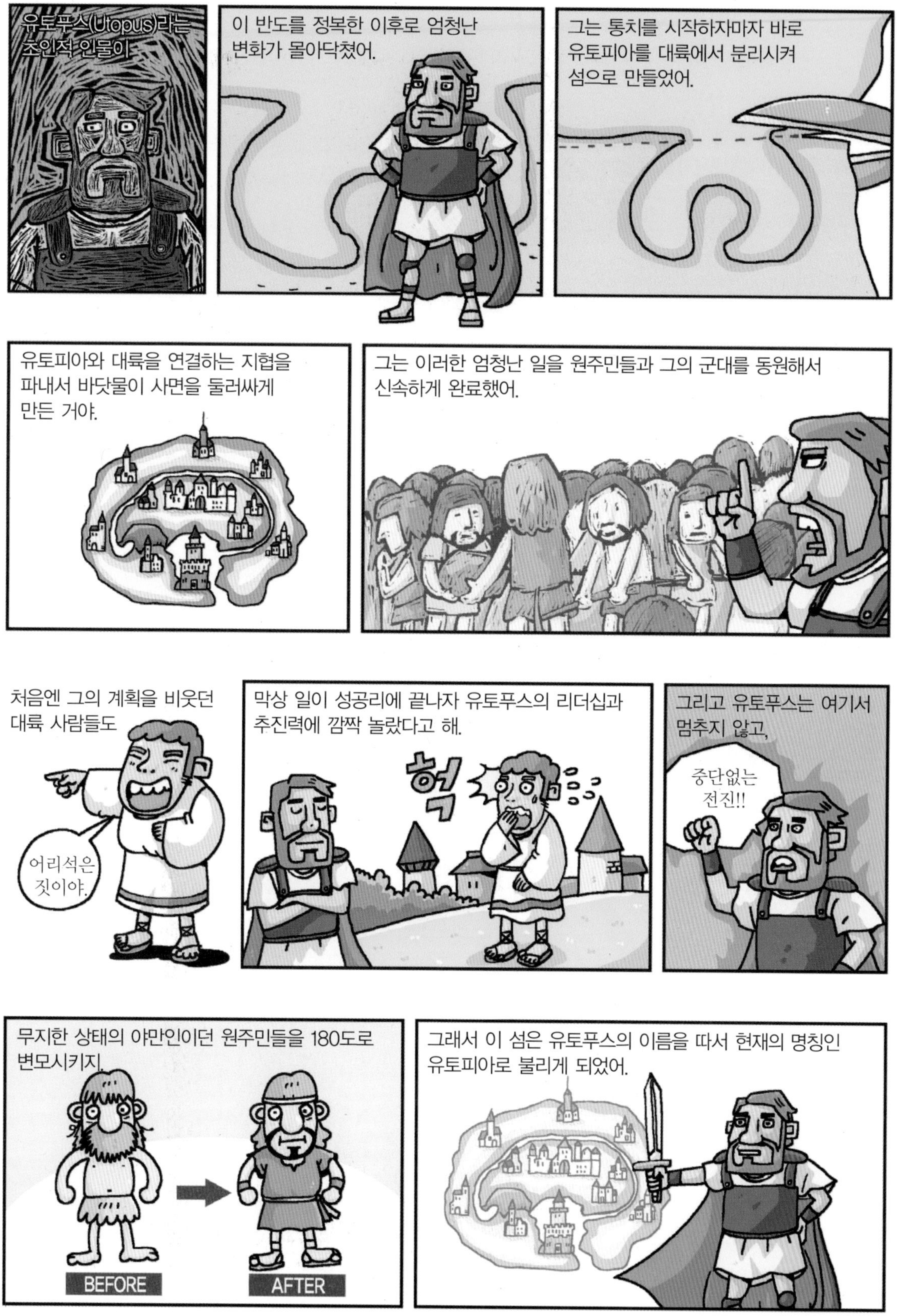

유토푸스(Utopus)라는 초인적 인물이
이 반도를 정복한 이후로 엄청난 변화가 몰아닥쳤어.
그는 통치를 시작하자마자 바로 유토피아를 대륙에서 분리시켜 섬으로 만들었어.
유토피아와 대륙을 연결하는 지협을 파내서 바닷물이 사면을 둘러싸게 만든 거야.
그는 이러한 엄청난 일을 원주민들과 그의 군대를 동원해서 신속하게 완료했어.
처음엔 그의 계획을 비웃던 대륙 사람들도
어리석은 짓이야.
막상 일이 성공리에 끝나자 유토푸스의 리더십과 추진력에 깜짝 놀랐다고 해.
헉
그리고 유토푸스는 여기서 멈추지 않고,
중단없는 전진!!
무지한 상태의 야만인이던 원주민들을 180도로 변모시키지.
BEFORE
AFTER
그래서 이 섬은 유토푸스의 이름을 따서 현재의 명칭인 유토피아로 불리게 되었어.

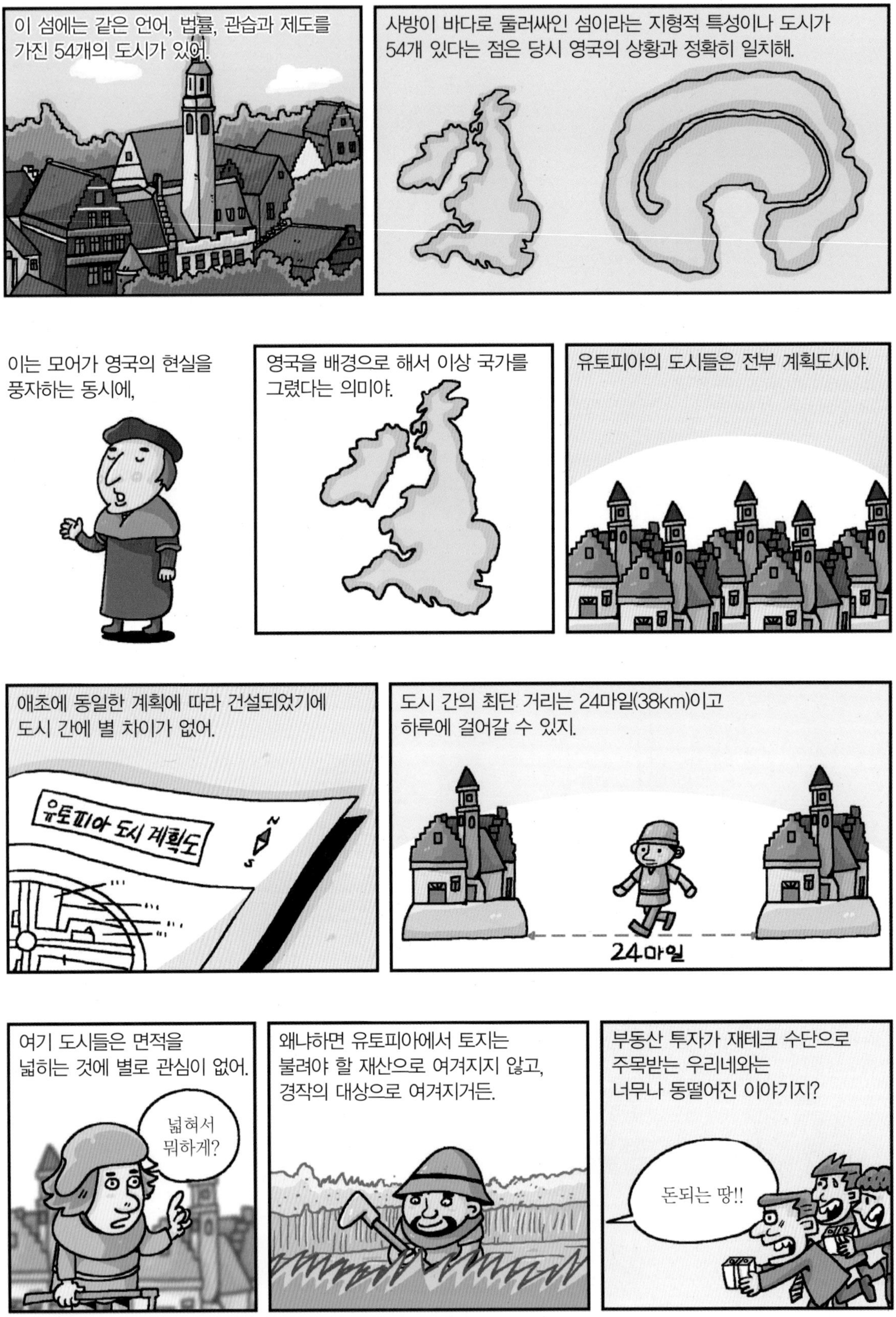
이 섬에는 같은 언어, 법률, 관습과 제도를 가진 54개의 도시가 있어.
사방이 바다로 둘러싸인 섬이라는 지형적 특성이나 도시가 54개 있다는 점은 당시 영국의 상황과 정확히 일치해.
이는 모어가 영국의 현실을 풍자하는 동시에,
영국을 배경으로 해서 이상 국가를 그렸다는 의미야.
유토피아의 도시들은 전부 계획도시야.
애초에 동일한 계획에 따라 건설되었기에 도시 간에 별 차이가 없어.
유토피아 도시 계획도
도시 간의 최단 거리는 24마일(38km)이고 하루에 걸어갈 수 있지.
24마일
여기 도시들은 면적을 넓히는 것에 별로 관심이 없어.
넓혀서 뭐하게?
왜냐하면 유토피아에서 토지는 불려야 할 재산으로 여겨지지 않고, 경작의 대상으로 여겨지거든.
부동산 투자가 재테크 수단으로 주목받는 우리네와는 너무나 동떨어진 이야기지?
돈되는 땅!!

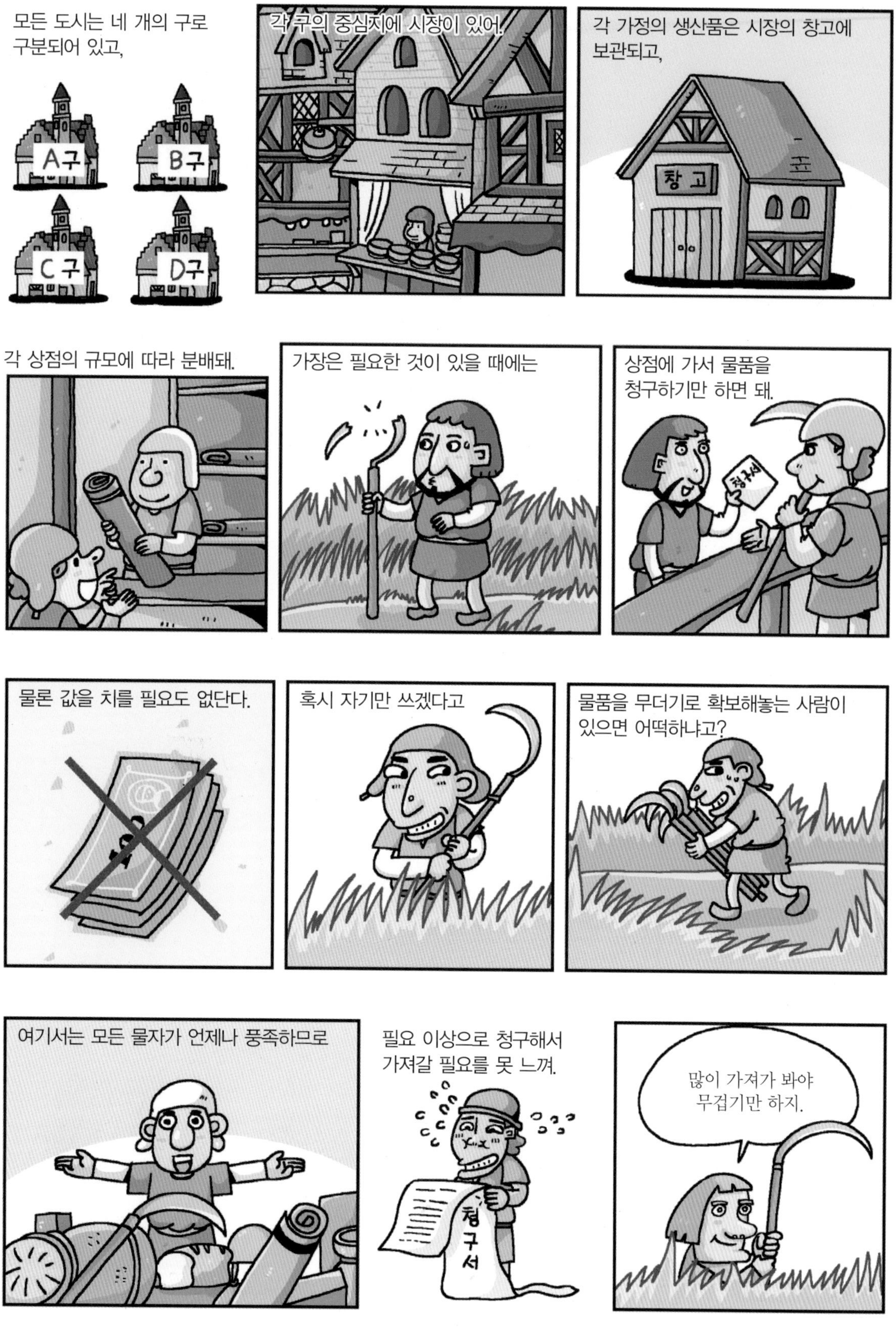
모든 도시는 네 개의 구로
구분되어 있고,
A구
B구
C구
D구
각 구의 중심지에 시장이 있어.
각 가정의 생산품은 시장의 창고에
보관되고,
창고
각 상점의 규모에 따라 분배돼.
가장은 필요한 것이 있을 때에는
상점에 가서 물품을
청구하기만 하면 돼.
청구서
물론 값을 치를 필요도 없단다.
혹시 자기만 쓰겠다고
물품을 무더기로 확보해놓는 사람이
있으면 어떡하냐고?
여기서는 모든 물자가 언제나 풍족하므로
필요 이상으로 청구해서
가져갈 필요를 못 느껴.
청구서
많이 가져가 봐야
무겁기만 하지.

말만 하면
호미
한 상자!
물건을 척척 내주는 감동적인 광경을
택배
왔습니다.
호미
한번
상상해 봐!
대단해.
시민들이 살고 있는 집에는
시내로 향하는 앞문과
시내출입문
정원으로 나가는 뒷문이 있어.
정원 출입문
문은 양쪽 여닫이로
되어 있는데
잘 열리고 저절로 닫히므로 누구나
그 문을 통해 쉽게 드나들 수 있단다.
이것도 사유재산이라는 게 없기에
가능한 거지.
내 것이
아닌
우리 것.
게다가 사람들은 10년마다
제비를 뽑아
집을 바꾸어 가며 살아.
새
입주자시군요.
잘
지내봅시다.

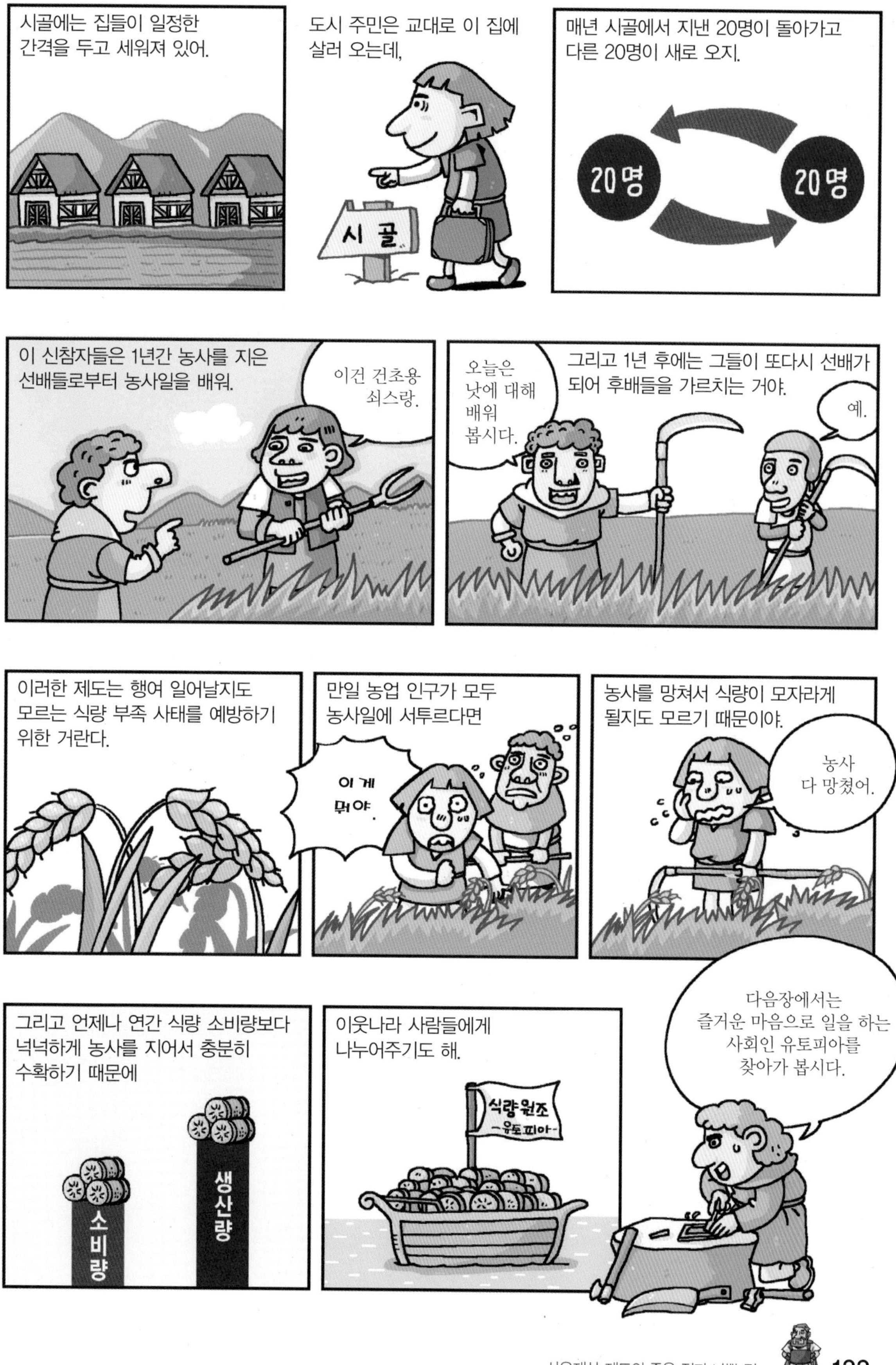

시골에는 집들이 일정한 간격을 두고 세워져 있어.
도시 주민은 교대로 이 집에 살러 오는데,
시골
매년 시골에서 지낸 20명이 돌아가고 다른 20명이 새로 오지.
20명
20명
이 신참자들은 1년간 농사를 지은 선배들로부터 농사일을 배워.
이건 건초용 쇠스랑.
오늘은 낫에 대해 배워 봅시다.
그리고 1년 후에는 그들이 또다시 선배가 되어 후배들을 가르치는 거야.
예.
이러한 제도는 행여 일어날지도 모르는 식량 부족 사태를 예방하기 위한 거란다.
만일 농업 인구가 모두 농사일에 서투르다면
이게 뭐야.
농사를 망쳐서 식량이 모자라게 될지도 모르기 때문이야.
농사 다 망쳤어.
그리고 언제나 연간 식량 소비량보다 넉넉하게 농사를 지어서 충분히 수확하기 때문에
소비량
생산량
이웃나라 사람들에게 나누어주기도 해.
식량원조 -유토피아-
다음장에서는 즐거운 마음으로 일을 하는 사회인 유토피아를 찾아가 봅시다.

공산주의와 자본주의

《유토피아》에서 토마스 모어는 사유재산 제도를 비판합니다. 하지만 공동재산 제도를 완전히 지지하지도 않죠. 그는 중요한 것은 사람들의 도덕성과 삶의 지혜라고 말합니다. 즉 재산을 어떤 형태로 가지는 것보다는 인간의 존엄한 양심에 따라 물질에 대한 욕심을 내지 않고 사는 것이 옳은 길이라는 것이죠. 하지만 안타깝게도 현실은 그 길을 가는 것이 아주 어렵다는 것을 말해 줍니다. 대표적인 예가 재산을 공동으로 소유하는 공산주의의 몰락이지요.

칼 마르크스(1818~1883). 공산주의 이념을 만든 독일의 경제학자

공산주의는 1840년대 이후 유럽에서 마르크스와 엥겔스에 의하여 창시된 마르크스주의를 기반으로 합니다. 그리고 20세기 초, 러시아의 특수한 정치 상황에서 레닌이 실천으로 옮겨 현실 세계에 도입합니다. 그래서 어떤 이들은 공산주의를 마르크스-레닌주의라고도 합니다.

공산주의는 재산의 공동 소유를 바탕으로 하여 인간성의 회복을 추구하려고 했습니다. 마르크스는 자본주의 체제에서 인간은 오히려 자기가 열심히 노동하여 생산한 사유 재산에 의해 지배당하고, 노동자는 항상 자본가에 비해 약자의 입장에 있으므로 행복한 삶을 살 수 없다고 생각했기 때문이지요. 마르크스는 노동에 의해 발생하는 이윤은 자본가의 노동자에 대한 착취의 결과라고 생각했고, 자본주의 체제에서 자본가들은 노동자들을 더욱 착취하지 않고서는 경쟁에 이길 수도, 살아남을 수도 없다고 주장했습니다. 따라서 자본주의 사회는 필연적으로 붕괴되고 사회주의 사회가 도래한다고 보았답니다. 하지만 마르크스가 만든 공산주의는 오래 가지 않아 실패한 제도가 되었어요. 인류 최초로 공산주의 혁명을 실천한 옛 소련이 자본주의를 바탕으로 하는 시장 경제를 도입하면서 공산주의를 포기했고, 그 뒤를 이어 동유럽의 공산주의 국가들이 모두 몰락했기 때문이지요.

공산주의 이념을 실천하기 위해 일으킨 러시아의 볼셰비키 혁명.

자본주의는 사유재산 제도에 뿌리를 두고 있습니다. 모든 물품의 가격은 자유 경쟁의 원칙에 따라 시장에서 가격이 결정되지요. 이익을 위해 상품을 생산하고, 노동자의 노동력도 상품으로 생각된답니다. 이러한 자본주의는 경제 활동이 자유롭고 이윤 획득을 목적으로 자유 경쟁이 벌어지기 때문에 사람들은 창조적인 생각을 발휘하여 좋은 상품을 풍부하게 만들어 싼 가격으로 공급할 수 있어서 물질생활이 윤택해질 수 있다는 장점이 있습니다. 하지만 단점도 있습니다. 빈부의 차가 커질 수 있다는 점과 시장에 맡긴 경제 활동에 문제가 생기면 통제가 불가능하여 큰 경제 공황이나 실업이 발생할 수 있다는 점입니다. 하지만 이러한 단점에도 불구하고 오늘날 전 세계는 자본주의 체제를 근간으로 하여 정치나 경제가 움직이고 있답니다.

공동소유

UTOPIA
제7장
즐거운 마음으로
일을 하는 사회

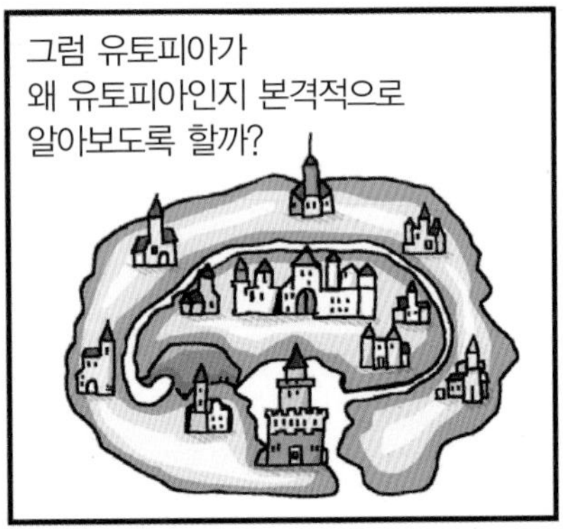
그럼 유토피아가
왜 유토피아인지 본격적으로
알아보도록 할까?

유토피아에서는 모든 사람이
노동을 하도록 되어 있어.
일하지 않고 그냥 빈둥거리며
배부르게 사는 사람은 한 명도
볼 수 없는 곳이야.

우리들이
어떤 노동을
하냐구?

바로 농사를
짓는 거야.

농사는 남자든 여자든 누구나 예외 없이
해야 하는 일이야.

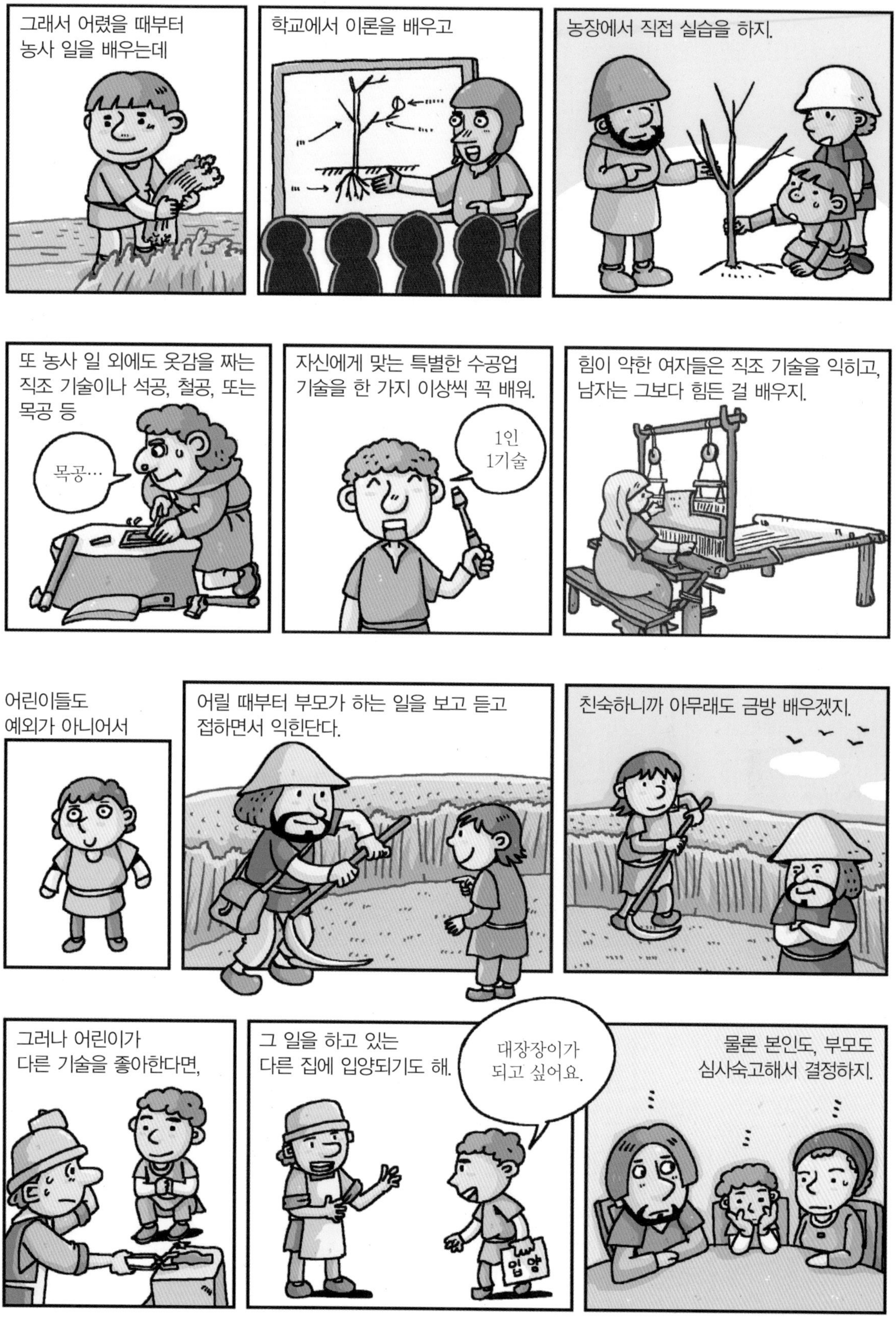

그래서 어렸을 때부터 농사 일을 배우는데
학교에서 이론을 배우고
농장에서 직접 실습을 하지.
또 농사 일 외에도 옷감을 짜는 직조 기술이나 석공, 철공, 또는 목공 등
목공…
자신에게 맞는 특별한 수공업 기술을 한 가지 이상씩 꼭 배워.
1인 1기술
힘이 약한 여자들은 직조 기술을 익히고, 남자는 그보다 힘든 걸 배우지.
어린이들도 예외가 아니어서
어릴 때부터 부모가 하는 일을 보고 듣고 접하면서 익힌단다.
친숙하니까 아무래도 금방 배우겠지.
그러나 어린이가 다른 기술을 좋아한다면,
그 일을 하고 있는 다른 집에 입양되기도 해.
대장장이가 되고 싶어요.
입양
물론 본인도, 부모도 심사숙고해서 결정하지.

그리고 아버지와 시 당국은 양부모의 사람됨에 대해서 충분히 알아본 다음에 결정을 내려.
시 청
검증
만약 여러 가지 기술을 두루 익히고 싶다면 한 가지 기술을 충분히 연마한 다음에 다른 기술을 배울 수도 있어.
○○자격증
○○수료증
○○자격증
△△자격증
유토피아는 철저한 지방자치 제도를 시행하는 나라이다 보니
지 방 자 치
노동을 할 때도 지방자치 단위로 관리가 이루어져.
유토피아는 도시마다 30세대가 한 그룹을 이루어서
시포그란투스라고 불리는 대표를 선출하는데.
이 시포그란투스의 주된 업무는 시민들이 자신의 직업에 열중하도록 관리하고 돌보는 거야.
관리
각 도시에는 2백 명의 시포그란투스들이 있는데,
이들은 시장이나 국가 지도자를 선출하는 책임도 지니고 있어.
아침, 시포그란투스 10명과 그들이 대표하는 세대에 대해
트라니보루스라는 공직자 계급이 또 있긴 해.
트라니 보루스

공무원이 노동을 감독한다고 해서,
수레를 끄는 짐승을 다루듯이 혹독하게 일을 시키는 줄로 안다면 그건 오해야.
자발적인 노동…
그것은 노예 상태와 다름없지.
그런데 유감스럽게도 유토피아 이외의 거의 모든 나라에서
노동자 계급은 바로 노예 상태의 생활을 하고 있어
노동자.
노예
유토피아에서는 누구나 열심히 일을 하지만 아무도 노예처럼 살지 않아.
왜냐하면 그들은 하루에 6시간만 일하게 되어 있거든.
6시간 노동.
오전에 3시간 일하고
점심 먹고 2시간 쉰 후에
다시 3시간 일하면 그걸로 하루의 노동은 끝이야.
나머지 시간에는 잠을 자거나 쉬면서 자유롭게 보내지.
보람찬 하루 일을 끝마치고서
하지만 그냥 술을 마시고 떠들면서 소모적으로 보내는 것이 아니라
지적 활동을 하면서 유익하게 보낸단다.
시민 문화교실

그래서 유토피아에는 공개강좌가 아주 많아.
게시판
공개강좌 안내
그들은 취향에 따라 이 강좌, 저 강좌를 들으면서
게시판
공개강좌 안내
이번엔 어떤 강의를 들을까?
자기 완성을 위한 시간을 보내는 것이지.
1515년 무렵 영국의 노동법에 의하면
노동법
1515
영국의 노동자들은 하루에 12시간을 일할 수 있도록 되어 있었는데,
이렇게 열심히 일하고도 대부분의 서민들은 가난에 시달려야 했어.
가난의 늪
그러므로 하루에 6시간만 일하고도 먹고 살 수 있다는 것은 정말 유토피아에서나 가능한 일이지.
부럽다.
공개강좌가 열리지 않는 시간에는 건전한 오락을 하면서 보내.
공개강좌 준비중
여름에는 정원에서
겨울에는 공동 식당에서 오락을 즐기지.
공동식당
어떤 사람은 음악을 감상하기도 하고,
어떤 사람은 동료들과 이야기를 나누기도 해.

그들은 유럽에서 널리 유행하던
주사위놀이 같은 것에 대해서는 알지 못해.
설사 알았다 하더라도 어리석고 퇴폐적인
'사이비 쾌락'이라며
멀리 했을 거야.
대신에, 서양장기(체스) 비슷한
두 가지 놀이를 하는데,
하나는 숫자로 숫자를 빼앗는
산술 놀이고
4로 2를
막으면.
다른 하나는 선과 악이 대결하는 놀이야.
선과 악이 대결하는 놀이는 놀이와 철학,
놀이와 도덕이 결합된 신개념의
전략 시뮬레이션 놀이야.
어떤 악이 어떤 선에
대립하는가
우헤헤
악이 직접 공격을 하면
어느 정도의 힘을 발휘하는가
악이 쓰는 책략은 어떤 것인가
선은 악을 극복하기 위해
어떤 도움을 필요로 하는가
최강의
아이템!
악의 공격을 물리치는 최상의
방법은 무엇인가 하는
내용이지.
항복!

그러면 '하루에 6시간만 일하고도 사람들이 살아가는 데 필요한 농산물이나 생필품을 충분하게 만들 수 있을까?' 하고 고민하는 사람이 있을 텐데,
6시간 노동…
그것은 염려할 필요가 없어.
왜냐하면 그들의 작업 시간은 적지만
유토피아의 모든 사람들이 모두 함께 일하기 때문에
전체 시간은 충분하거든.
물론 유토피아에도 일상적인 노동이 면제된 사람이 있긴 해.
그 수는 약 500명 정도야.
여기에는 시포그란투스도 포함되는데,
이들은 모범을 보이기 위해 자발적으로 노동에 참여하지.
또한 오로지 학문 연구에만 전념하는 사람들도 있어.
그러나 학문 연구에 전념하겠다고 해서 누구에게나 노동을 면제해 주는 건 아니란다.

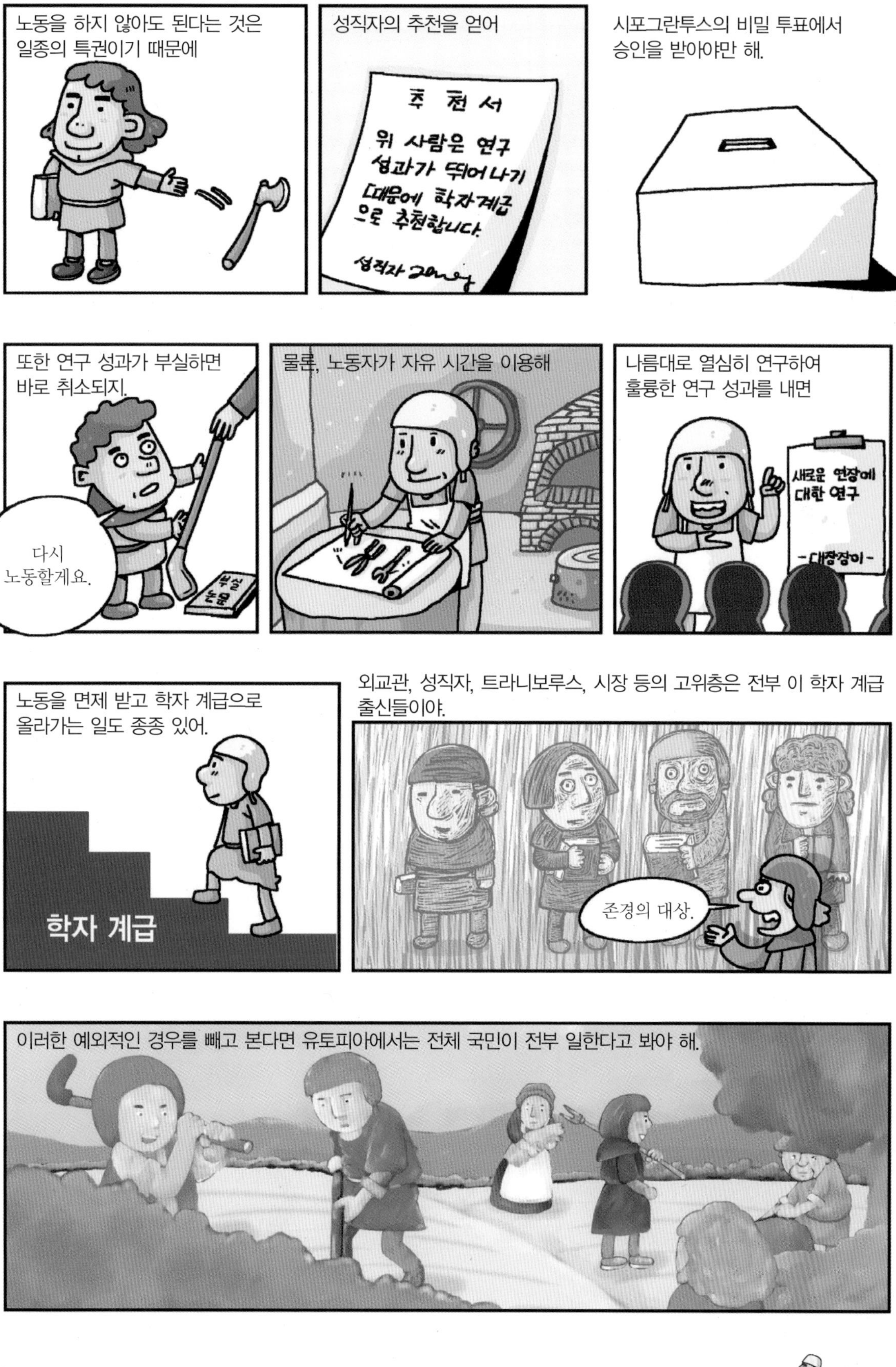
노동을 하지 않아도 된다는 것은
일종의 특권이기 때문에
성직자의 추천을 얻어
추 천 서
위 사람은 연구 성과가 뛰어나기 때문에 학자계급으로 추천합니다.
성직자
시포그란투스의 비밀 투표에서
승인을 받아야만 해.
또한 연구 성과가 부실하면
바로 취소되지.
다시 노동할게요.
부실 논문
물론, 노동자가 자유 시간을 이용해
나름대로 열심히 연구하여
훌륭한 연구 성과를 내면
새로운 연장에 대한 연구
-대장장이-
노동을 면제 받고 학자 계급으로
올라가는 일도 종종 있어.
학자 계급
외교관, 성직자, 트라니보루스, 시장 등의 고위층은 전부 이 학자 계급
출신들이야.
존경의 대상.
이러한 예외적인 경우를 빼고 본다면 유토피아에서는 전체 국민이 전부 일한다고 봐야 해.

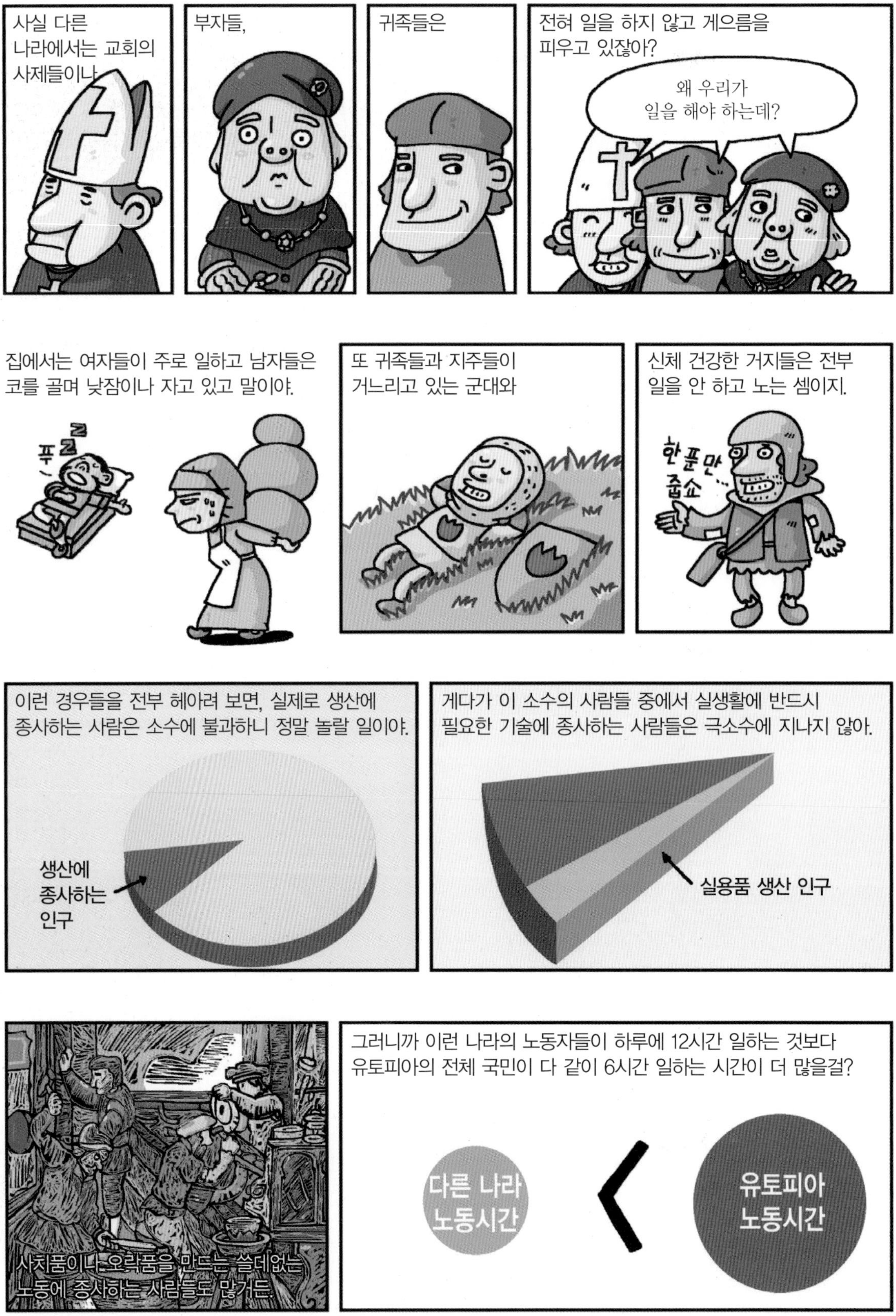
사실 다른 나라에서는 교회의 사제들이나
부자들,
귀족들은
전혀 일을 하지 않고 게으름을 피우고 있잖아?
왜 우리가 일을 해야 하는데?
집에서는 여자들이 주로 일하고 남자들은 코를 골며 낮잠이나 자고 있고 말이야.
푸~
또 귀족들과 지주들이 거느리고 있는 군대와
신체 건강한 거지들은 전부 일을 안 하고 노는 셈이지.
한 푼만 줍쇼
이런 경우들을 전부 헤아려 보면, 실제로 생산에 종사하는 사람은 소수에 불과하니 정말 놀랄 일이야.
생산에 종사하는 인구
게다가 이 소수의 사람들 중에서 실생활에 반드시 필요한 기술에 종사하는 사람들은 극소수에 지나지 않아.
실용품 생산 인구
사치품이나 오락품을 만드는 쓸데없는 노동에 종사하는 사람들도 많거든.
그러니까 이런 나라의 노동자들이 하루에 12시간 일하는 것보다 유토피아의 전체 국민이 다 같이 6시간 일하는 시간이 더 많을걸?
다른 나라 노동시간
유토피아 노동시간

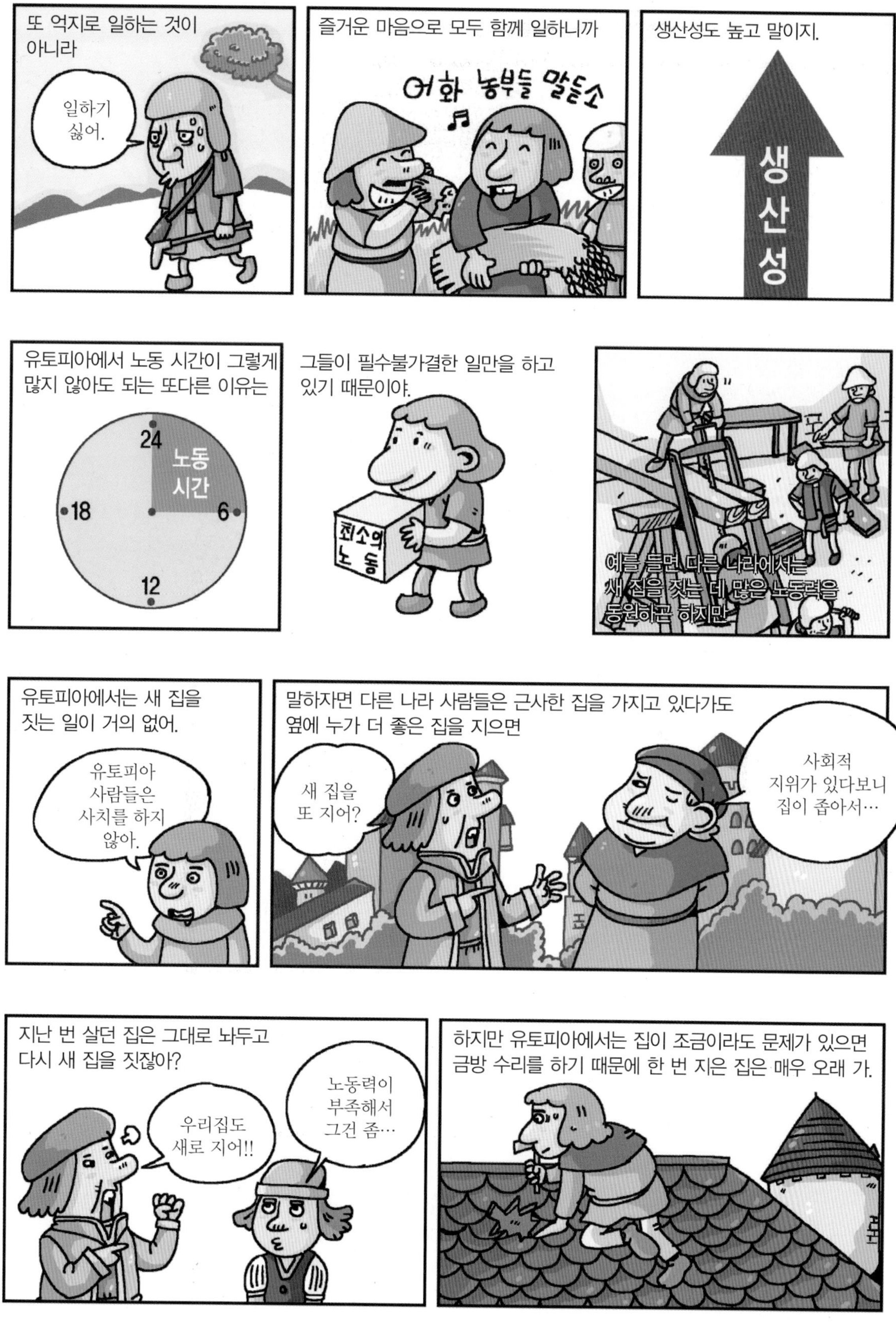

또 억지로 일하는 것이 아니라
일하기 싫어.
즐거운 마음으로 모두 함께 일하니까
어화 농부들 말듣소
생산성도 높고 말이지.
생산성
유토피아에서 노동 시간이 그렇게 많지 않아도 되는 또다른 이유는
24
노동 시간
6
12
18
그들이 필수불가결한 일만을 하고 있기 때문이야.
최소의 노동
예를 들면 다른 나라에서는 새 집을 짓는 데 많은 노동력을 동원하곤 하지만
유토피아에서는 새 집을 짓는 일이 거의 없어.
유토피아 사람들은 사치를 하지 않아.
말하자면 다른 나라 사람들은 근사한 집을 가지고 있다가도 옆에 누가 더 좋은 집을 지으면
새 집을 또 지어?
사회적 지위가 있다보니 집이 좁아서…
지난 번 살던 집은 그대로 놔두고 다시 새 집을 짓잖아?
우리집도 새로 지어!!
노동력이 부족해서 그건 좀…
하지만 유토피아에서는 집이 조금이라도 문제가 있으면 금방 수리를 하기 때문에 한 번 지은 집은 매우 오래 가.

옷도 마찬가지야.
옷은 각 가정에서 각자가
직접 만들어 입지.
물론 옷이라고 해 봐야 남자와 여자 그리고
기혼자와 미혼자의 차이가 있을뿐.
대부분 평생 동안 한 가지
모양의 옷을 입어.
폼나지
않아?
그들은 생산하기 쉬운 삼베옷을
많이 입지.
작업복은 헐렁한 가죽 옷인데
가죽이 튼튼해서 최소 7년은
입을 수 있어.
7년이
지나니
낡아졌어.
새로
만들어
야지.
외출할 때에는 작업복 위에
모직 망토를 걸치기만 하면 돼.
외출
준비 끝!!
망토는 염색을 하지 않고
모직물의 자연색 그대로야.
NO!
그런데 다른 나라에서는
옷으로 인한 사치가 너무 심해.
대여섯 벌의 외투와 셔츠를 갖고도
만족을 못 하니 말이야.
옷맵시를 내려는 사람들은 대여섯
벌로도 모자라서 더 바라지.
입을
옷이 없어.

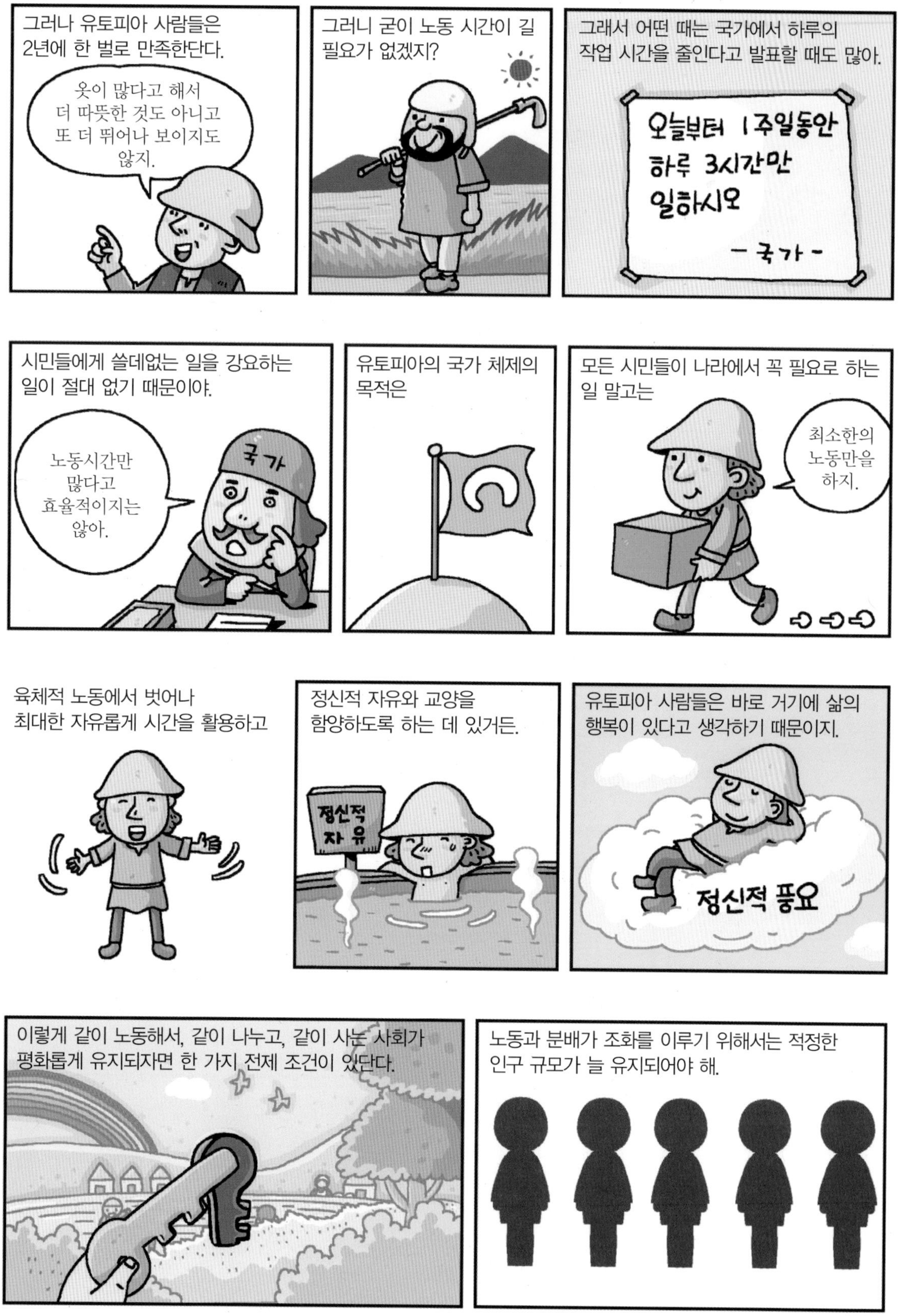

그러나 유토피아 사람들은 2년에 한 벌로 만족한단다.
옷이 많다고 해서 더 따뜻한 것도 아니고 또 더 뛰어나 보이지도 않지.
그러니 굳이 노동 시간이 길 필요가 없겠지?
그래서 어떤 때는 국가에서 하루의 작업 시간을 줄인다고 발표할 때도 많아.
오늘부터 1주일동안 하루 3시간만 일하시오
-국가-
시민들에게 쓸데없는 일을 강요하는 일이 절대 없기 때문이야.
국가
노동시간만 많다고 효율적이지는 않아.
유토피아의 국가 체제의 목적은
모든 시민들이 나라에서 꼭 필요로 하는 일 말고는
최소한의 노동만을 하지.
육체적 노동에서 벗어나 최대한 자유롭게 시간을 활용하고
정신적 자유와 교양을 함양하도록 하는 데 있거든.
정신적 자유
유토피아 사람들은 바로 거기에 삶의 행복이 있다고 생각하기 때문이지.
정신적 풍요
이렇게 같이 노동해서, 같이 나누고, 같이 사는 사회가 평화롭게 유지되자면 한 가지 전제 조건이 있단다.
노동과 분배가 조화를 이루기 위해서는 적정한 인구 규모가 늘 유지되어야 해.

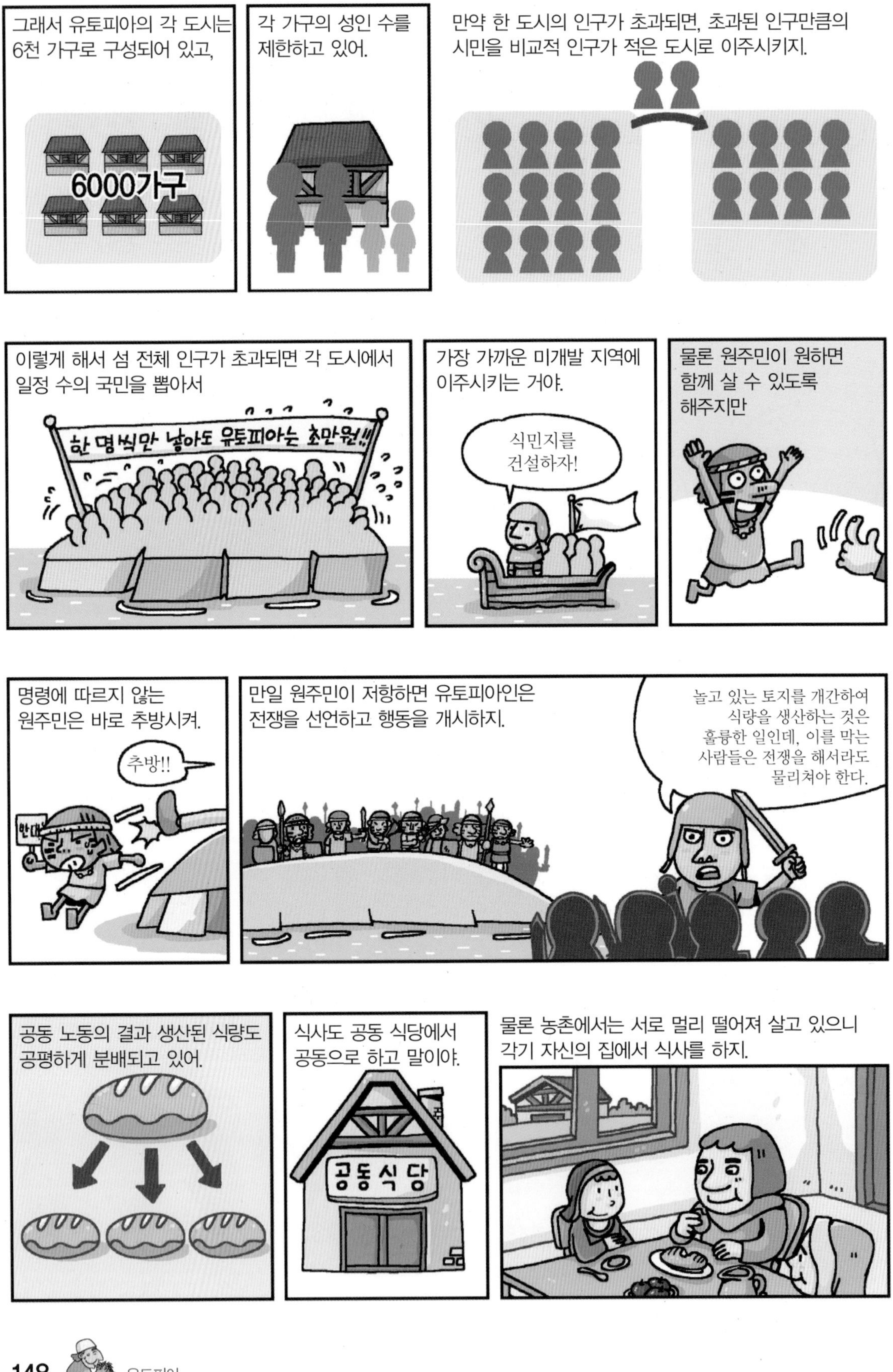
그래서 유토피아의 각 도시는 6천 가구로 구성되어 있고,
6000가구
각 가구의 성인 수를 제한하고 있어.
만약 한 도시의 인구가 초과되면, 초과된 인구만큼의 시민을 비교적 인구가 적은 도시로 이주시키지.
이렇게 해서 섬 전체 인구가 초과되면 각 도시에서 일정 수의 국민을 뽑아서
한 명씩만 낳아도 유토피아는 초만원!!
가장 가까운 미개발 지역에 이주시키는 거야.
식민지를 건설하자!
물론 원주민이 원하면 함께 살 수 있도록 해주지만
명령에 따르지 않는 원주민은 바로 추방시켜.
추방!!
만일 원주민이 저항하면 유토피아인은 전쟁을 선언하고 행동을 개시하지.
놀고 있는 토지를 개간하여 식량을 생산하는 것은 훌륭한 일인데, 이를 막는 사람들은 전쟁을 해서라도 물리쳐야 한다.
공동 노동의 결과 생산된 식량도 공평하게 분배되고 있어.
식사도 공동 식당에서 공동으로 하고 말이야.
공동식당
물론 농촌에서는 서로 멀리 떨어져 살고 있으니 각기 자신의 집에서 식사를 하지.

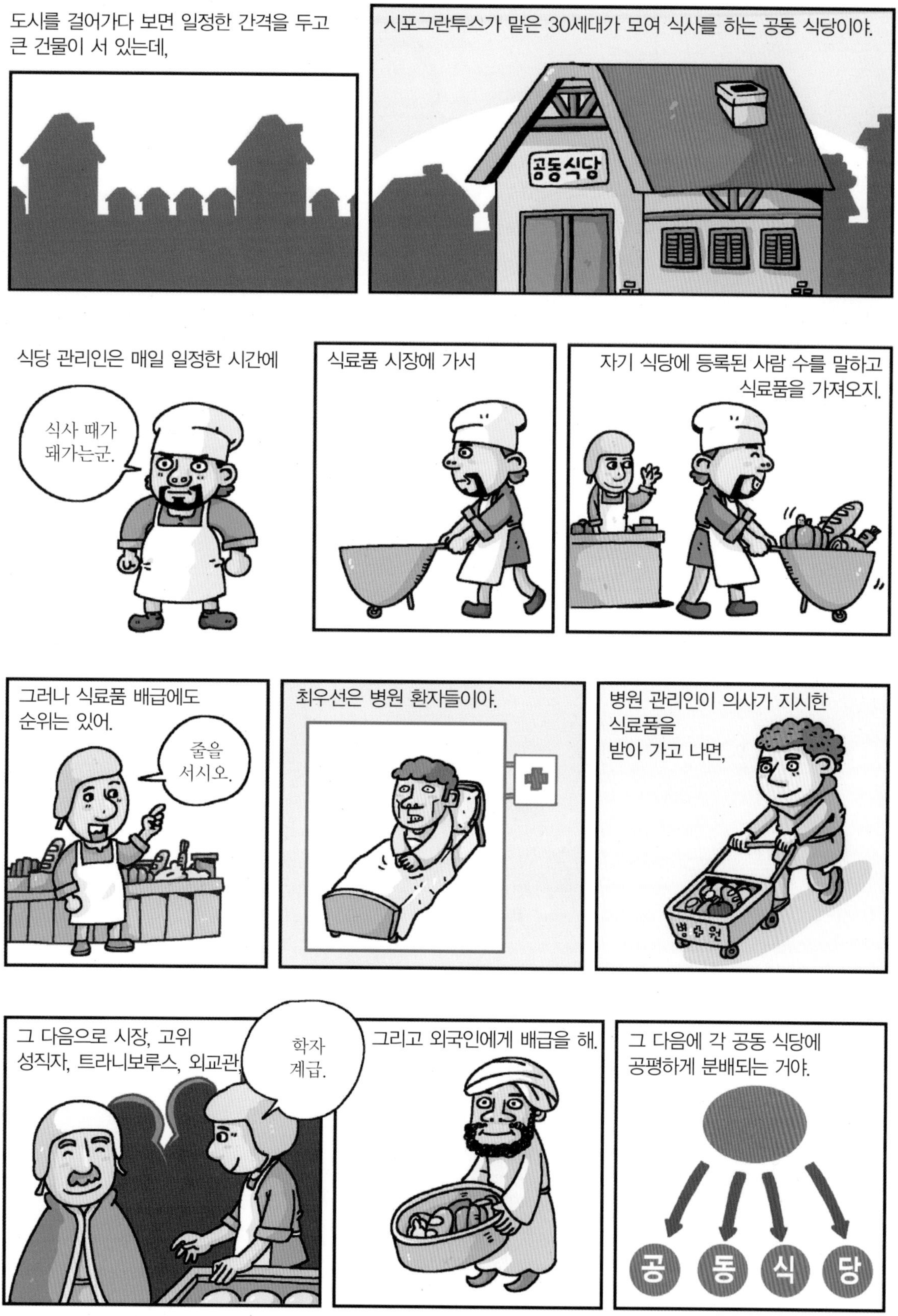

도시를 걸어가다 보면 일정한 간격을 두고 큰 건물이 서 있는데,
시포그란투스가 맡은 30세대가 모여 식사를 하는 공동 식당이야.
공동식당
식당 관리인은 매일 일정한 시간에
식사 때가 돼가는군.
식료품 시장에 가서
자기 식당에 등록된 사람 수를 말하고 식료품을 가져오지.
그러나 식료품 배급에도 순위는 있어.
줄을 서시오.
최우선은 병원 환자들이야.
병원 관리인이 의사가 지시한 식료품을 받아 가고 나면,
병원
그 다음으로 시장, 고위 성직자, 트라니보루스, 외교관,
학자 계급.
그리고 외국인에게 배급을 해.
그 다음에 각 공동 식당에 공평하게 분배되는 거야.
공 동 식 당

유토피아의 병원은 성벽 밖 교외에 네 군데가 있어.
병원
병원
병원
병원
병원들은 시설이 뛰어나고
호텔 수준이야.
의료진들도 친절하고 성실하기 때문에,
많이 좋아졌습니다.
곧 나을 거니까 걱정 마세요.
환자라면 집에서 치료하는 것보다 병원에 입원하는 것을 더 좋아할 정도야.
병원에 입원할게.
사실 모어가 살던 시대에는 병원이라고 부를 만한 시설을 갖춘 곳은 영국 전체 내에 하나밖에 없었다고 해.
그럼 유토피아인들이 함께 모여 식사하는 모습을 잠깐 들여다 볼까?
공동 식당
나팔을 불어 식사 시간을 알리면 모든 시민이 식당에 모여.
뿌우~
밥 먹고 합시다.
식사가 끝나면 남은 음식을 마음대로 집에 가져갈 수도 있어.
고기 좀 가져가요.
난 빵을 가져 가.
음식 준비에 따르는 거칠고 힘든 일을 노예가 하고,
끙 끙
메뉴를 정하고 음식을 만드는 일은 그날의 당번인 가정주부들이 해.
각 가정의 어른들은 식탁에 둘러 앉는데,

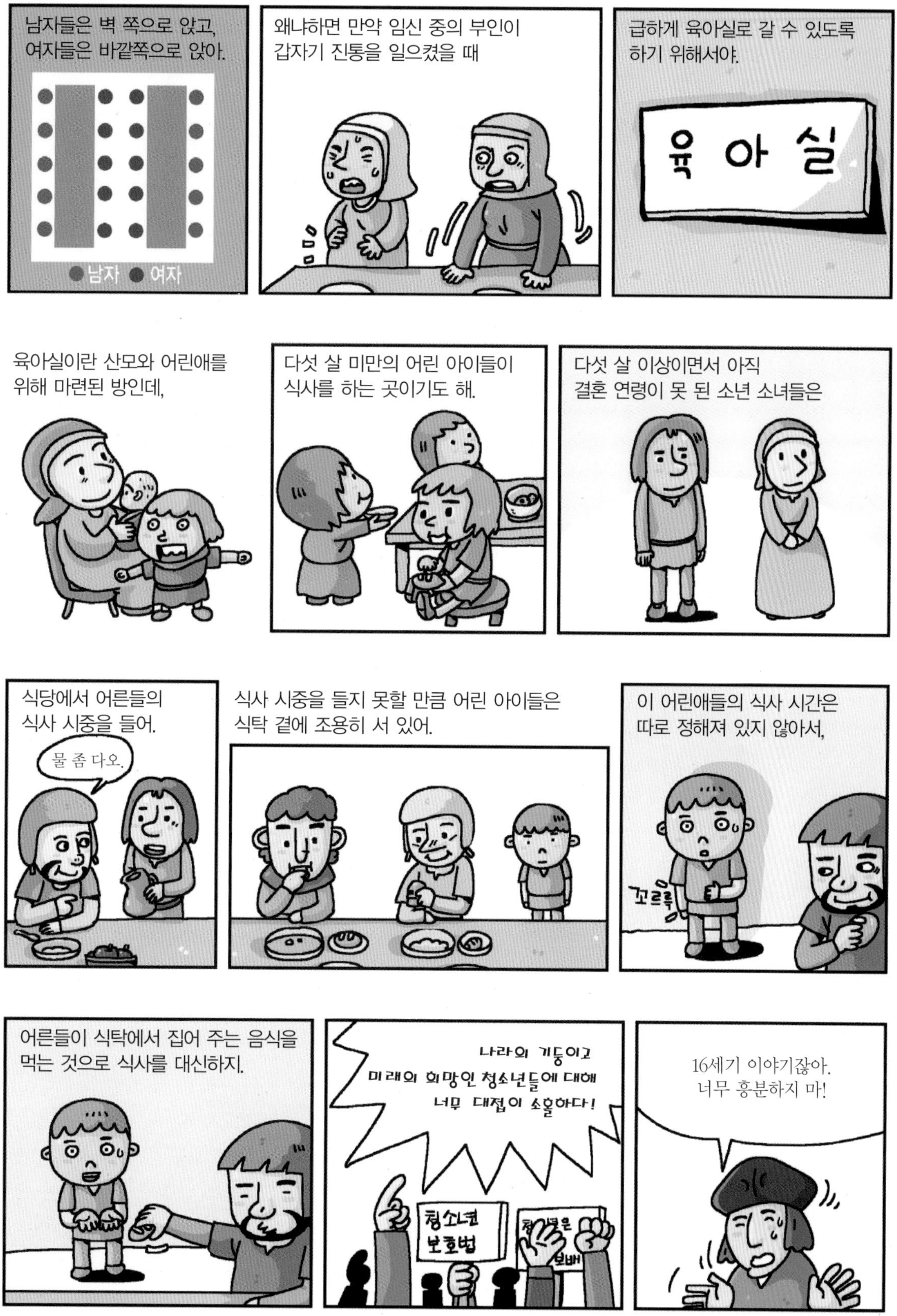
남자들은 벽 쪽으로 앉고,
여자들은 바깥쪽으로 앉아.
남자 여자
왜냐하면 만약 임신 중의 부인이
갑자기 진통을 일으켰을 때
급하게 육아실로 갈 수 있도록
하기 위해서야.
육 아 실
육아실이란 산모와 어린애를
위해 마련된 방인데,
다섯 살 미만의 어린 아이들이
식사를 하는 곳이기도 해.
다섯 살 이상이면서 아직
결혼 연령이 못 된 소년 소녀들은
식당에서 어른들의
식사 시중을 들어.
물 좀 다오.
식사 시중을 들지 못할 만큼 어린 아이들은
식탁 곁에 조용히 서 있어.
이 어린애들의 식사 시간은
따로 정해져 있지 않아서,
꼬르륵
어른들이 식탁에서 집어 주는 음식을
먹는 것으로 식사를 대신하지.
나라의 기둥이고
미래의 희망인 청소년들에 대해
너무 대접이 소홀하다!
청소년
보호법
16세기 이야기잖아.
너무 흥분하지 마!

식당은 좌석 배치에도 신경을 써서 나이 많은 사람들과 젊은 사람들이 골고루 섞이도록 해 놨어.
식당의 상석에는 시포그란투스 내외와 최연장자 내외가 앉아.
네 명씩 짝을 지어 식사를 하거든.
그들 양쪽으로 4명의 젊은이가 앉고,
그 다음 이들보다 나이 많은 사람들이 앉는 식이야.
나이가 많은 사람들과 섞여 앉게 되면
젊은이들이 철없는 행동을 삼가게 된다는 거지.
먼저 드세요.
식사 전에는 선행과 미덕에 관한 명언을 짧게 낭독하는데, 그리 지루하지는 않아.
오늘의 명언.
그 다음에 노인들은 심각한 문제를 토론하는데
적당히 유머를 섞어서
밝은 분위기에서 진행해.

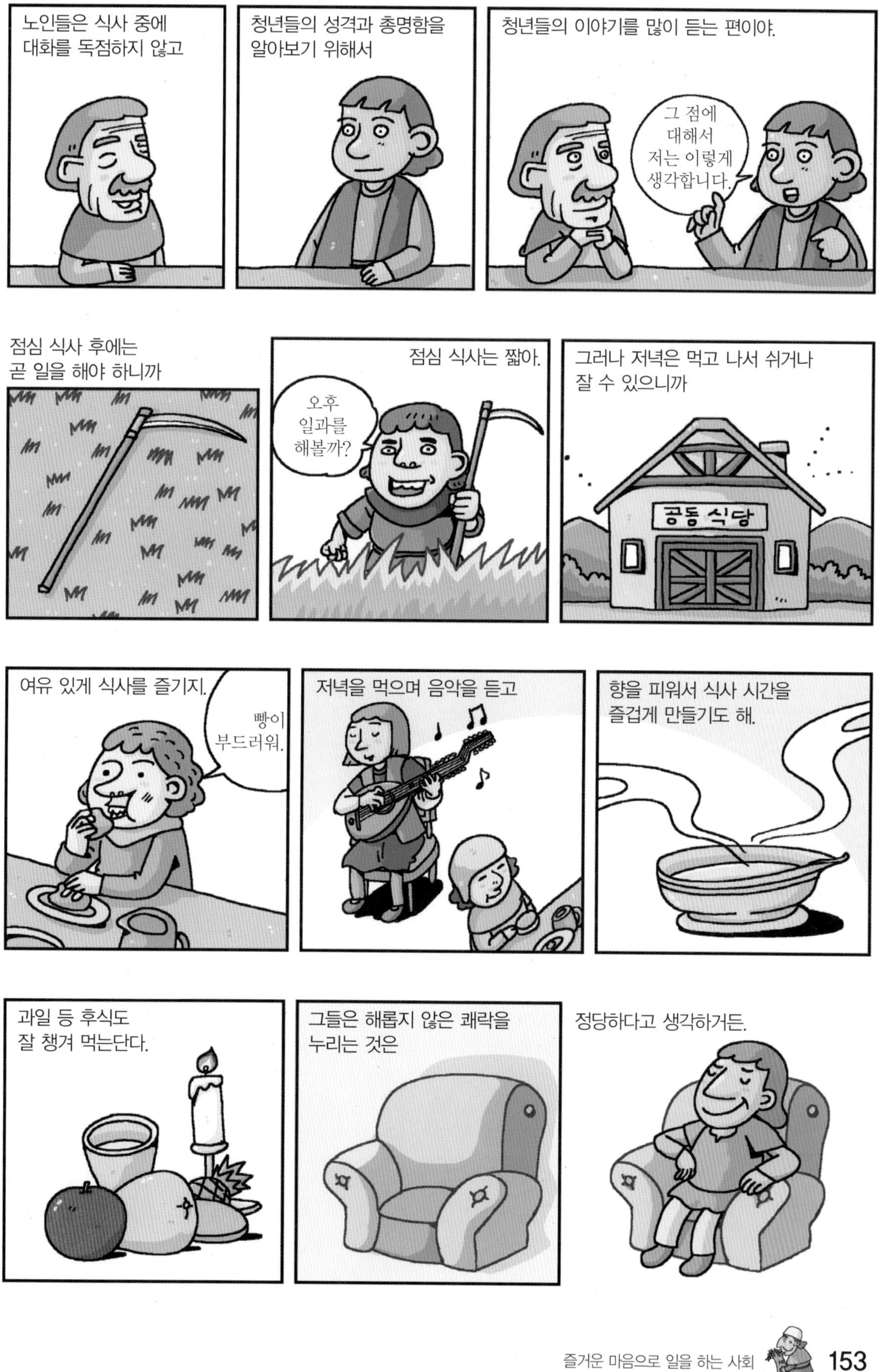
노인들은 식사 중에
대화를 독점하지 않고
청년들의 성격과 총명함을
알아보기 위해서
청년들의 이야기를 많이 듣는 편이야.
그 점에 대해서 저는 이렇게 생각합니다.
점심 식사 후에는
곧 일을 해야 하니까
점심 식사는 짧아.
오후 일과를 해볼까?
그러나 저녁은 먹고 나서 쉬거나
잘 수 있으니까
공동 식당
여유 있게 식사를 즐기지.
빵이 부드러워.
저녁을 먹으며 음악을 듣고
향을 피워서 식사 시간을
즐겁게 만들기도 해.
과일 등 후식도
잘 챙겨 먹는단다.
그들은 해롭지 않은 쾌락을
누리는 것은
정당하다고 생각하거든.

그럼 유토피아 사람들은 매일 시계추처럼 일터와 집만 왔다 갔다 할까?
No!
아니야. 어디론가 떠나고 싶을 때엔 여행을 하기도 해.
다른 도시에 사는 친구를 방문하거나 다른 도시를 관광하는 거지.
급한 일이 없다면 자신이 속한 시포그란투스와 트라니보루스에게 신청하여 허가를 얻으면 돼.
여행 신청서
대개 여행은 단체로 이루어지는데, 시장이 서명한 단체 여행증명서를 갖고 떠나지.
증명서에는 돌아올 날짜가 적혀 있어.
여행단
여행 증명서
어디를 가거나 필요한 것은 모두 얻을 수 있기 때문에 짐을 갖고 갈 필요는 없어.
게다가 어떤 곳에 만 하루 이상 머무르게 되면
자기가 하던 일을 할 수가 있어.
이 지역 나무는 단단하군.
만일 여행증명서 없이 나갔다가 자기 구역 밖에서 발견되면,
여행 증명서!
그는 탈주자로 간주되어 망신을 당하고
탈주자
자기 도시로 송환되며 심한 처벌을 받아.
탈주자
한 번 더 위반하면 노예가 되지.
노예

그러나 단순히 도시 근처의 농촌을 돌아다녀 보고 싶은 경우에는
바람 좀 쐬고 올게요.
아버지가 허락하고 아내가 반대하지 않으면 마음대로 나갈 수 있어.
오케이.
물론 농촌 어디에 가든 한나절 일을 하지 않으면 먹을 것을 얻지 못해.
일하지 않은 자, 먹지도 말라.
꼬록
그러나 일만 한다면 자기가 속한 도시의 구역 내에서는 어느 곳이든지 마음대로 갈 수 있으며 도시의 구성원으로서 유용한 역할을 하는 거지.
젊은이 먹고 하자구.
이것만 나르고 갈게요.
즉 유토피아에서는 여행의 자유는 인정되고 있지만 어디를 가나 일을 해야 되는 거야.
여행의 자유
노동
이상에서 살펴본 것처럼 유토피아인들은 어디에 있든지 항상 일을 해야 해.
Utopia
그림자 같은 존재.
일
게으름을 피울 구실도, 여유도, 공간도 전혀 없지.
들어갈 틈이 없어.
모든 사람이 지켜보고 있는 투명한 사회이기 때문에
자신의 일을 열심히 하지 않을 수가 없고
여가 시간을 건전하게 활용하게 되는 거야!
잠시 쉬었다 황금 보기를 돌같이 하는 유토피아를 만나러 갑시다.
황금을 보기를 돌같이 하자!!

영국의 노동운동사

역사적으로 자본주의는 봉건제도에서 발생했고, 노동자는 자본주의의 시작과 더불어 생긴 계층입니다. 농업 중심의 사회에서는 노동자라는 계층은 없었거든요. 유럽에서 본격적으로 자본주의 시대의 막이 오른 것은 16세기 무렵이었습니다. 이 시기에 영국을 비롯한 유럽 각 나라에서는 공장이 건설되고, 임금을 받는 노동자들이 많이 생겨났습니다.

영국의 산업혁명 시절 노동력을 착취당하던 어린 노동자.

산업화가 발달하고 임금 노동 제도가 정착될 무렵, 자본주의 체제는 크게 두 가지 계급으로 구분되었습니다. 공장과 같은 생산 수단을 소유한 자본가들과, 자신의 노동력을 팔아 생활을 유지해야 하는 노동자들이었지요. 그런데 노동자들은 자신들의 의지와는 상관없이 노동자가 되어야 했습니다. 당시 영국에서는 섬유 공업이 발전하여 그 원료가 되는 양털의 가격이 치솟자 대지주들은 자신의 토지를 양의 사육을 위한 땅으로 바꾸었습니다. 그러기 위해서는 땅에서 농사를 짓는 농민들을 쫓아내고 땅을 넓혀야 했는데 이 과정에서 영국의 많은 농민들은 강제로 쫓겨나 도시의 가난한 노동자로 전락하게 된 것이랍니다.

특히 1495년 '피의 입법'으로 알려진 법이 만들

어진 후 이러한 현상은 급속도로 확대되었습니다. 자본가들이 가난한 농민과 도시민들을 불합리한 조건으로 이용할 수 있는 합법적인 길이 열렸거든요. 법에 의해 지방 정부는 농민이나 도시민들에게 노동의 의무를 지우고, 가난한 사람들에게 일자리를 찾도록 하며 그들의 자녀들에게 작업 기술을 가르칠 것을 강요했습니다. 그들을 모두 노동자로 만든 것이지요. 이러한 일은 다른 나라에서도 비슷하게 일어났습니다. 프랑스에서는 16세기 중반 들어 노역장이 설치되었고, 스페인에서도 16세기 전반에 부랑자와 거지들을 임금 노동자로 만드는 제도가 만들어졌답니다.

1938년 미국의 캔사스에서 있었던 여성들의 노동 운동 모습.

특히 영국의 자본가들은 여러 가지 방법으로 노동자들을 못살게 굴었고, 힘이 약한 노동자들은 이에 대처하기 위한 조직으로 조합을 결성하는 운동을 벌였는데, 이것이 오늘날 노동조합의 시초가 되었습니다. 뿐만 아니라 영국의 노동자들은 노동조합을 발판으로 지속적으로 자신들의 권리를 주장하는 활동을 벌였는데, 이것이 오늘날 노동운동의 시작이 되었습니다. 영국의 노동자들은 노동조합과 노동운동을 바탕으로 끊임없이 권익을 보호하는 활동을 벌여 오늘날 노동자들을 보호하는 노동법을 탄생시켰으며, 비로서 노동자들은 법으로부터 보호받게 되었답니다.

러다이트 운동 (Luddite Movement)

1811~1817년 영국의 중부 · 북부의 직물 공업 지대에서 일어났던 영국 노동자들의 기계 파괴 운동. 산업혁명 초기인 19세기 초, 영국에서는 공장에 보급된 방적기 때문에 그 동안 수공업에 종사하던 많은 노동자들이 실업자로 전락하게 되자 생존의 위기에 몰린 사람들이 기계를 때려 부수는 운동을 전개하였다.

정체불명의 지도자 N.러드라는 인물이 지도하여 운동이 전개되었기 때문에 '러다이트 운동'이라 하였다. 이 운동은 비밀결사의 형식을 취하여 가입자로 하여금 조직에 대한 충성을 선서하게 하였을 뿐만 아니라, 야간에는 얼굴에 복면을 하고 무장훈련과 파괴활동을 하였다. 그러나 지도자가 교묘한 통솔력을 발휘하여 비밀을 지키게 하였기 때문에 치안 당국에서도 그 실태를 파악하지 못하였고 일반에게는 신비한 집단으로 받아들여졌다.

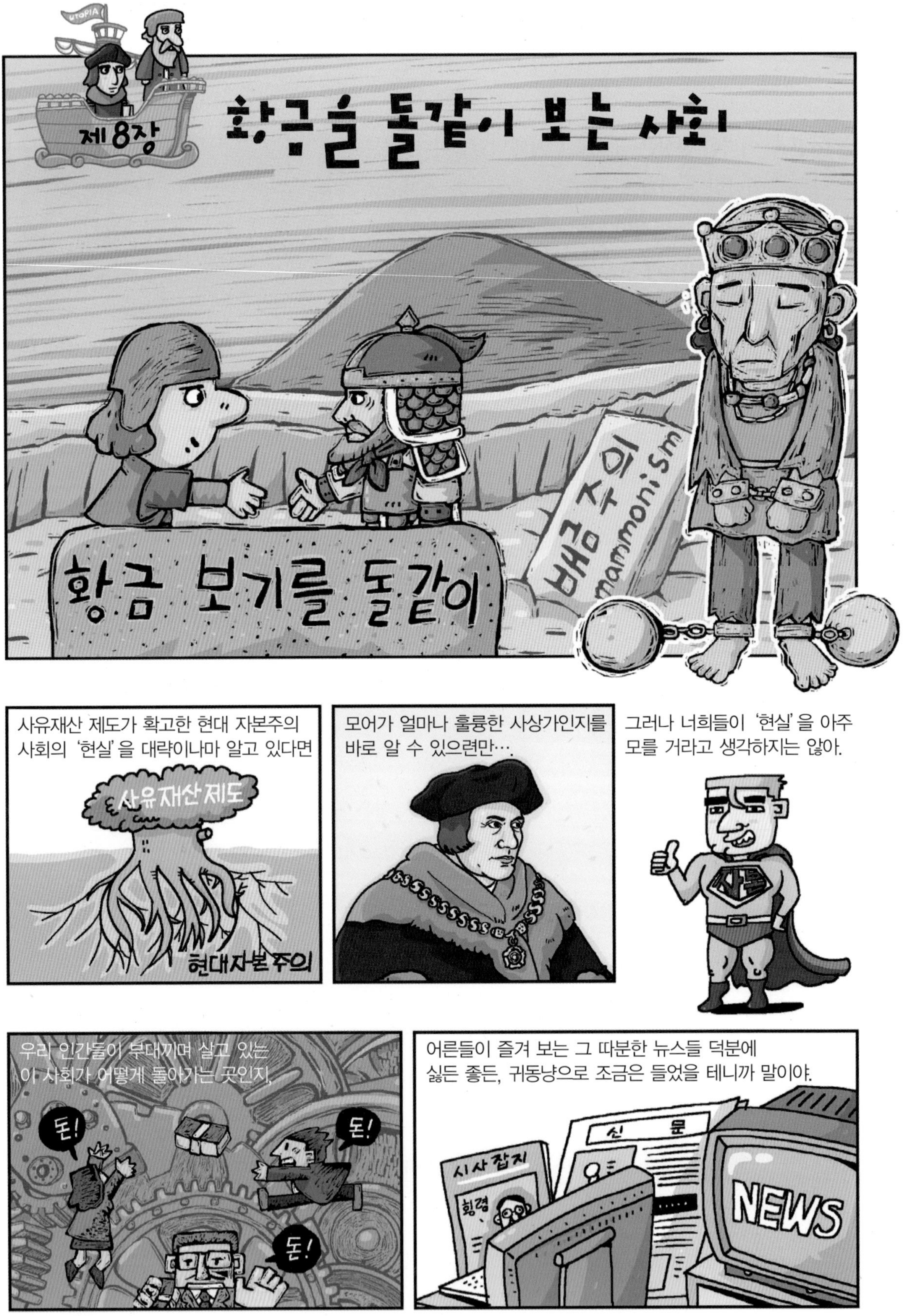
UTOPIA
제8장
황금을 돌같이 보는 사회
배금주의 mammonism
황금 보기를 돌같이
사유재산 제도가 확고한 현대 자본주의 사회의 '현실'을 대략이나마 알고 있다면
사유재산제도
현대자본주의
모어가 얼마나 훌륭한 사상가인지를 바로 알 수 있으련만….
그러나 너희들이 '현실'을 아주 모를 거라고 생각하지는 않아.
우리 인간들이 부대끼며 살고 있는 이 사회가 어떻게 돌아가는 곳인지,
돈!
돈!
돈!
어른들이 즐겨 보는 그 따분한 뉴스들 덕분에 싫든 좋든, 귀동냥으로 조금은 들었을 테니까 말이야.
신 문
시사잡지
NEWS

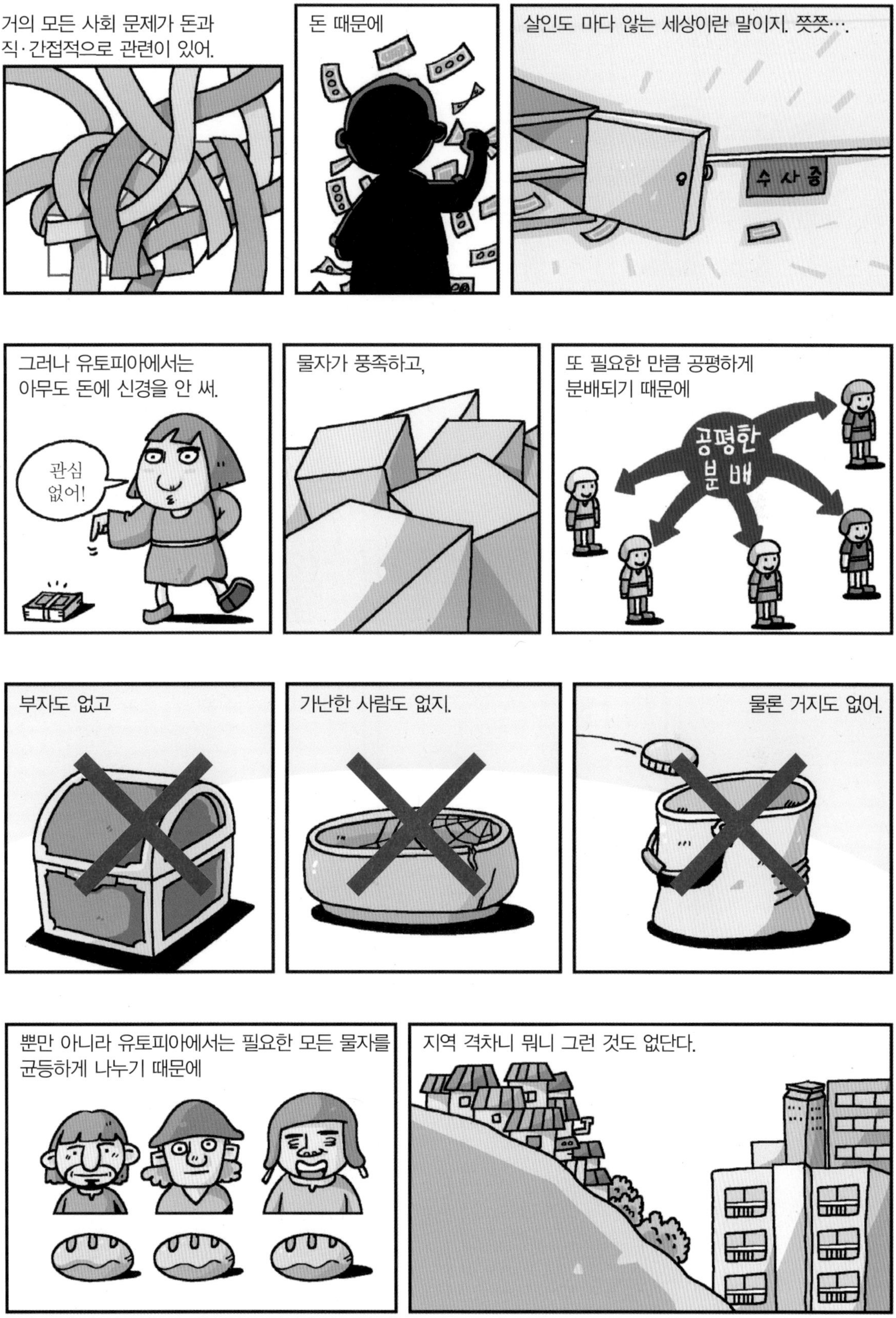
거의 모든 사회 문제가 돈과
직·간접적으로 관련이 있어.
돈 때문에
살인도 마다 않는 세상이란 말이지. 쯧쯧….
수 사 중
그러나 유토피아에서는
아무도 돈에 신경을 안 써.
관심
없어!
물자가 풍족하고,
또 필요한 만큼 공평하게
분배되기 때문에
공평한
분 배
부자도 없고
가난한 사람도 없지.
물론 거지도 없어.
뿐만 아니라 유토피아에서는 필요한 모든 물자를
균등하게 나누기 때문에
지역 격차니 뭐니 그런 것도 없단다.

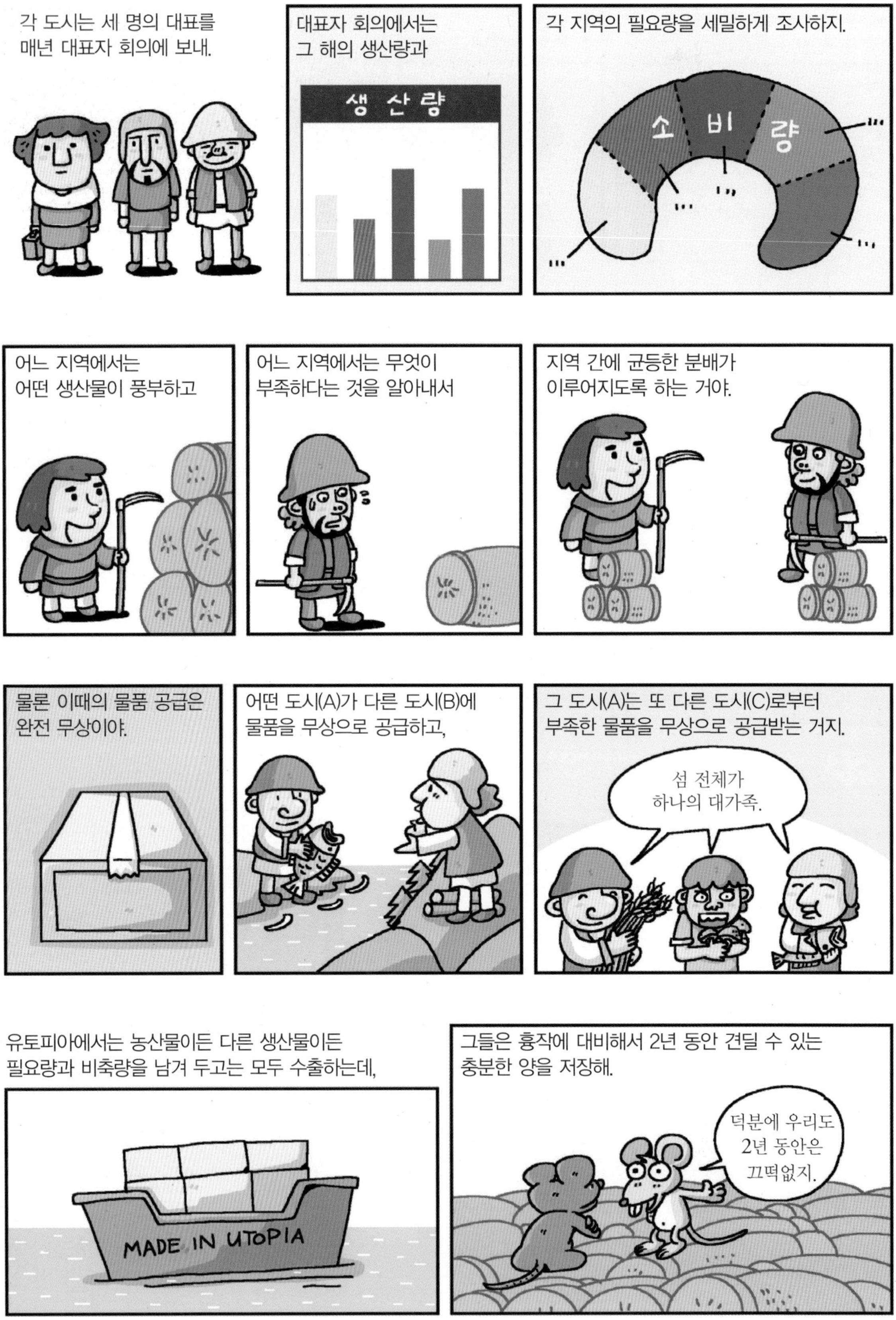
각 도시는 세 명의 대표를
매년 대표자 회의에 보내.
대표자 회의에서는
그 해의 생산량과
생 산 량
각 지역의 필요량을 세밀하게 조사하지.
소 비 량
어느 지역에서는
어떤 생산물이 풍부하고
어느 지역에서는 무엇이
부족하다는 것을 알아내서
지역 간에 균등한 분배가
이루어지도록 하는 거야.
물론 이때의 물품 공급은
완전 무상이야.
어떤 도시(A)가 다른 도시(B)에
물품을 무상으로 공급하고,
그 도시(A)는 또 다른 도시(C)로부터
부족한 물품을 무상으로 공급받는 거지.
섬 전체가
하나의 대가족.
유토피아에서는 농산물이든 다른 생산물이든
필요량과 비축량을 남겨 두고는 모두 수출하는데,
MADE IN UTOPIA
그들은 흉작에 대비해서 2년 동안 견딜 수 있는
충분한 양을 저장해.
덕분에 우리도
2년 동안은
끄떡없지.

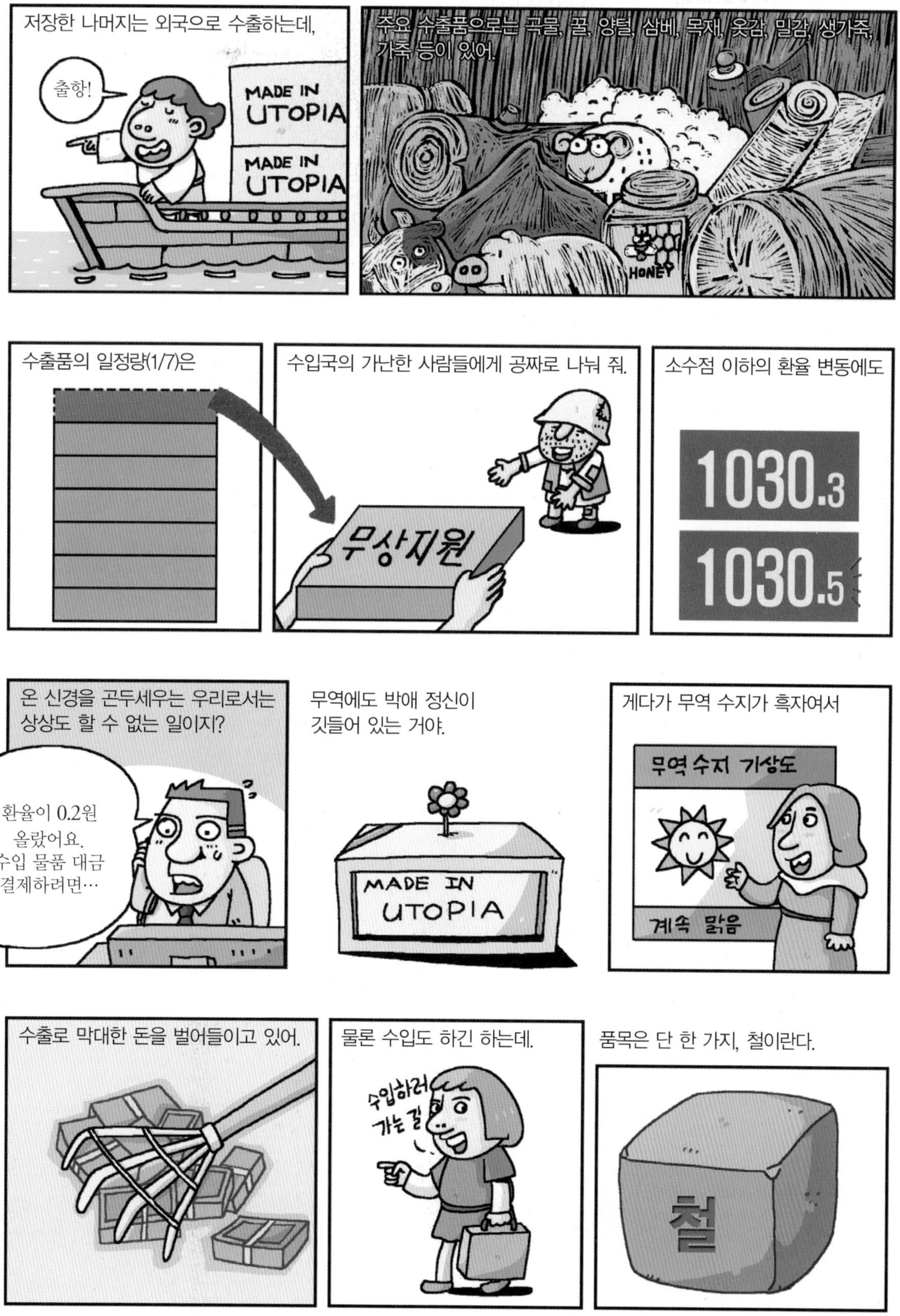

저장한 나머지는 외국으로 수출하는데,
출항!
MADE IN UTOPIA
MADE IN UTOPIA
주요 수출품으로는 곡물, 꿀, 양털, 삼베, 목재, 옷감, 밀감, 생가죽, 가축 등이 있어.
HONEY
수출품의 일정량(1/7)은
수입국의 가난한 사람들에게 공짜로 나눠 줘.
무상지원
소수점 이하의 환율 변동에도
1030.3
1030.5
온 신경을 곤두세우는 우리로서는 상상도 할 수 없는 일이지?
환율이 0.2원 올랐어요. 수입 물품 대금 결제하려면…
무역에도 박애 정신이 깃들어 있는 거야.
MADE IN UTOPIA
게다가 무역 수지가 흑자여서
무역 수지 기상도
계속 맑음
수출로 막대한 돈을 벌어들이고 있어.
물론 수입도 하긴 하는데,
수입하러 가는 길
품목은 단 한 가지, 철이란다.
철

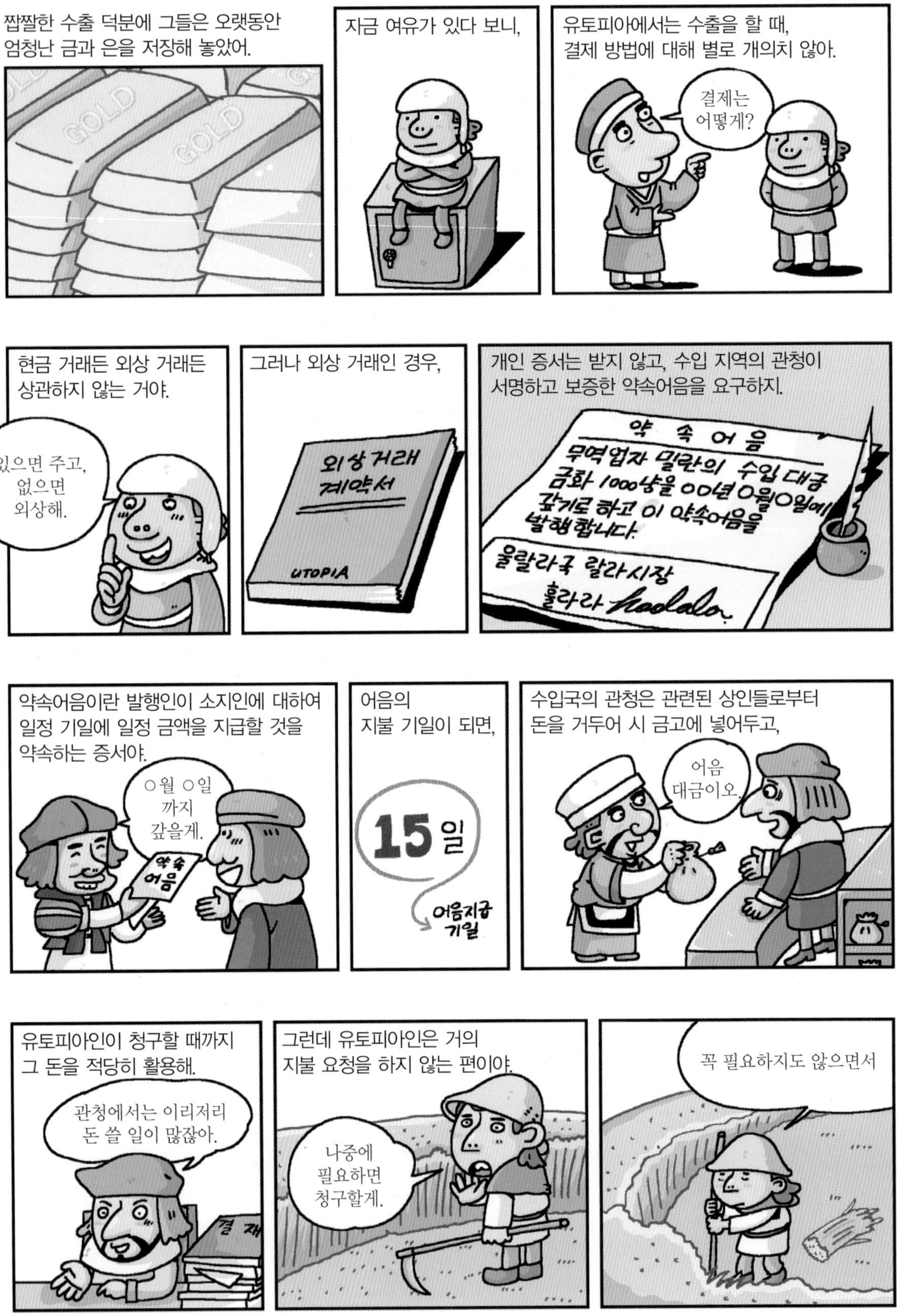
짭짤한 수출 덕분에 그들은 오랫동안 엄청난 금과 은을 저장해 놓았어.
GOLD
자금 여유가 있다 보니,
유토피아에서는 수출을 할 때, 결제 방법에 대해 별로 개의치 않아.
결제는 어떻게?
현금 거래든 외상 거래든 상관하지 않는 거야.
있으면 주고, 없으면 외상해.
그러나 외상 거래인 경우,
외상거래 계약서
UTOPIA
개인 증서는 받지 않고, 수입 지역의 관청이 서명하고 보증한 약속어음을 요구하지.
약 속 어 음
무역업자 밀란의 수입 대금 금화 1000냥을 00년 0월0일에 갚기로 하고 이 약속어음을 발행합니다.
울랄라국 랄라시장
훌라라 hoolala
약속어음이란 발행인이 소지인에 대하여 일정 기일에 일정 금액을 지급할 것을 약속하는 증서야.
○월 ○일 까지 갚을게.
약속 어음
어음의 지불 기일이 되면,
15일
어음지급 기일
수입국의 관청은 관련된 상인들로부터 돈을 거두어 시 금고에 넣어두고,
어음 대금이오.
유토피아인이 청구할 때까지 그 돈을 적당히 활용해.
관청에서는 이리저리 돈 쓸 일이 많잖아.
결 재
그런데 유토피아인은 거의 지불 요청을 하지 않는 편이야.
나중에 필요하면 청구할게.
꼭 필요하지도 않으면서

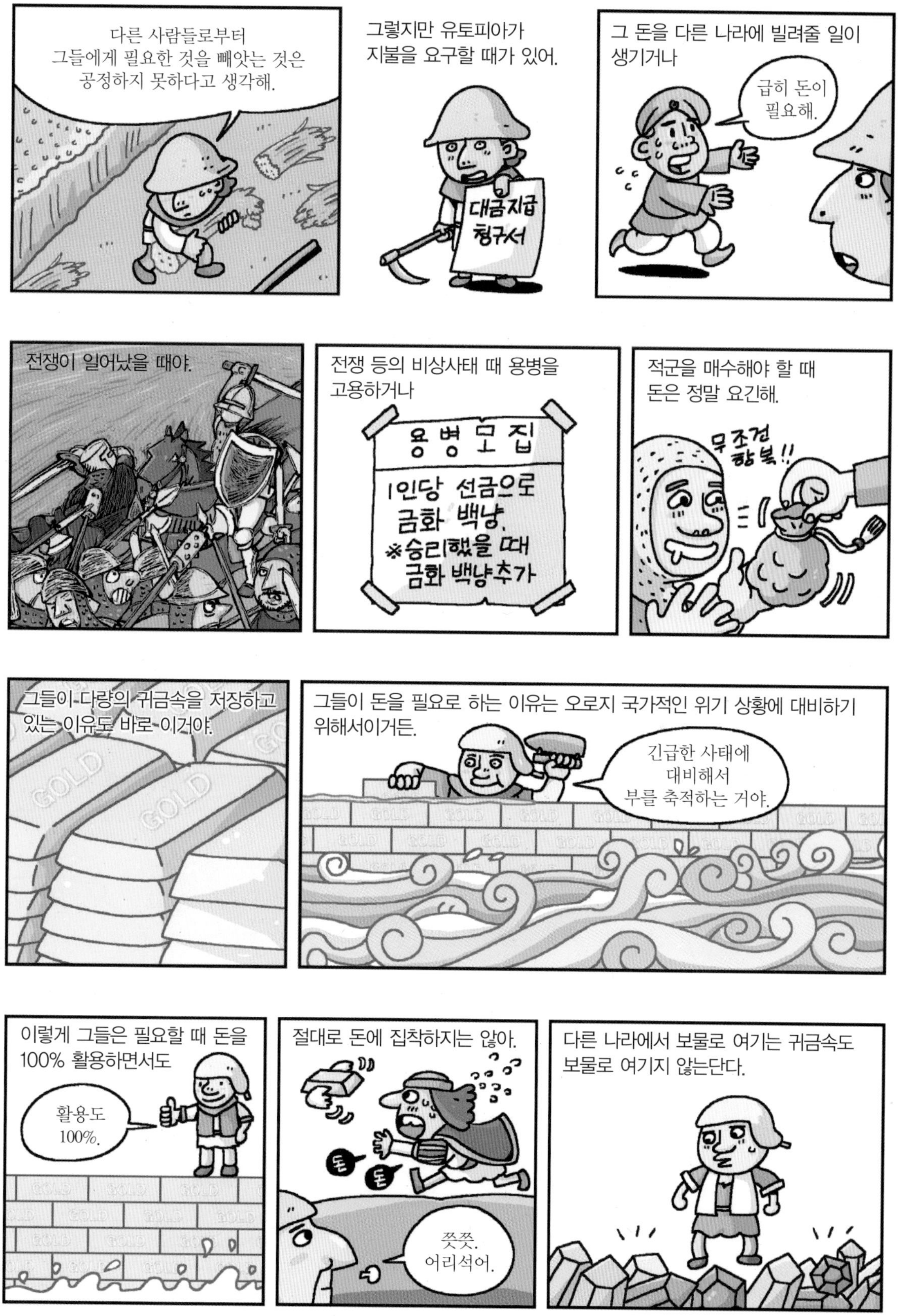
다른 사람들로부터 그들에게 필요한 것을 빼앗는 것은 공정하지 못하다고 생각해.
그렇지만 유토피아가 지불을 요구할 때가 있어.
대금지급 청구서
그 돈을 다른 나라에 빌려줄 일이 생기거나
급히 돈이 필요해.
전쟁이 일어났을 때야.
전쟁 등의 비상사태 때 용병을 고용하거나
용병모집
1인당 선금으로 금화 백냥.
※승리했을 때 금화 백냥 추가
적군을 매수해야 할 때 돈은 정말 요긴해.
무조건 항복!!
그들이 다량의 귀금속을 저장하고 있는 이유도 바로 이거야.
그들이 돈을 필요로 하는 이유는 오로지 국가적인 위기 상황에 대비하기 위해서이거든.
긴급한 사태에 대비해서 부를 축적하는 거야.
이렇게 그들은 필요할 때 돈을 100% 활용하면서도
활용도 100%.
절대로 돈에 집착하지는 않아.
돈
돈
쯧쯧. 어리석어.
다른 나라에서 보물로 여기는 귀금속도 보물로 여기지 않는단다.

귀금속이나, 돈의 원료가 되는 금과 은에 대해서도 유토피아 사람들은 초연하다 못해 아예 무시하는 편이지.
최영이라 하오.
오히려 실생활에 필요한 철을 애지중지해. 금이나 은의 진가는 철의 진가에 못 미친다고 생각하는 거야.
철 없는 세상은 상상할 수 없어.
Fe
쓰레기통
오늘날 우리가 살고 있는 21세기를 지식 정보화시대라고 일컫지만
인터넷
NEWS
사실 우리는 아직 철기시대에 살고 있어.
우린 동시대(?)에 살고 있는 건가?
인류가 철기시대에 돌입한 것은 기원전 1500년 무렵이야.
여기는 철기시대 입니다.
청동기는 갔어…
인류 문명은 철을 사용하면서 비약적으로 발전하기 시작했지.
철기시대
철은 비교적 쉽게 가공할 수 있으면서도 단단해서
여러 가지 도구와 무기는 물론이고 건축이나 조형물에도 널리 사용되고 있어.
어떤 학자들은 세라믹시대의 도래를 예견하기도 하지만
이제는 세라믹시대!
철기시대에 살기 시작한 지 3500여 년이 지난 지금까지도
성명: 철
3500세
우리의 생산 수단은 철로 만들어지고 있다고 봐야 해.
아직도 정정하지.

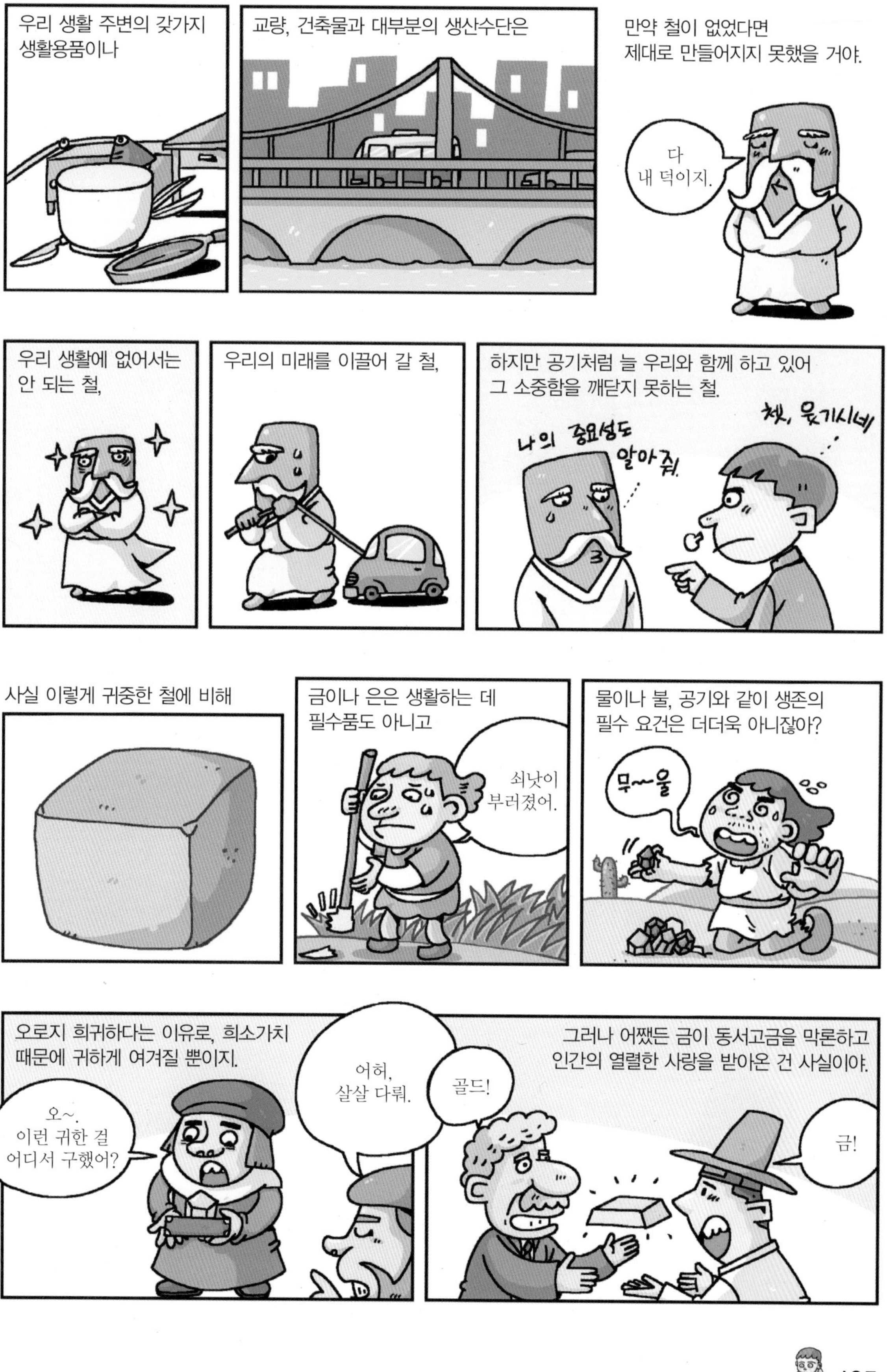
우리 생활 주변의 갖가지 생활용품이나
교량, 건축물과 대부분의 생산수단은
만약 철이 없었다면 제대로 만들어지지 못했을 거야.
다 내 덕이지.
우리 생활에 없어서는 안 되는 철,
우리의 미래를 이끌어 갈 철,
하지만 공기처럼 늘 우리와 함께 하고 있어 그 소중함을 깨닫지 못하는 철.
나의 중요성도 알아줘.
칫, 웃기시네
사실 이렇게 귀중한 철에 비해
금이나 은은 생활하는 데 필수품도 아니고
쇠낫이 부러졌어.
물이나 불, 공기와 같이 생존의 필수 요건은 더더욱 아니잖아?
무~~울
오로지 희귀하다는 이유로, 희소가치 때문에 귀하게 여겨질 뿐이지.
오~. 이런 귀한 걸 어디서 구했어?
어허, 살살 다뤄.
그러나 어쨌든 금이 동서고금을 막론하고 인간의 열렬한 사랑을 받아온 건 사실이야.
골드!
금!

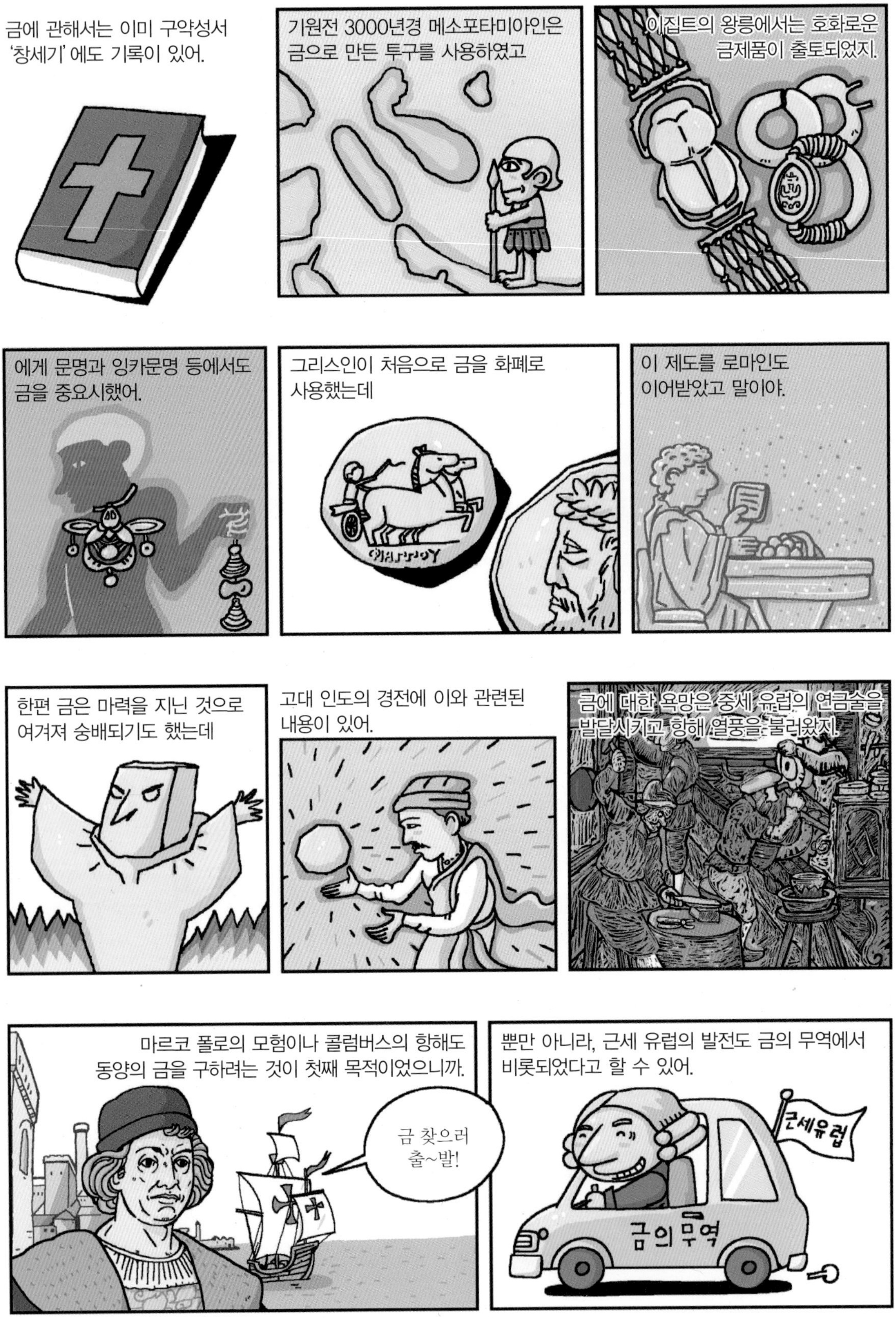
금에 관해서는 이미 구약성서
'창세기' 에도 기록이 있어.
기원전 3000년경 메소포타미아인은
금으로 만든 투구를 사용하였고
이집트의 왕릉에서는 호화로운
금제품이 출토되었지.
에게 문명과 잉카문명 등에서도
금을 중요시했어.
그리스인이 처음으로 금을 화폐로
사용했는데
이 제도를 로마인도
이어받았고 말이야.
한편 금은 마력을 지닌 것으로
여겨져 숭배되기도 했는데
고대 인도의 경전에 이와 관련된
내용이 있어.
금에 대한 욕망은 중세 유럽의 연금술을
발달시키고 항해 열풍을 불러왔지.
마르코 폴로의 모험이나 콜럼버스의 항해도
동양의 금을 구하려는 것이 첫째 목적이었으니까.
금 찾으러
출~발!
뿐만 아니라, 근세 유럽의 발전도 금의 무역에서
비롯되었다고 할 수 있어.
근세유럽
금의 무역

한편, 은도 예로부터
귀금속으로 여겨져
보석함, 목걸이, 반지와 같은 장신구
또는 식기류를 만드는 데
꾸준히 이용되어 왔어.
실제로 유토피아에는 우리의 상식을
뛰어넘는 특이한 풍습이 있어.
금을 신주단지 모시듯이 하는
우리의 태도와는
정반대되는 제도를 만들어 낸 거야.
값비싼 재료로 만들 법한
식기나 컵은
유리나 흙과 같이 값싸고
흔한 재료로 만들되
모양에 신경 써서 아름답게 만들어 내지.
반면에 가정이나 공동 식당에서 쓰는
요강과 같은 하찮은 일상 용품은
금이나 은으로 만드는 거야.
'럭셔리 스타일'의
'명품 요강'이라고 해야 하나?

뿐만 아니라 노예에게 금으로 된 사슬과 족쇄를 채워 주고,
죄수에게는 금으로 만든 귀걸이, 반지, 목걸이에
금관까지 씌워 줬다는군!
한번 상상해 보라고!
온갖 금 장신구를 주렁주렁 달고 열심히 삽질을 하고 있는 유토피아의 죄수들을 말이야⋯.
그들은 금이나 은을 경멸하게 만들 수 있는 모든 방법을 쓰는 거지.
그러다 보니 금이나 은을 내놓아야 할 때가 오더라도 조금도 주저하지 않게 되는 거야.
금 모으기 운동
보석에 대해서도 마찬가지야.
알록달록한 색상에 빛나는 광채를 뽐내는 갖가지 보석들은
예로부터 장신구의 단골 재료였지.
그러나 유토피아인들은 보석을 찾으려고 하지도 않아.
찾아서 뭐하려고⋯

물론 진주나 다이아몬드와 루비 같은 것들이 심심치 않게 눈에 띄곤 해.
그들은 보석을 '우연히' 발견하게 되면 깨끗이 닦아서
어린이들의 장난감으로 쓰는 거야.
까까…
우리가 결혼 예물로나 쓰는 값비싼 다이아몬드가 유토피아에서는 아이들의 장난감으로 쓰인다는 충격적인 사실!
결혼 예물이야.
어머, 예쁘다.
게다가 아이들은 성장하면서 그동안 써온 장난감에 싫증을 내게 되고 내다 버린단다.
애들이나 가지고 노는 것.
이런 방법들은 대단히 효과적이어서
특히 어린 시절부터 주입된 가치관은
어른이 되어서도 쉽게 변하지 않거든.
내일은 이 돌들을 치워야겠어.
사람의 사고방식이나 태도가
장난감.
습관과 관습에 의해
애들이나 가지고 노는 것.
크게 달라질 수 있다는 점을 나타내주는 이야기야.
밭에서 보석 골라 버리기도 귀찮아.

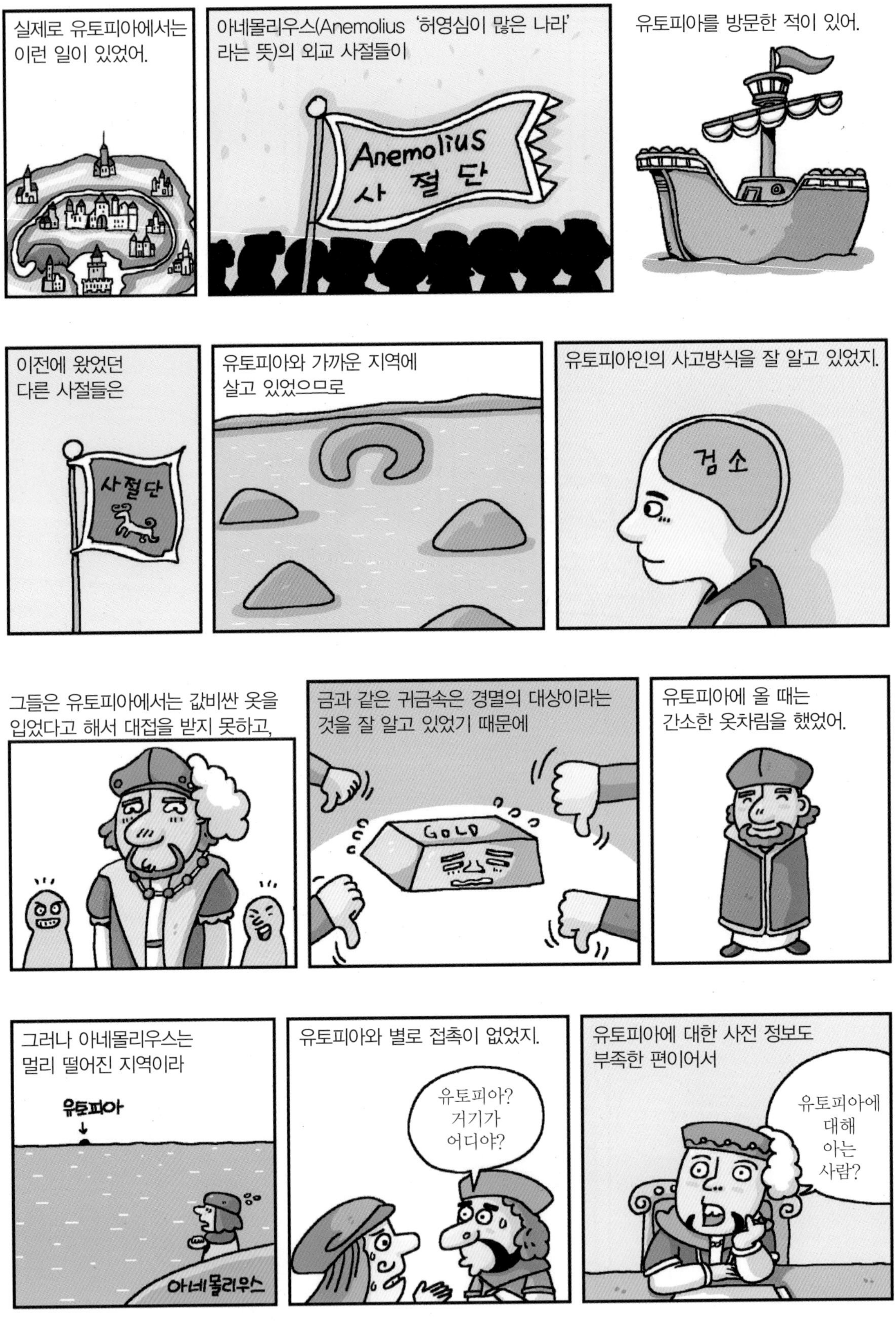
실제로 유토피아에서는 이런 일이 있었어.
아네몰리우스(Anemolius '허영심이 많은 나라' 라는 뜻)의 외교 사절들이
Anemolius 사절단
유토피아를 방문한 적이 있어.
이전에 왔었던 다른 사절들은
사절단
유토피아와 가까운 지역에 살고 있었으므로
유토피아인의 사고방식을 잘 알고 있었지.
검소
그들은 유토피아에서는 값비싼 옷을 입었다고 해서 대접을 받지 못하고,
금과 같은 귀금속은 경멸의 대상이라는 것을 잘 알고 있었기 때문에
GOLD
유토피아에 올 때는 간소한 옷차림을 했었어.
그러나 아네몰리우스는 멀리 떨어진 지역이라
유토피아
아네몰리우스
유토피아와 별로 접촉이 없었지.
유토피아? 거기가 어디야?
유토피아에 대한 사전 정보도 부족한 편이어서
유토피아에 대해 아는 사람?

그들이 아는 것은 유토피아에서는 누구나 남루한 옷을 똑같이 입고 있다는 정도였어.
워낙 정보가 없어서…
유토피아
드디어 아네몰리우스의 사절단 세 명과 백여 명의 수행원이 도착했는데,
Anemolius
그들은 모두 색깔이 요란한 비단옷을 입고 있었어.
그들은 유토피아 사람들의 정신세계에 대해서는 모른 채
호화로운 옷으로 자신들의 '부'를 과시하고 싶었던 거야.
게다가 사절단은 금박을 입힌 옷을 입고 금목걸이를 두르고,
금귀걸이를 달고 금반지를 끼고 있었지.
진주와 보석으로 장식된 금사슬이 달린 모자를 쓰고 말이야.
다시 말하면 유토피아에서 노예를 처벌하거나 죄인을 욕보이기 위해,
또는 어린이들의 장난감으로 쓰이는 것들로
몸단장을 하고 있었던 거야.
하이~

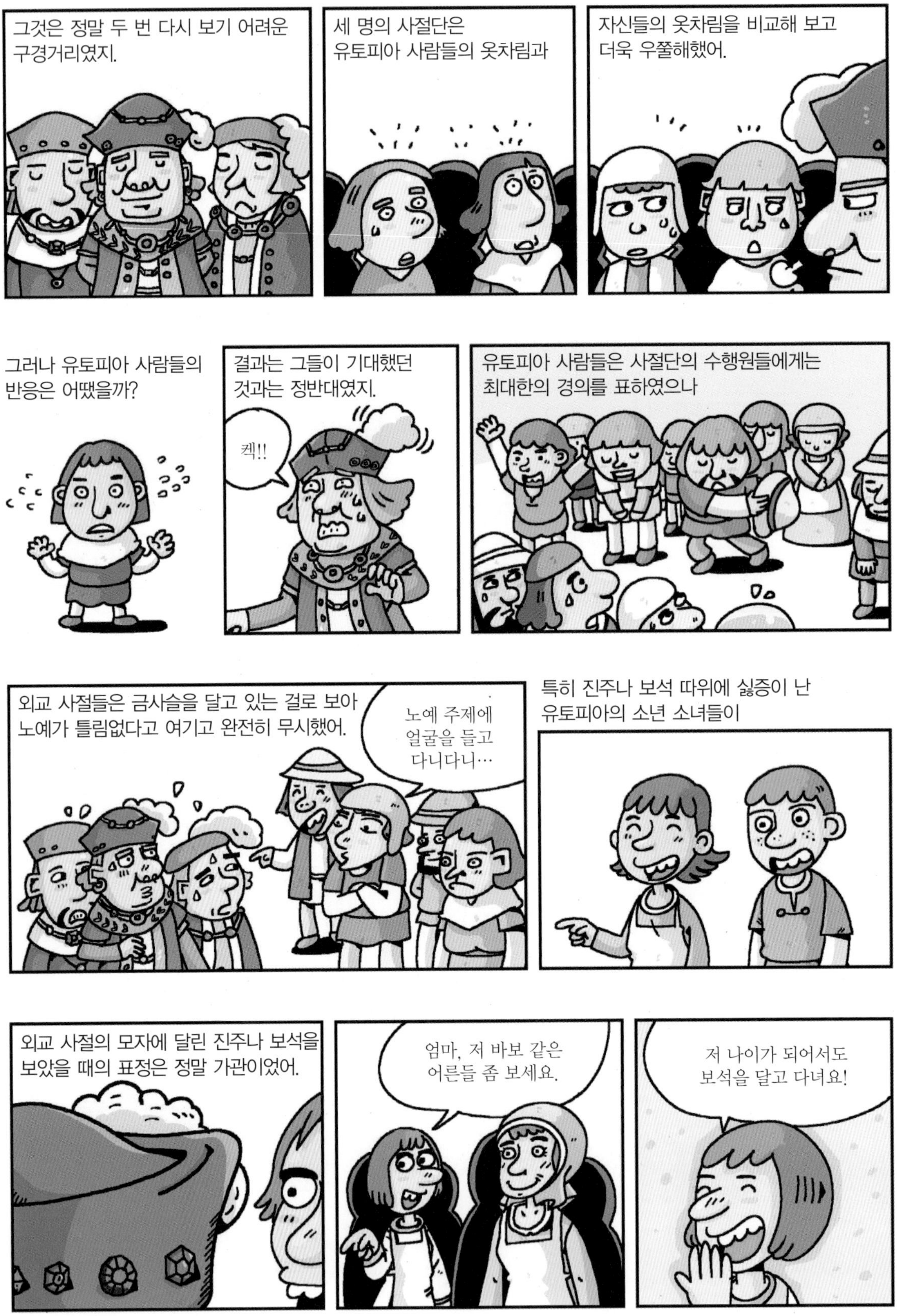
그것은 정말 두 번 다시 보기 어려운 구경거리였지.
세 명의 사절단은 유토피아 사람들의 옷차림과
자신들의 옷차림을 비교해 보고 더욱 우쭐해했어.
그러나 유토피아 사람들의 반응은 어땠을까?
결과는 그들이 기대했던 것과는 정반대였지.
켁!!
유토피아 사람들은 사절단의 수행원들에게는 최대한의 경의를 표하였으나
외교 사절들은 금사슬을 달고 있는 걸로 보아 노예가 틀림없다고 여기고 완전히 무시했어.
노예 주제에 얼굴을 들고 다니다니…
특히 진주나 보석 따위에 싫증이 난 유토피아의 소년 소녀들이
외교 사절의 모자에 달린 진주나 보석을 보았을 때의 표정은 정말 가관이었어.
엄마, 저 바보 같은 어른들 좀 보세요.
저 나이가 되어서도 보석을 달고 다녀요!

쉿!
조용히 하거라!
저 사람은 대사님이 데리고 다니는 광대일 거야.
게다가 어떤 유토피아인들은 금사슬이 너무 약해 보이는 게 걱정이 되었던 모양이야.
저 사슬은 너무 약해서 노예가 쉽게 끊어 버리겠어.
너무 헐렁해 보이기도 하고.
도망갈 생각만 있다면 언제든지 노예가 벗어 버리고 달아나겠는데 그래!
코미디 같은 장면이지?
도대체 왜 이러는데?
아네몰리우스 사람들은 처음에는 어리둥절했지만
하루 이틀 머무는 동안에 사정을 깨닫기 시작했어.
유토피아에서는 금이 아주 흔한데다가
금 버리는 곳
경멸을 받기까지 한다는 사실을 알게 되었지.
밭에서 금 골라내는 것도 귀찮은 일이야.

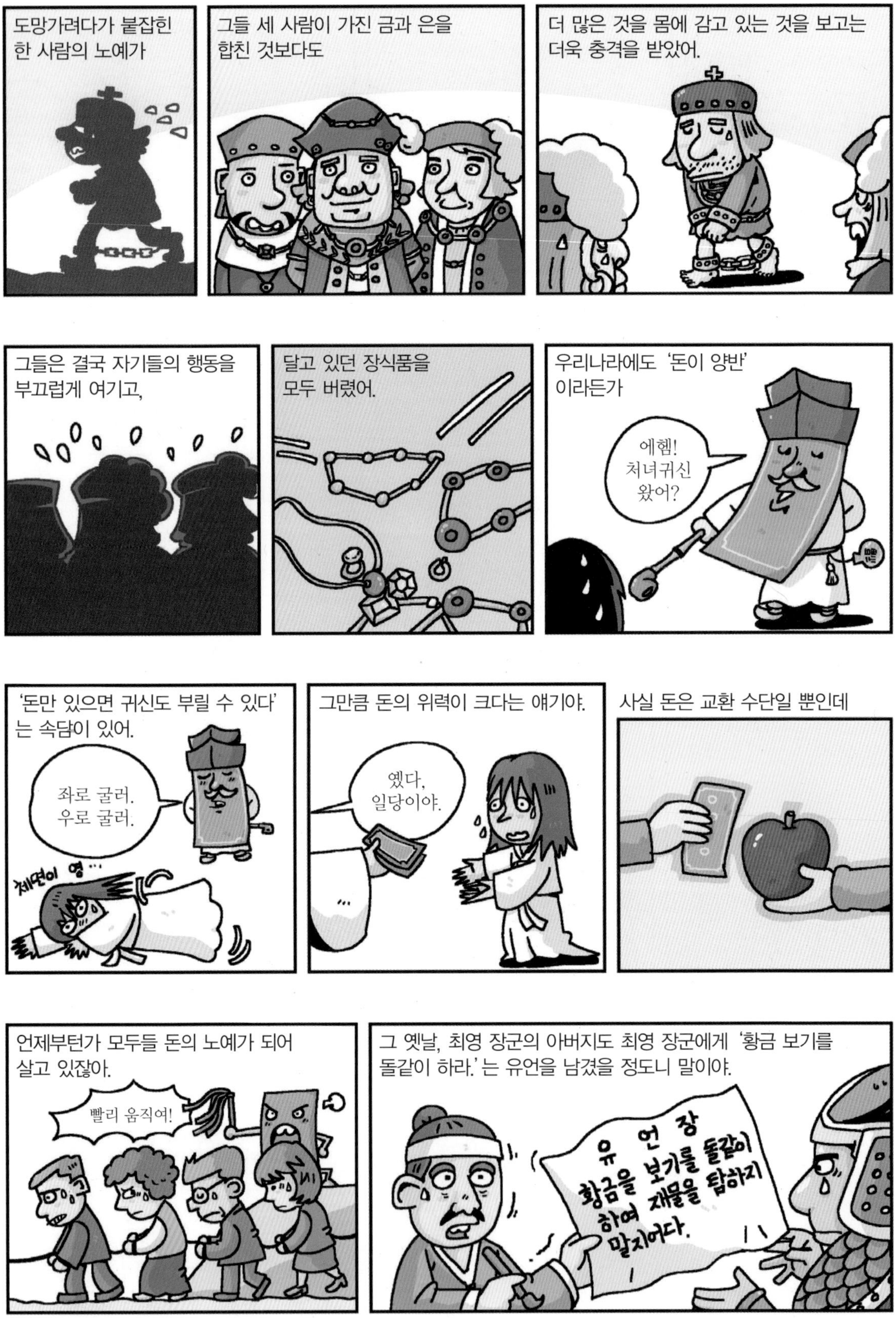
도망가려다가 붙잡힌 한 사람의 노예가
그들 세 사람이 가진 금과 은을 합친 것보다도
더 많은 것을 몸에 감고 있는 것을 보고는 더욱 충격을 받았어.
그들은 결국 자기들의 행동을 부끄럽게 여기고,
달고 있던 장식품을 모두 버렸어.
우리나라에도 '돈이 양반' 이라든가
에헴! 처녀귀신 왔어?
'돈만 있으면 귀신도 부릴 수 있다'는 속담이 있어.
좌로 굴러. 우로 굴러.
체면이 영…
그만큼 돈의 위력이 크다는 얘기야.
옜다, 일당이야.
사실 돈은 교환 수단일 뿐인데
언제부턴가 모두들 돈의 노예가 되어 살고 있잖아.
빨리 움직여!
그 옛날, 최영 장군의 아버지도 최영 장군에게 '황금 보기를 돌같이 하라.'는 유언을 남겼을 정도니 말이야.
유언장
황금을 보기를 돌같이 하여 재물을 탐하지 말지어다.

돈을 가장 소중한 것으로 여기고
꿇어!
돈에 집착하는 태도를
배금주의*라고 해.
경배할 지어다.
mammonism
神

*배금주의(mammonism)

학자들은 현대 배금주의 풍조가 산업화에서 비롯되었다고 보고 있어.
이는 곧 지나친 개인주의와 이기주의로 이어져
갖가지 사회문제를 낳게 되지.

배금주의의 폐해는
수없이 많지만,
몇 가지만 들면

상업주의의 성행, 자연 및 사회 공동체 파괴, 인간의 존엄성 파괴, 도덕성 상실, 이기주의의 팽배, 과소비 풍조 등이야.
우하하! 돈 있으니 안 되는 게 없네.
돈도 없으면서 까불어.
호홍, 쇼핑은 즐거워.
환경

지나치게 돈을 숭배해 이기주의가 팽배하면,
우걱우걱
돈이 있는 사람은 강자로 여기고
우리는 선택받은 몸이시다.
돈이 없는 사람은 약자로 여기는 풍조가 생겨나지.
어둠의 자식?

따라서 돈이 없는 사람은
돈이 최고야!
수단과 방법을 가리지 않고 돈을 모으는 데 집착하고,
내 영혼을 팔 테니 돈을 벌게 해줘.
값이 별로 안나가는데!
영혼 포기 각서
돈이 있는 사람들은
더 많은 돈을 버는 데 몰두하게 되고 말이야.
어디서 돈 냄새가 나는데?
쿵쿵
이렇게 되면 사회 정의나 윤리 도덕은
사회 정의·윤리 도덕
유명무실해지고
정경유착이 생겨나.
우리는 한몸.
정
경
공무원들은 자신의 이익을 위해 국가를 팔고,
내 것도 아닌데 뭐 가져가.
떡 줄게. 땅 좀 줘.
기업인은 공무원들에게 줄 비자금을 마련하느라 바빠지는 거야.
사과는 필요 없고 상자만 있으면 돼.
국가를 위해 일해야 할 공무원들과
청백리
국가경제를 살찌워야 할 경제인들이
돈으로 서로 얽히고 설켜 자신들의 배만 불리는 사이에 서민들의 가계는 어려워지는 거지.

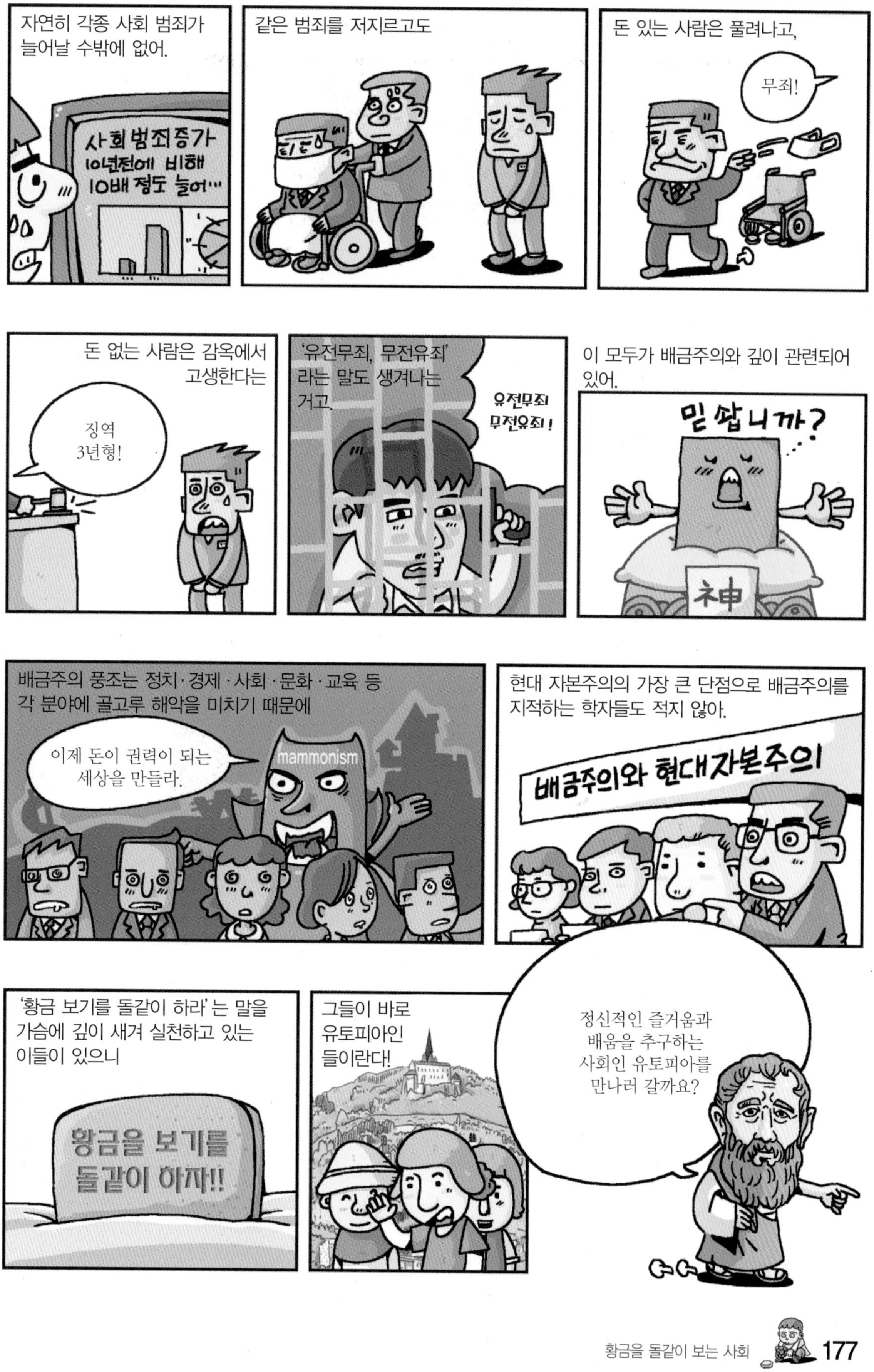

자연히 각종 사회 범죄가 늘어날 수밖에 없어.
사회범죄증가 10년전에 비해 10배 정도 늘어…
같은 범죄를 저지르고도
돈 있는 사람은 풀려나고,
무죄!
돈 없는 사람은 감옥에서 고생한다는
징역 3년형!
'유전무죄, 무전유죄' 라는 말도 생겨나는 거고.
유전무죄 무전유죄!
이 모두가 배금주의와 깊이 관련되어 있어.
믿씁니까?
神
배금주의 풍조는 정치 · 경제 · 사회 · 문화 · 교육 등 각 분야에 골고루 해악을 미치기 때문에
이제 돈이 권력이 되는 세상을 만들라.
mammonism
현대 자본주의의 가장 큰 단점으로 배금주의를 지적하는 학자들도 적지 않아.
배금주의와 현대자본주의
'황금 보기를 돌같이 하라' 는 말을 가슴에 깊이 새겨 실천하고 있는 이들이 있으니
황금을 보기를 돌같이 하자!!
그들이 바로 유토피아인 들이란다!
정신적인 즐거움과 배움을 추구하는 사회인 유토피아를 만나러 갈까요?

화폐 발달의 역사

화폐란 물품을 원활하게 교환하고, 유통하는 데 사용되는 수단을 말합니다. 오늘날 화폐는 물건들의 가치를 비교하는 기본적인 척도가 되었습니다. 화폐는 귀중한 생활 수단으로 인류 역사와 함께 존재해 왔죠. 물론 초기의 화폐는 지금과는 다른 모습이었답니다. 그 후 여러 단계로 모습을 바꾸어 오늘날의 지폐와 동전으로 발전했습니다.

원시 사회에서 물물 교환이 활발해지자 물품의 교환을 쉽게 하기 위해 자연물을 화폐로 사용했습니다. 중국이나 우리나라 또는 일본에서는 곡물이나 직물을 사용했고, 그리스나 로마 등에서는 가축을 화폐로 사용했고, 에티오피아 등에서는 소금을 사용했지요. 이러한 화폐를 물품 화폐 또는 자연 화폐라고 합니다.

옛날 중국에서 사용했던 금속 화폐.

그러나 많은 양을 교환해야 하거나 먼 곳까지 이동할 때 물품 화폐는 불편했습니다. 그래서 이동이 쉽고, 보관이 쉽고, 가치가 높은 금, 은, 동 등의 금속으로 만든 화폐를 사용했습니다. 물건과 물건을 맞바꾸는 대신 화폐를

로마의 동전

주고 물건을 받는 교환 활동이 이루어지게 된 것이죠. 이러한 것을 금속 화폐라 하는데, 기원전 2000년 무렵부터 이미 이집트나 바빌로니아 등에서는 금과 은이, 페르시아와 스파르타에서는 철이, 아라비아에서는 구리 등이 사용되었습니다.

유럽에서 가장 오래된 동전 화폐는 기원전 7세기 무렵, 리디아 왕국에서 만든 것이라고 합니다. 일정한 모양과 무게를 정하여 만들어진 최초의 화폐인 셈이지요. 로마에서는 기원전 3세기에 청동으로 만든 화폐와 은으로 만든 화폐를 만들어 사용했고, 기원전 1세기부터는 금으로 만든 동전을 사용했습니다.

중세 유럽에서는 12세기 십자군 전쟁의 영향으로 동양에서 생산된 많은 양의 금이 유럽으로 흘러 들어갔습니다. 그래서 13세기부터는 각 나라에서 금화가 생산되었답니다. 1251년 피렌체에서 만들어진 플로린 금화는 특히 유명하여 유럽 각지에 유포되었고, 각국에서 금화를 새로 주조할 때 모델로 사용되기도 했습니다. 영국의 경우에는 1257년 헨리 3세 때 처음 금화를 사용했습니다.

금화가 고액 화폐로 널리 사용된 까닭

금은 매장량이 많지 않아 희귀성이 있고, 화학적으로 매우 안정되어 있어 잘 변하지 않아서 아름다운 빛이 아주 오래 가는 금속이다. 덕분에 옛날부터 모든 사람이 좋아했고 화폐의 역할을 하기에도 가장 좋은 금속이었다. 하지만 실제로는 금화보다 은화가 더 많이 사용되었고 금화는 고액 결제에만 사용되었다.

오늘날 가장 흔히 사용하는 명목 화폐인 지폐와 동전.

근세유럽
금의무역

제9장
정신적인 즐거움과 배움을 추구하는 사회
스토아학파
UTOPIA
HIPPOCRATIS
COI MEDICORVM
너희들은 언제 가장 기분이 좋니?
혹시 행복이란 걸 느껴 본 적은 있니?
행복
언제? 맛있는 음식을 잔뜩 먹었을 때?
마음에 드는 이성 친구가
나한테 호감을 보일 때?
용돈을 두둑하게 받았을 때?

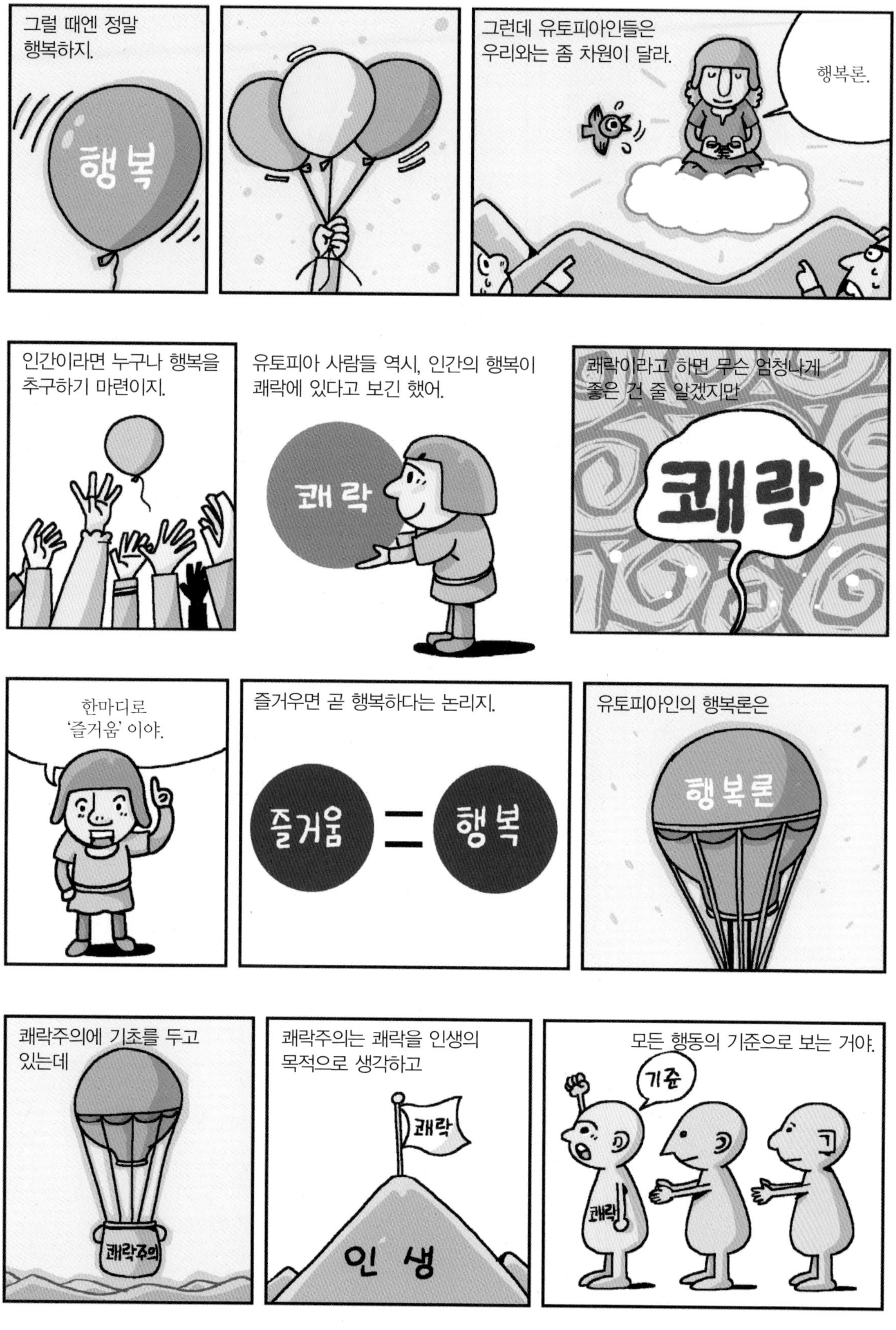
그럴 때엔 정말
행복하지.
행복
그런데 유토피아인들은
우리와는 좀 차원이 달라.
행복론.
인간이라면 누구나 행복을
추구하기 마련이지.
유토피아 사람들 역시, 인간의 행복이
쾌락에 있다고 보긴 했어.
쾌락
쾌락이라고 하면 무슨 엄청나게
좋은 건 줄 알겠지만
쾌락
한마디로
'즐거움' 이야.
즐거우면 곧 행복하다는 논리지.
즐거움 = 행복
유토피아인의 행복론은
행복론
쾌락주의에 기초를 두고
있는데
쾌락주의
쾌락주의는 쾌락을 인생의
목적으로 생각하고
쾌락
인 생
모든 행동의 기준으로 보는 거야.
기준
쾌락

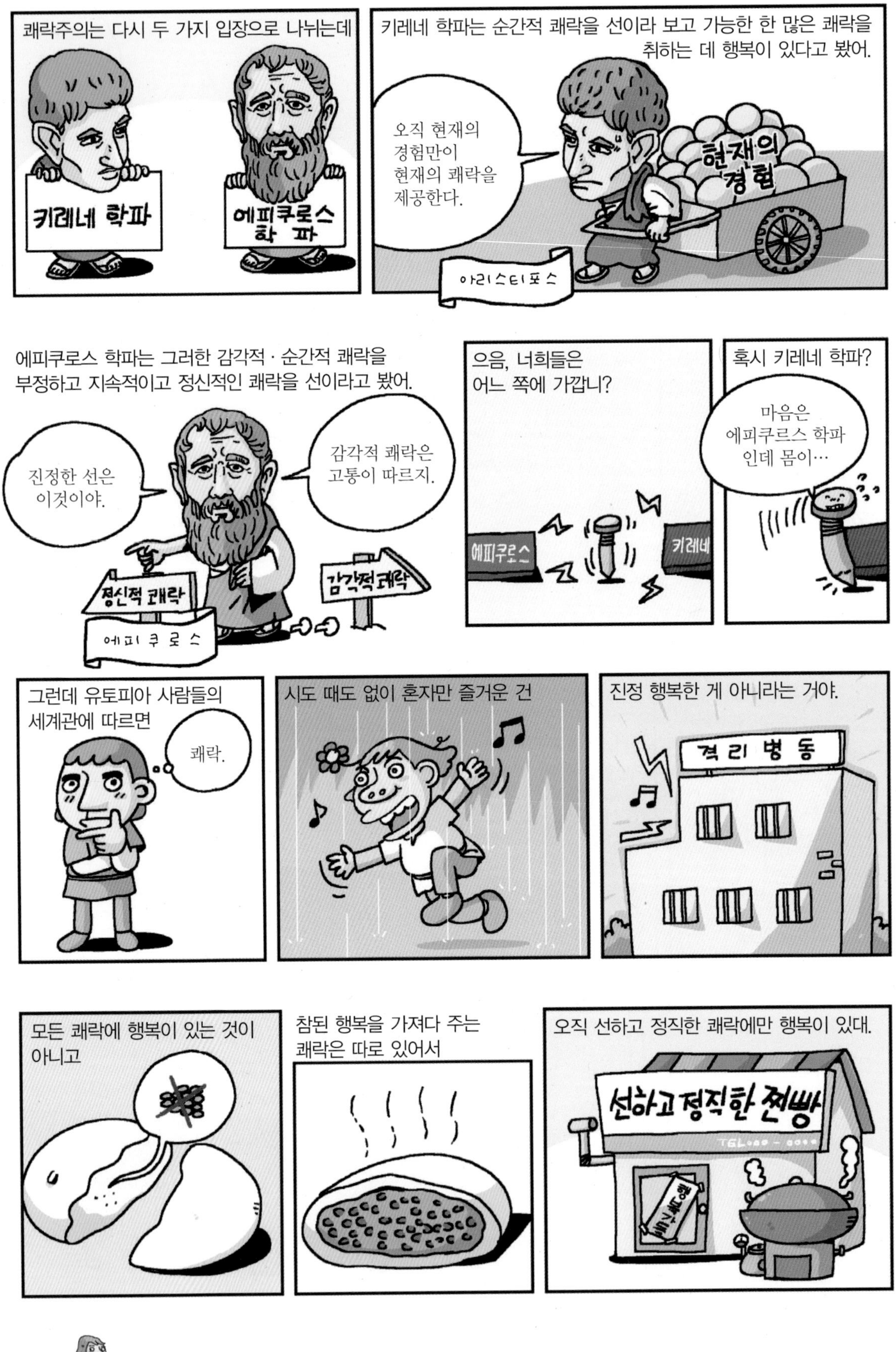

쾌락주의는 다시 두 가지 입장으로 나뉘는데
키레네 학파
에피쿠로스 학파
키레네 학파는 순간적 쾌락을 선이라 보고 가능한 한 많은 쾌락을 취하는 데 행복이 있다고 봤어.
오직 현재의 경험만이 현재의 쾌락을 제공한다.
현재의 경험
아리스티포스
에피쿠로스 학파는 그러한 감각적 · 순간적 쾌락을 부정하고 지속적이고 정신적인 쾌락을 선이라고 봤어.
진정한 선은 이것이야.
감각적 쾌락은 고통이 따르지.
정신적 쾌락
감각적 쾌락
에피쿠로스
으음, 너희들은 어느 쪽에 가깝니?
에피쿠로스
키레네
혹시 키레네 학파?
마음은 에피쿠로스 학파 인데 몸이…
그런데 유토피아 사람들의 세계관에 따르면
쾌락.
시도 때도 없이 혼자만 즐거운 건
진정 행복한 게 아니라는 거야.
격리 병동
모든 쾌락에 행복이 있는 것이 아니고
참된 행복을 가져다 주는 쾌락은 따로 있어서
오직 선하고 정직한 쾌락에만 행복이 있대.
선하고 정직한 찐빵

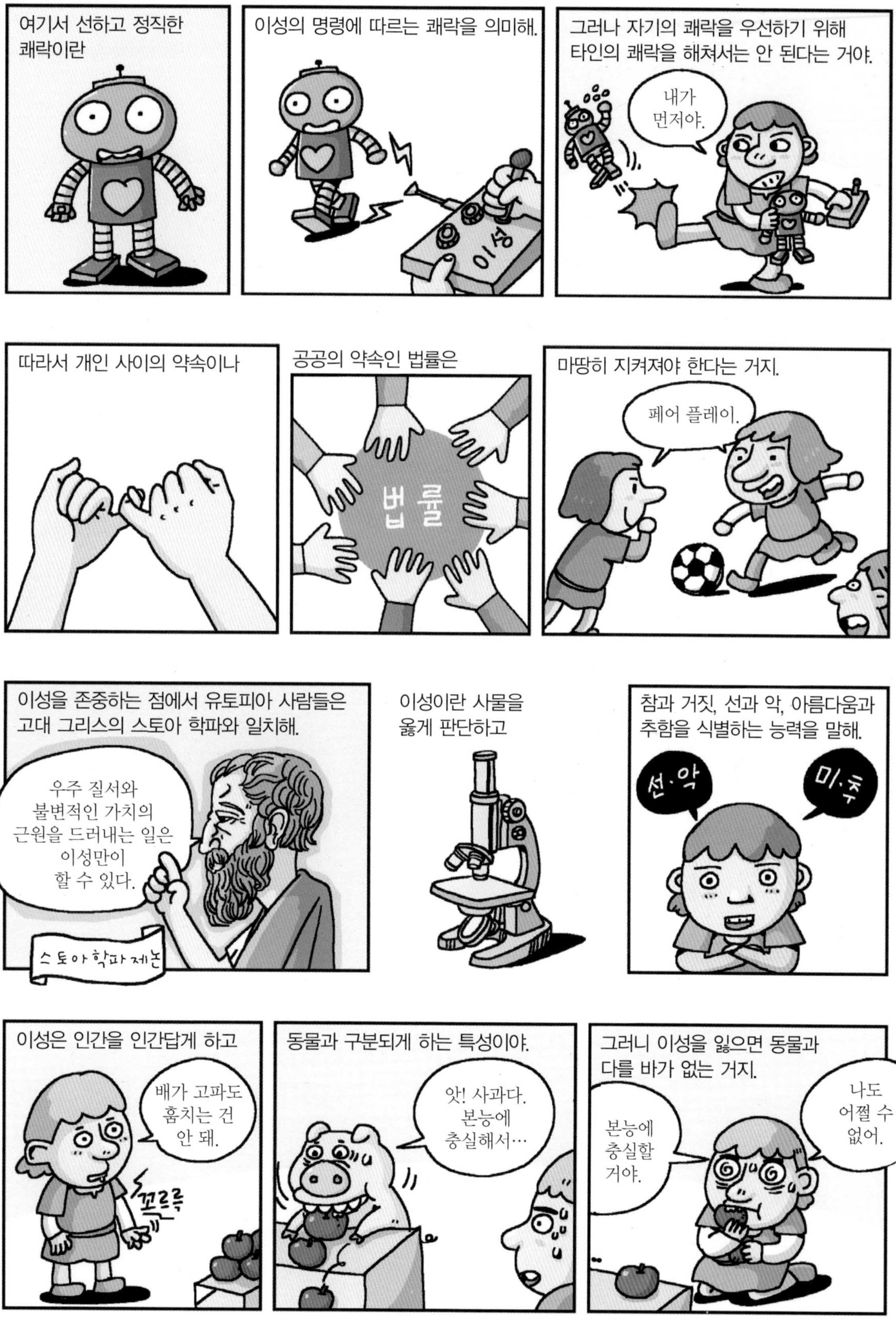
여기서 선하고 정직한 쾌락이란
이성의 명령에 따르는 쾌락을 의미해.
이성
그러나 자기의 쾌락을 우선하기 위해 타인의 쾌락을 해쳐서는 안 된다는 거야.
내가 먼저야.
따라서 개인 사이의 약속이나
공공의 약속인 법률은
법률
마땅히 지켜져야 한다는 거지.
페어 플레이.
이성을 존중하는 점에서 유토피아 사람들은 고대 그리스의 스토아 학파와 일치해.
우주 질서와 불변적인 가치의 근원을 드러내는 일은 이성만이 할 수 있다.
스토아학파 제논
이성이란 사물을 옳게 판단하고
참과 거짓, 선과 악, 아름다움과 추함을 식별하는 능력을 말해.
선·악
미·추
이성은 인간을 인간답게 하고
배가 고파도 훔치는 건 안 돼.
꼬르륵
동물과 구분되게 하는 특성이야.
앗! 사과다. 본능에 충실해서…
그러니 이성을 잃으면 동물과 다를 바가 없는 거지.
본능에 충실할 거야.
나도 어쩔 수 없어.

그런데 이런 유토피아인들의 행복론은
행복론…
그들의 종교적인 신념에서 비롯된단다.
종교적 신념
유토피아 사람들은 모든 영혼은 신에 의해 창조되었고
신은 영혼에 행복을 약속했다고 믿고 있어.
인간의 영혼에 행복을 주노라. -신-
인증서
행복 인증서
또 현세에서 선행이나 악행을 저지르면
선행
악행
내세에서 그에 대한 보상(처벌)을 받게 된다고 생각하지.
이러한 믿음이 있기에,
신이 약속한 영원한 즐거움을 내세에서 누리기 위해
현세에서의 사소한 즐거움을 기꺼이 포기할 수 있는 거야.
No!!
그들은 '자연적으로 즐길 수 있는 육체적 또는 정신적 활동 상태'를 쾌락이라고 정의하고 있어.
쾌락: 자연적으로 즐길 수 있는 육체적 또는 정신적 활동 상태
여기서 가장 중요한 말은 '자연적'이라는 말이야.
자연적

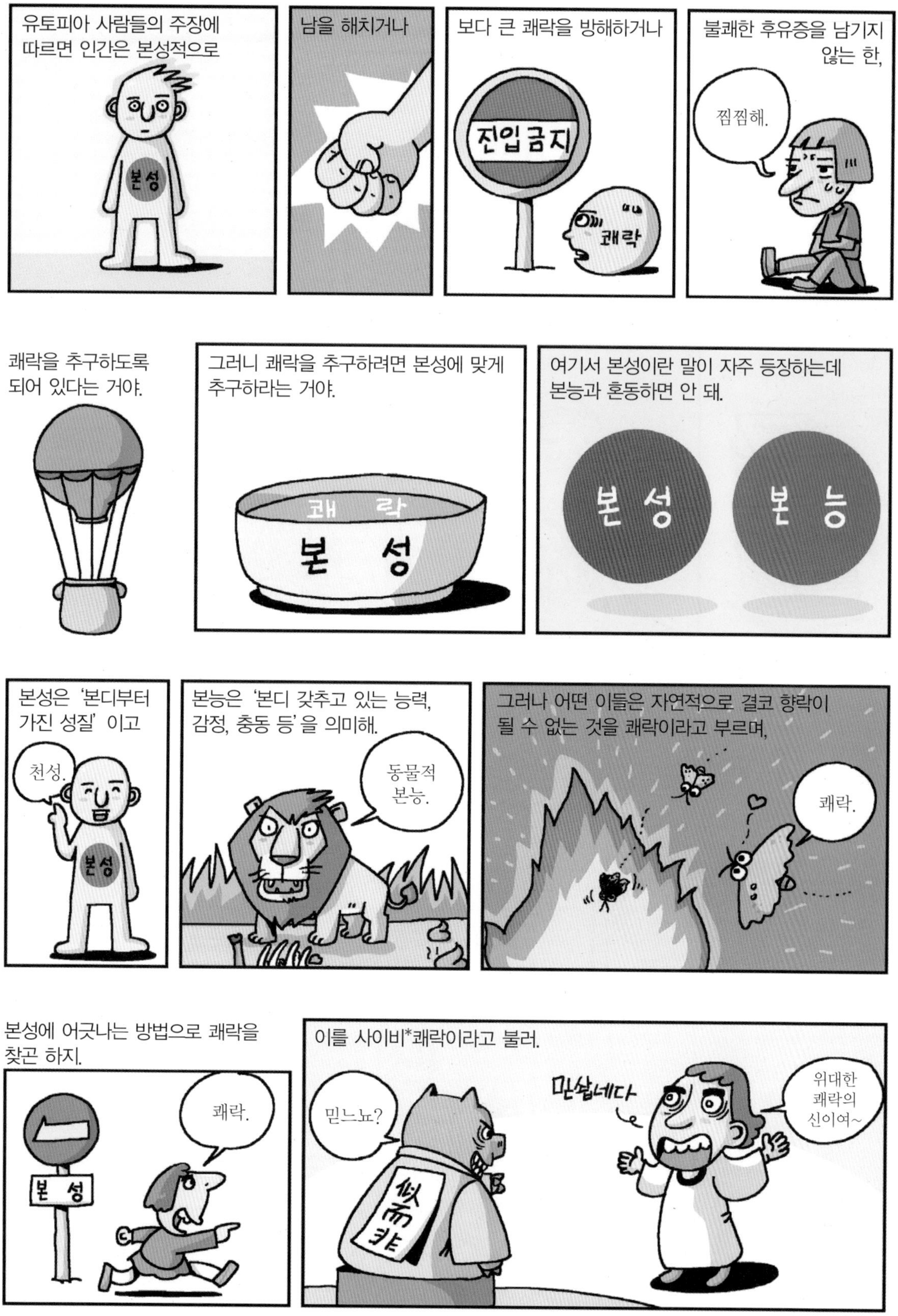
유토피아 사람들의 주장에 따르면 인간은 본성적으로
본성
남을 해치거나
보다 큰 쾌락을 방해하거나
진입금지
쾌락
불쾌한 후유증을 남기지 않는 한,
찜찜해.
쾌락을 추구하도록 되어 있다는 거야.
그러니 쾌락을 추구하려면 본성에 맞게 추구하라는 거야.
쾌 락
본 성
여기서 본성이란 말이 자주 등장하는데 본능과 혼동하면 안 돼.
본 성
본 능
본성은 ‘본디부터 가진 성질’ 이고
천성.
본성
본능은 ‘본디 갖추고 있는 능력, 감정, 충동 등’ 을 의미해.
동물적 본능.
그러나 어떤 이들은 자연적으로 결코 향락이 될 수 없는 것을 쾌락이라고 부르며,
쾌락.
본성에 어긋나는 방법으로 쾌락을 찾곤 하지.
본 성
쾌락.
이를 사이비*쾌락이라고 불러.
믿느뇨?
似而非
믿습네다
위대한 쾌락의 신이여~

*사이비(似而非) – 진실과 유사해 보이지만 진실은 아닌 상태.

사이비 쾌락은 전혀 즐거움이 없으며
하나도 안 즐거워.
대부분 불쾌한 것들이야.
그렇다면 어리석은 쾌락, 사이비 쾌락, 본성에 어긋나는 쾌락이란 어떤 것들일까?
사이비 쾌락의 예는 아주 많아.
사이비 쾌락
그 중에서 우선 옷을 잘 차려 입고
거기서 즐거움을 느끼는 사람들이 대표적인 사이비 쾌락 애호가들이야.
화려한 옷차림을 하고선 자기 자신의 가치도 높아졌다고 착각하면서
레벨 업!
남들이 부러워하지 않으면 몹시 화를 내지.
왜 부러워하지 않는거야?
사실 옷의 가치와 그 사람의 가치는 별개인데 말이야.
주로 귀족 출신들 중에 이런 사람이 많아.
'귀족'이란 우연히 수세대 동안 부자로 지낸
GOLD
주로 토지를 소유했던 가문에 속하고 있음을 뜻할 뿐인데 말이야.
요크가의토지

또 있어. 귀금속과 보석에
열광하는 사람들도 마찬가지야.
이런 사람은 진기한
보석,
물방울 다이아몬드
특히 그 당시 자기 나라에서 특별히 값진
종류의 보석을 소유하게 되면 매우 으스대지.
사실 보석의 가치는 장소와 시대에 따라
달라지는 건데도 말이야.
다이아몬드
그는 겉모습만으로는
믿을 수가 없어서
금을 모두 벗겨 내고 보석을
빼내서 자세히 살펴봐.
그것으로도 모자라서,
보석상이 진품임을 엄숙히 선서하고
보증서를 써주어야만 해.
보증서
위 보석은
보증합니
자기 눈으로 모조품과 진품을
구별하지 못하는 장님에게는
진품이든 모조품이든 다를
바가 없는데도 말이야.
어차피 보증서에 의존하는 처지에
보증
진품 보석을 지녔다며 혼자 으스대고
즐거워하는 건 코미디 아니겠어?

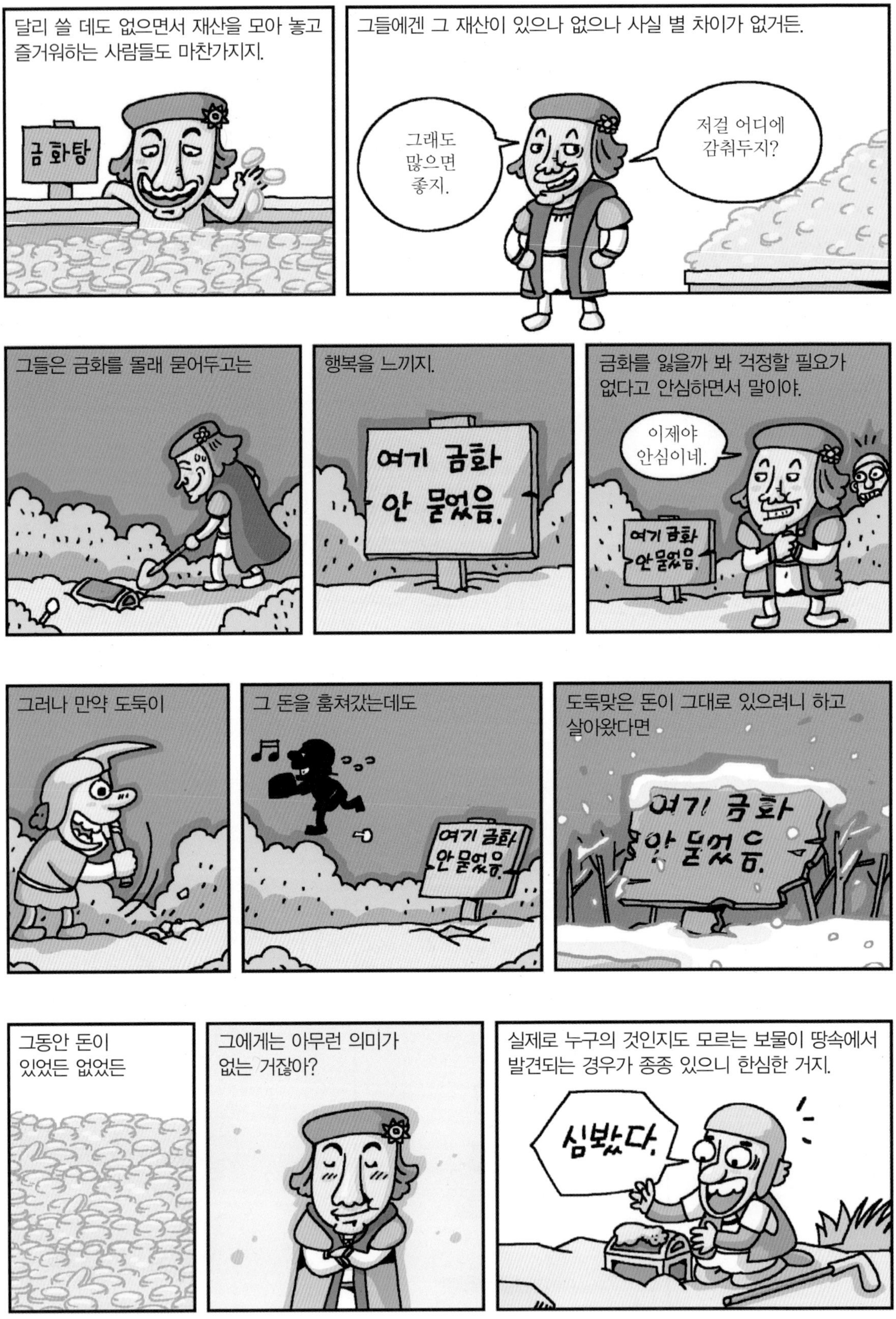
달리 쓸 데도 없으면서 재산을 모아 놓고 즐거워하는 사람들도 마찬가지지.
금화탕
그들에겐 그 재산이 있으나 없으나 사실 별 차이가 없거든.
그래도 많으면 좋지.
저걸 어디에 감춰두지?
그들은 금화를 몰래 묻어두고는
행복을 느끼지.
여기 금화 안 묻었음.
금화를 잃을까 봐 걱정할 필요가 없다고 안심하면서 말이야.
이제야 안심이네.
여기 금화 안 묻었음.
그러나 만약 도둑이
그 돈을 훔쳐갔는데도
여기 금화 안 묻었음.
도둑맞은 돈이 그대로 있으려니 하고 살아왔다면
여기 금화 안 묻었음.
그동안 돈이 있었든 없었든
그에게는 아무런 의미가 없는 거잖아?
실제로 누구의 것인지도 모르는 보물이 땅속에서 발견되는 경우가 종종 있으니 한심한 거지.
심봤다.

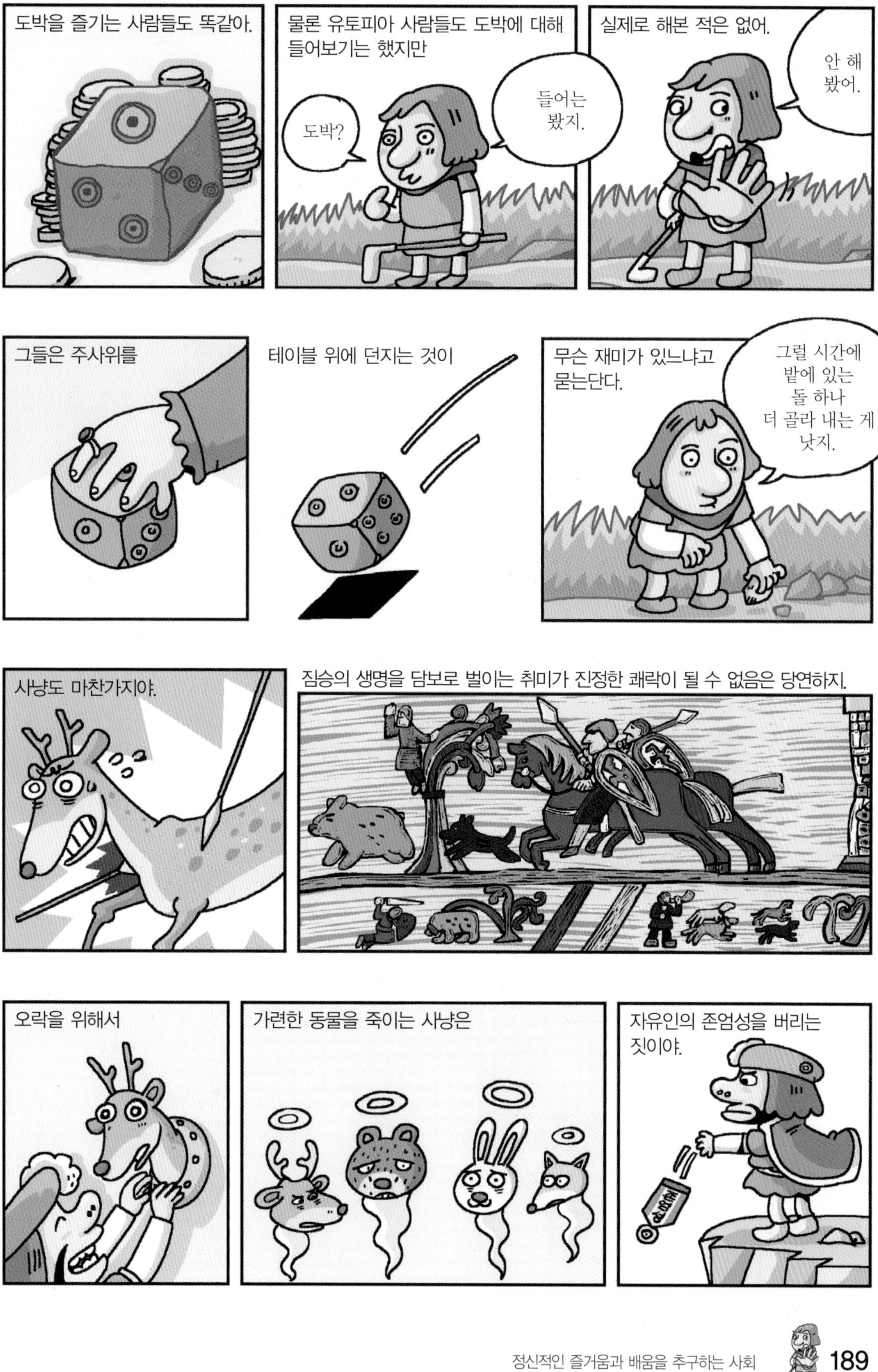
도박을 즐기는 사람들도 똑같아.
물론 유토피아 사람들도 도박에 대해 들어보기는 했지만
도박?
들어는 봤지.
실제로 해본 적은 없어.
안 해 봤어.
그들은 주사위를
테이블 위에 던지는 것이
무슨 재미가 있느냐고 묻는단다.
그럴 시간에 밭에 있는 돌 하나 더 골라 내는 게 낫지.
사냥도 마찬가지야.
짐승의 생명을 담보로 벌이는 취미가 진정한 쾌락이 될 수 없음은 당연하지.
오락을 위해서
가련한 동물을 죽이는 사냥은
자유인의 존엄성을 버리는 짓이야.

그럼, 진정한 쾌락은 대체 무엇으로부터 오는 걸까?
쾌락의 샘
뭘 해야 얻을 수 있을까?
그래! 저거야. 생각하는 사람!
로뎅
일단 진정한 쾌락을 얻는 경로는 두 가지야.
정신적 측면
육체적 측면
정신적 쾌락의 근원에는 정신적 만족을 주는 것들이 모두 포함돼.
예를 들어, 어떤 이치를 이해하거나 진리를 사색하거나 아름다운 과거를 회상하거나 미래에 대한 긍정적 기대를 갖는 행위 등이야.
眞理
이치 이해
진리 사색
회상
긍정적 미래
육체적 쾌락의 근원은 다시 둘로 나뉘는데,
육체적 쾌락
그 중 하나는 신체 기관에 직접 작용하거나
오감을 만족시켜 주는 행위들이야.
음식을 먹고,
배설을 하고,
TOILET
사용중
사랑을 나누고,
또는 음악을 듣는 행위 등이 해당되지.
또 가려운 곳을 비비거나 긁을 때 생기는 쾌감도 포함돼.
흐흐~ 시원타~

또 다른 육체적 쾌락은 몸이 건강한 상태 그 자체로부터 비롯된다고 보고 있어.
몸 튼튼. 마음 튼튼.
몸이 건강하다는 것 자체가
백만 스물 하나 백만 스물 둘….
생애 최대의 즐거움인 거야.
건강이 최고!!
다른 쾌락의 기초이기 때문에 가장 중요한 쾌락이고,
건강
건강은 그 자체만으로도 생활을 즐겁게 만들어 주지.
다른 쾌락처럼 선명하게 와 닿는 즐거움은 아닐지 몰라도
날씨 좋~다.
질병을 앓아본 사람이라면
쿨럭
건강 자체가 최대의 즐거움이라는 말에 공감할 거야.
물론 먹는 기쁨, 마시는 기쁨들이 있긴 하지만
어디까지나 건강을 위한 쾌락인 거지.
건강
쾌락
유기농 비료
그런 기쁨 자체가 즐거운 것이 아니라
질병의 침입을 막아 주기 때문에 즐겁다는 거야.

만약 이런 기쁨들이 행복을 준다고 생각한다면
굶주림, 목마름, 가려움, 먹기, 마시기, 문지르기, 긁기로 이루어진 생활이 행복한 생활이라는 의미가 되거든.
더 이상의 행복은 없어.
이런 즐거움은 즐거움 중에서도 최하위의 것이야.
우선 순위에서 밀렸어.
이런 낮은 수준의 쾌락도 쾌락은 쾌락이니,
나도 쾌락이라고.
인간이 생존을 위해 해야 하는 일들을 이렇게 즐거운 행위로 만들어 준 데 대해 자연에 감사해야 하지.
너도 쾌락인 것에 감사하고 있어.
유토피아 사람들은 '아름다움', '힘', '민첩성' 같은 것을 중시해.
아름다움
힘
민첩성
또 '보고', '듣고', '냄새를 맡는' 쾌락에 대해서도
그 가치를 인정하지.
인정
왜냐하면 이것은 인간에게만 나타나는 특성이기 때문이야.
사랑해 당신을
감동이야~
동물은 세상의 아름다움을 찬양하거나 어떤 종류의 향기를 즐기거나 화음과 불협화음의 차이를 분별하지 못하잖아?
아름다운 건 아무 소용이 없어. 맛만 있으면 돼.
아~ 행복해

또한 유토피아 사람들은
보고 듣고 냄새를 맡는 일이
생활의 활력소 구실을 해준다고 생각해.
활력소 한 방울~
그러나 이러한 경우에도 작은 쾌락이 큰 쾌락을 방해해서는 안 되며
여행을 떠나요
삐뽀 삐뽀
응급환자 이송
쾌락이 고통을 일으켜서는 안 된다는
규칙이 지켜져야 해.
그들은 만일 쾌락이
부도덕한 경우에는
금지
반드시 고통이 생긴다고 생각하거든.
정신적 쾌락이나 육체적 쾌락이나 모두 소중하게 여기긴 했지만
육체적 쾌락
정신적 쾌락
유토피아 사람들은 정신적 쾌락을 보다 중시했어.
정신적 쾌락
육체적 쾌락

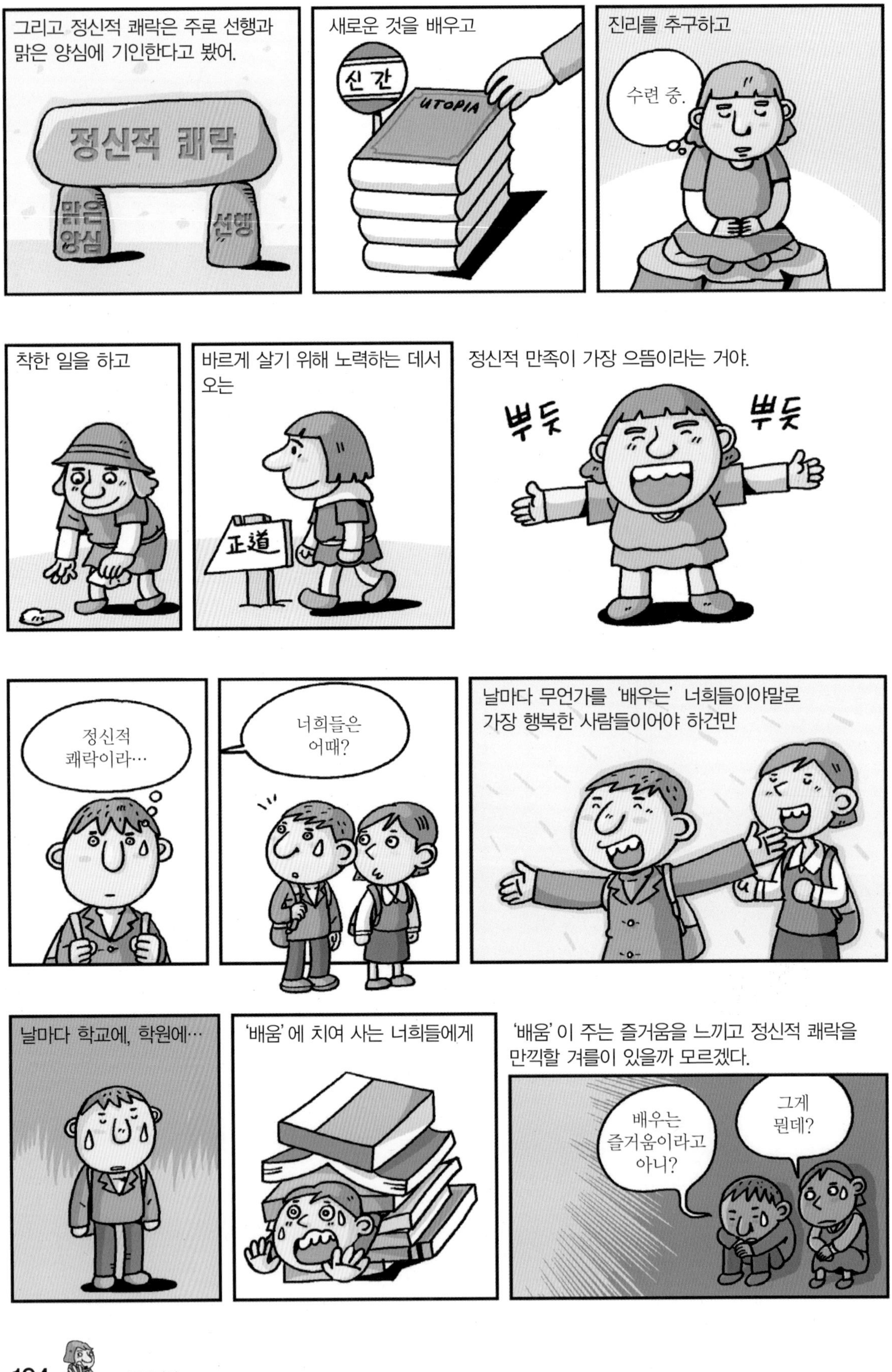
그리고 정신적 쾌락은 주로 선행과 맑은 양심에 기인한다고 봤어.
정신적 쾌락
맑은 양심
선행
새로운 것을 배우고
신간
UTOPIA
진리를 추구하고
수련 중.
착한 일을 하고
바르게 살기 위해 노력하는 데서 오는
正道
정신적 만족이 가장 으뜸이라는 거야.
뿌듯
뿌듯
정신적 쾌락이라…
너희들은 어때?
날마다 무언가를 '배우는' 너희들이야말로 가장 행복한 사람들이어야 하건만
날마다 학교에, 학원에…
'배움'에 치여 사는 너희들에게
'배움'이 주는 즐거움을 느끼고 정신적 쾌락을 만끽할 겨를이 있을까 모르겠다.
배우는 즐거움이라고 아니?
그게 뭔데?

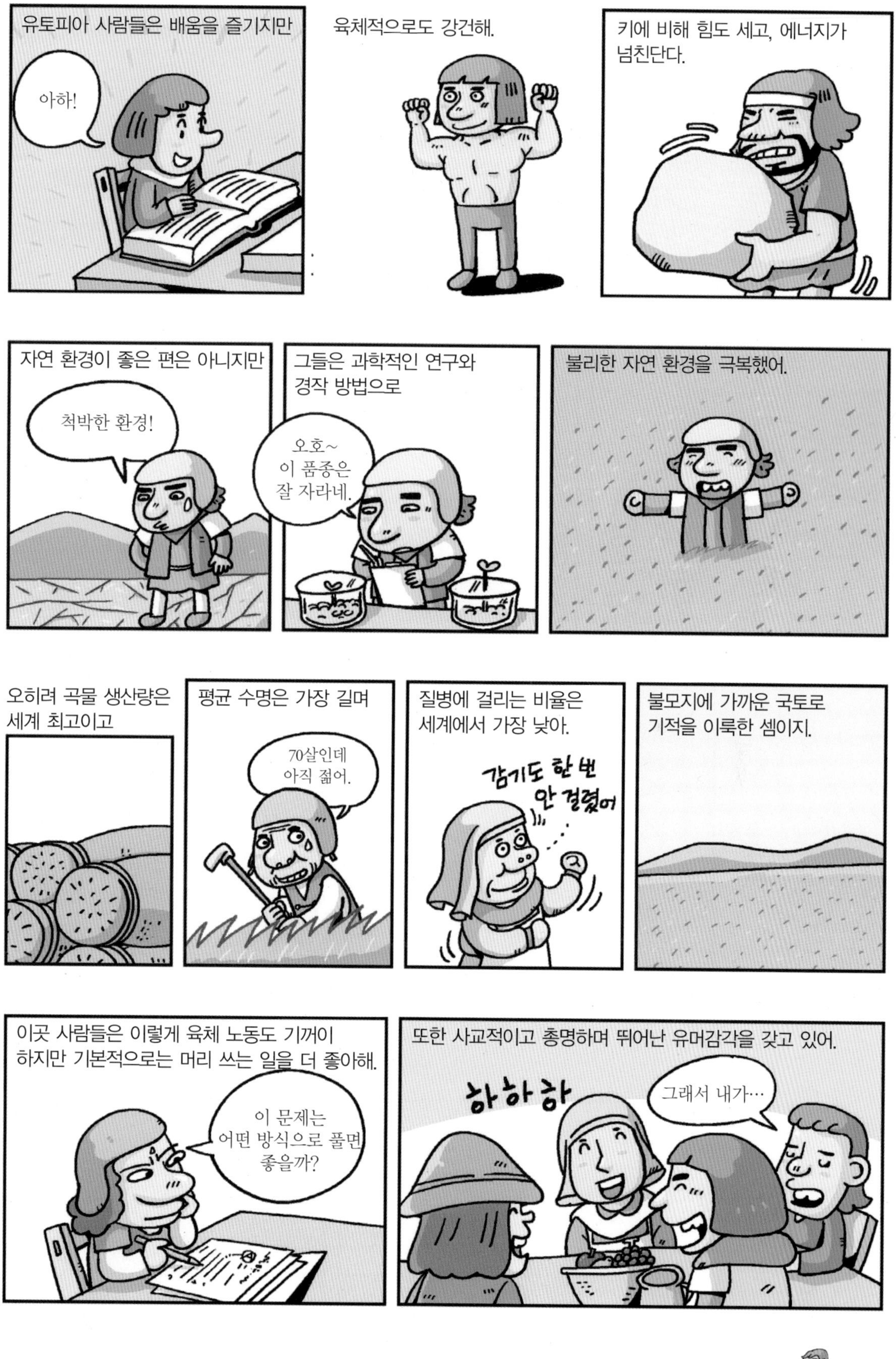

유토피아 사람들은 배움을 즐기지만
아하!
육체적으로도 강건해.
키에 비해 힘도 세고, 에너지가 넘친단다.
자연 환경이 좋은 편은 아니지만
척박한 환경!
그들은 과학적인 연구와 경작 방법으로
오호~ 이 품종은 잘 자라네.
불리한 자연 환경을 극복했어.
오히려 곡물 생산량은 세계 최고이고
평균 수명은 가장 길며
70살인데 아직 젊어.
질병에 걸리는 비율은 세계에서 가장 낮아.
감기도 한 번 안 걸렸어
불모지에 가까운 국토로 기적을 이룩한 셈이지.
이곳 사람들은 이렇게 육체 노동도 기꺼이 하지만 기본적으로는 머리 쓰는 일을 더 좋아해.
이 문제는 어떤 방식으로 풀면 좋을까?
또한 사교적이고 총명하며 뛰어난 유머감각을 갖고 있어.
하하하
그래서 내가…

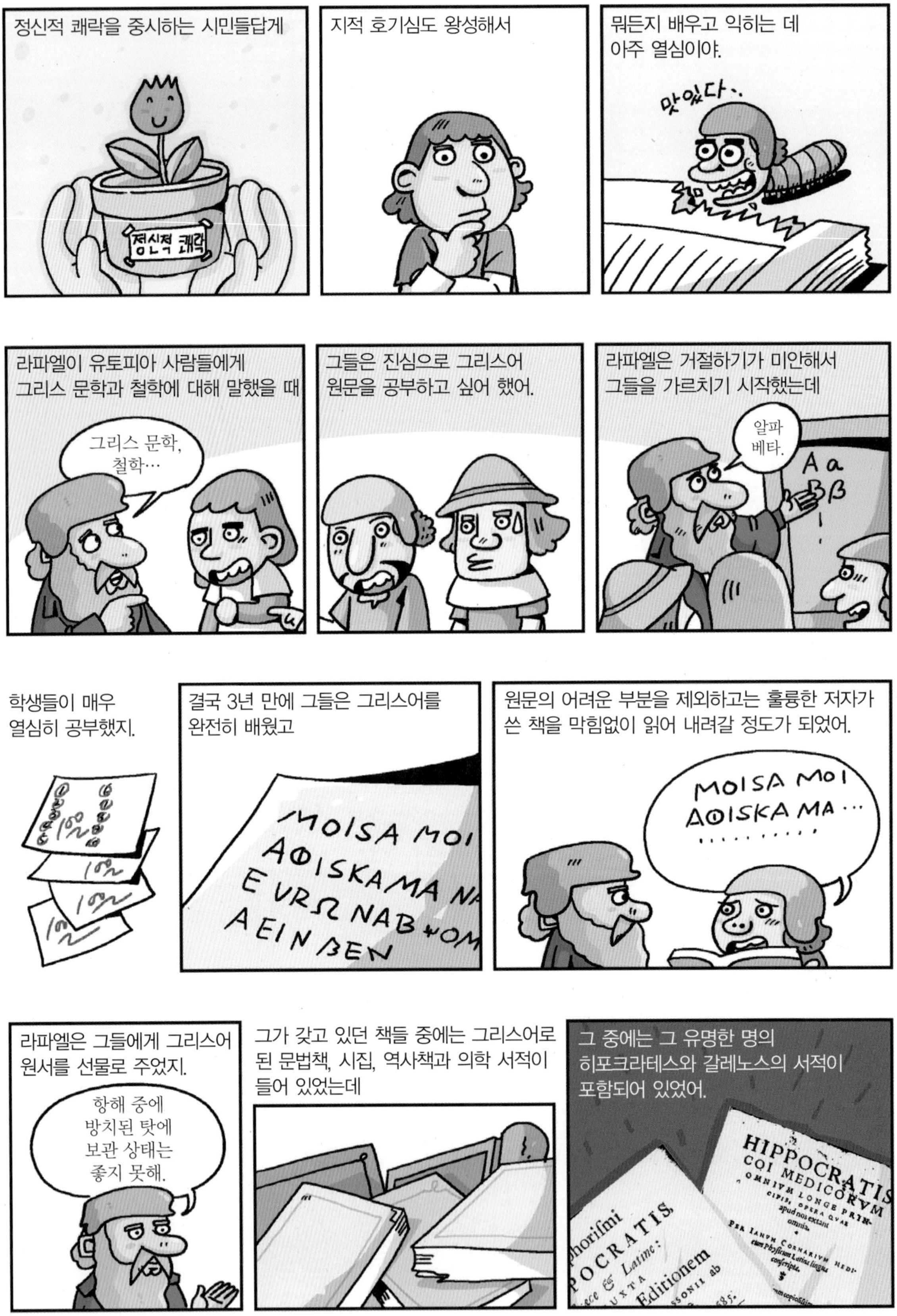
정신적 쾌락을 중시하는 시민들답게
정신적 쾌락
지적 호기심도 왕성해서
뭐든지 배우고 익히는 데
아주 열심이야.
맛있다..
라파엘이 유토피아 사람들에게
그리스 문학과 철학에 대해 말했을 때
그리스 문학,
철학…
그들은 진심으로 그리스어
원문을 공부하고 싶어 했어.
라파엘은 거절하기가 미안해서
그들을 가르치기 시작했는데
알파
베타.
Aa
Bβ
학생들이 매우
열심히 공부했지.
100
결국 3년 만에 그들은 그리스어를
완전히 배웠고
MOISA MOI
AΦISKAMA
원문의 어려운 부분을 제외하고는 훌륭한 저자가
쓴 책을 막힘없이 읽어 내려갈 정도가 되었어.
MOISA MOI
AΦISKA MA…
라파엘은 그들에게 그리스어
원서를 선물로 주었지.
항해 중에
방치된 탓에
보관 상태는
좋지 못해.
그가 갖고 있던 책들 중에는 그리스어로
된 문법책, 시집, 역사책과 의학 서적이
들어 있었는데
그 중에는 그 유명한 명의
히포크라테스와 갈레노스의 서적이
포함되어 있었어.
HIPPOCRATIS
COI MEDICORVM

히포크라테스는 기원전 400년경의 사람이야.
그의 저술은 모어가 살던 시대에 영어로 번역되어 널리 읽혔지.
갈레노스는 150년경 소아시아에서 태어났는데 로마에서 활동했어.
과학적 추론을 통해 의학을 발전시켰어.
후에 아우렐리우스 황제의 시의가 되었고
웬 원숭이 인고?
오늘 해부할 바바리 원숭이 이옵니다.
유명한 의학 서적들을 남겼어.
MICHROTECHNE
유토피아 인들은 라파엘로부터 받은 이 책들을 매우 귀중하게 보관했어.
그들은 의학을 매우 소중히 여기는데,
의학
의학을 과학의 가장 흥미 있고 중요한 분과로 생각하거든.
의학
그들은 문학과 철학뿐만 아니라
문학
철학
인체나 자연에 대한 과학적 탐구를 아주 좋아해.
과학적 탐구
왜냐하면 창조주의 작품인 이 경이로운 우주를 이해하고 찬양하는 것이 창조주를 기쁘게 하는 일이라고 믿기 때문이야.

게다가 유토피아 사람들은 이론을 토대로
이론
기술을 발전시키고
유용한 발명품들을 만들어 내는 데도 재주가 뛰어나지.
접히는 낫.
그러나 인쇄술과 제지술은
라파엘 일행 덕분에 발명할 수 있었단다.
일등 공신이야.
인쇄술과 제지술에 관해 아주 약간의 이야기만 들었는데도
제지술은 아마도…
그들은 나름대로 추론하여 인쇄술과 제지술을 습득한 거야.
성공했어!
그때까지 그들은 양가죽이나 나무껍질, 갈대에 글씨를 써 왔으나
이제는 종이를 만들고 인쇄기로 인쇄를 할 수 있게 된 거지.
이제는 굳이 안 베껴도 되는거야?
사실 대항해 시대 이전까지만 해도 서양의 문명은 동양에 비해 열세였어.
인류의 4대 발명이라는
젖 좀 더 먹고 와라.

제지술, 인쇄술, 화약, 나침반의 발명은
모두 동양에서 이루어져 서쪽으로 전파된 거야.
고~~ 웨스트 !!
라파엘이 전해주었다는 인쇄술은
인쇄술
독일의 구텐베르크*가
발명한 금속활자를 뜻해.
*구텐베르크(1397~1468) – 금속활자 발명.
구텐베르크는 1440년에는 목활자를
1450년경에는 금속활자를 발명하였고
인쇄공장을 세워서 면죄부와 성서를 인쇄했지.
이 인쇄술로 인해 도서의 대량 생산과 유통이 가능해졌고
교육의 보급과 종교개혁,
나아가 문예 부흥의 길이 열린 셈이야.
Renaissance

종이는 105년경 중국 후한의 채륜이 발명했어.
종이는 나무껍질과 같은 폐품이 주 원료여서
제작비가 적게 들고
많은 양을 한꺼번에 빨리 만들 수 있으며
사용과 휴대, 운반이 간편해서
빠르게 전파되었어.
중국
인쇄술이 개발되고 발달되면서
종이 사용량은 더욱 증가하였지.
종이가 부족해!
종이는 8세기 아랍과 당나라와의 전쟁 때
아랍을 거쳐 서양으로 전파되었고,
구텐베르크의 활자술과 함께
지식의 보급에 큰 영향을 미쳤어.
이제는 필사 안 해도 돼.

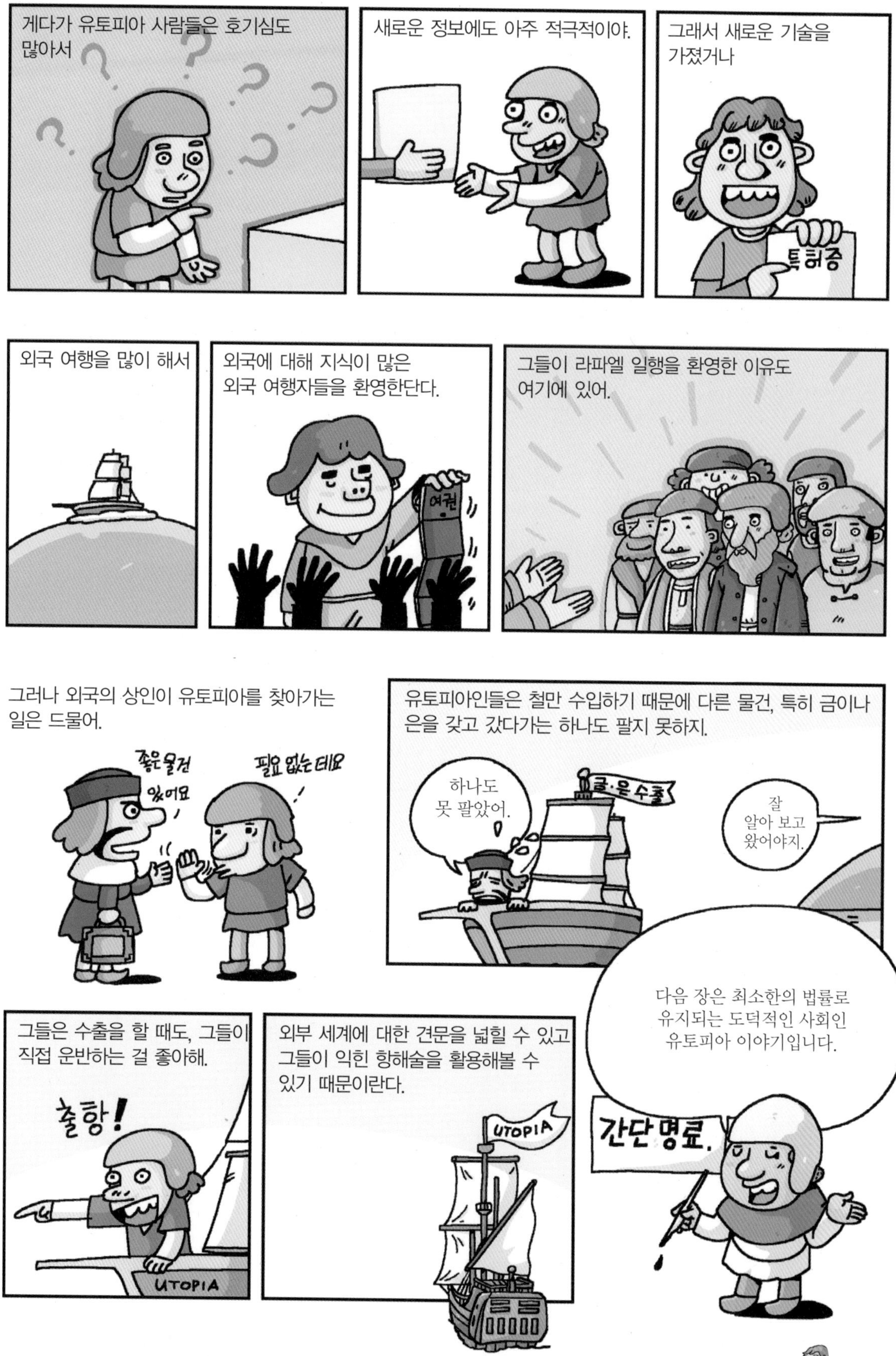
게다가 유토피아 사람들은 호기심도 많아서
새로운 정보에도 아주 적극적이야.
그래서 새로운 기술을 가졌거나
특허증
외국 여행을 많이 해서
외국에 대해 지식이 많은 외국 여행자들을 환영한단다.
여권
그들이 라파엘 일행을 환영한 이유도 여기에 있어.
그러나 외국의 상인이 유토피아를 찾아가는 일은 드물어.
좋은 물건 있어요
필요 없는데요
유토피아인들은 철만 수입하기 때문에 다른 물건, 특히 금이나 은을 갖고 갔다가는 하나도 팔지 못하지.
하나도 못 팔았어.
금·은 수출
잘 알아 보고 왔어야지.
그들은 수출을 할 때도, 그들이 직접 운반하는 걸 좋아해.
출항!
UTOPIA
외부 세계에 대한 견문을 넓힐 수 있고 그들이 익힌 항해술을 활용해볼 수 있기 때문이란다.
UTOPIA
다음 장은 최소한의 법률로 유지되는 도덕적인 사회인 유토피아 이야기입니다.
간단명료.

에피쿠로스 학파와 스토아 학파

에피쿠로스
스토아

에피쿠로스 학파(Epicurean School)와 스토아 학파(Stoicism)는 로마 시대를 대표하는 철학 집단으로 라이벌 관계였다고 할 수 있답니다.

에피쿠로스 학파는 에피쿠로스(기원전 342~기원전 270년)에 의해 창시된 철학 학파로, 원자론적 세계관에 기초한 철학을 강조했습니다. 데모크리토스가 주장한 원자론은 이 세상을 이루는 모든 물체는 매우 작은 입자인 원자로 구성되어 있다고 했는데, 여기에는 사람의 몸뿐만 아니라 정신도 포함되었지요. 그러므로 원자론에 바탕을 두었던 에피쿠로스 학파는 사람이 죽는다면 몸과 정신이 원자로 분해되어 소멸된다고 생각했습니다. 죽은 후에는 아무것도 없다는 거지요. 따라서 이들은 사후 세계에 대해 크게 염려하는 것은 무의미한 일이라고 여겼답니다.

에피쿠로스학파의 창시자 에피쿠로스의 조각상.

에피쿠로스 학파의 철학자들은 사람들에게 죽은 후 세계가 존재하지 않는다면, 살아 있는 동안에 일어나는 일들이 모두이므로 죽은 후의 세계에서 받을 벌과 상을 생각할 필요가 없이 살아 있는 동안 최대한 즐겁게 사는 것이 행복을 얻는 지름길이라고 가르쳤어요. 덕분에 기독교 신학자들로부터 '술에 취한 돼지'에 비유되기도 했지요. 하지만 에피쿠로스 철학자들이 주장한 쾌락은 육체적 쾌락이 아니라 정신적인 쾌락입니다. 이들의 가르침은 국가와 종교의 울타리를 넘어 여러 나라에 알려졌습니다. 그러나 4세기 무렵 기독교가 발달하면서 힘을 잃었답니다.

한편 스토아 학파는 기원전 315년 무렵에 활동했던 철학자 제논에 의해 시작되었습니다. 스토아 학파의 철학자들은 우주의 만물은 '로고스' 라고 불리는 일정한 진리에 의해 만들어지며 근본 물질인 '불' 에 지배된다고 생각했습니다. 그래서 불을 '신' 과 같은 존재로 여겼지요. 그러므로 스토아 철학자들은 이 세상은 이성적인 신의 섭리에 의해 만들어졌고 발전한다고 믿었고, 사람은 자기에게 주어진 이성을 가지고 자연의 이성과 법칙을 잘 관찰하고 적응해야 한다고 주장했습니다. 또한 사람은 그 속에서 굳은 믿음과 의지를 가지고 감정과 쾌락을 물리쳐야 하며 덕을 세워야 행복을 얻을 수 있다고 가르쳤지요. 스토아 학파는 올바른 이성을 가진 사람은 누구나 시민이 될 수 있다는 생각을 했는데, 이것은 로마를 이끌던 지도자들의 중심 철학이 되었답니다. 스토아 철학의 신은 중세 기독교의 신과 닮은 점이 많아 중세 유럽 시대에서 아주 오랫동안 큰 영향력을 끼쳤습니다.

스토아 학파의 시조 제논의 조각상.

에피쿠로스 학파		스토아 학파
에피쿠로스(기원전 342~기원전 270)	창시자	제논(기원전 315경)
원자	세계의 구성	로고스
현세 중심 (사후세계는 없음)	세계관	신의 섭리에 의해 만들어짐
현세에서의 쾌락 (정신적 쾌락)	실천덕목	이성과 법칙 (믿음과 의지로 감정, 쾌락을 물리쳐야 한다)
기원전 ~ 4세기	번성	중세 시대

UTOPIA
HIPPOCRATIS
COI MEDICORVM

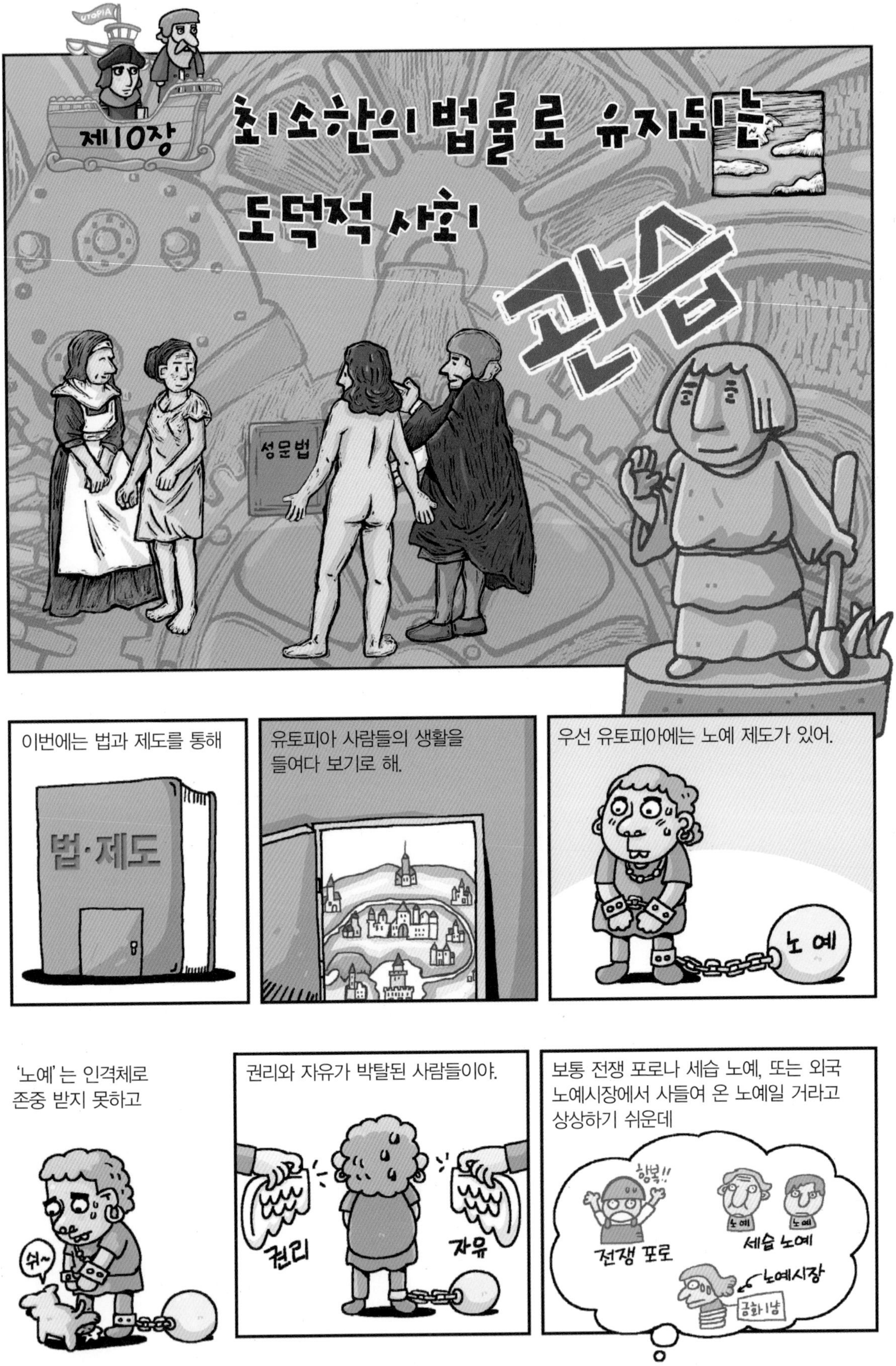
UTOPIA
제10장
최소한의 법률로 유지되는 도덕적 사회
관습
성문법
이번에는 법과 제도를 통해
법·제도
유토피아 사람들의 생활을
들여다 보기로 해.
우선 유토피아에는 노예 제도가 있어.
노예
'노예'는 인격체로
존중 받지 못하고
쉬~
권리와 자유가 박탈된 사람들이야.
권리
자유
보통 전쟁 포로나 세습 노예, 또는 외국
노예시장에서 사들여 온 노예일 거라고
상상하기 쉬운데
항복!!
전쟁 포로
노예
노예
세습 노예
노예시장
금화1냥

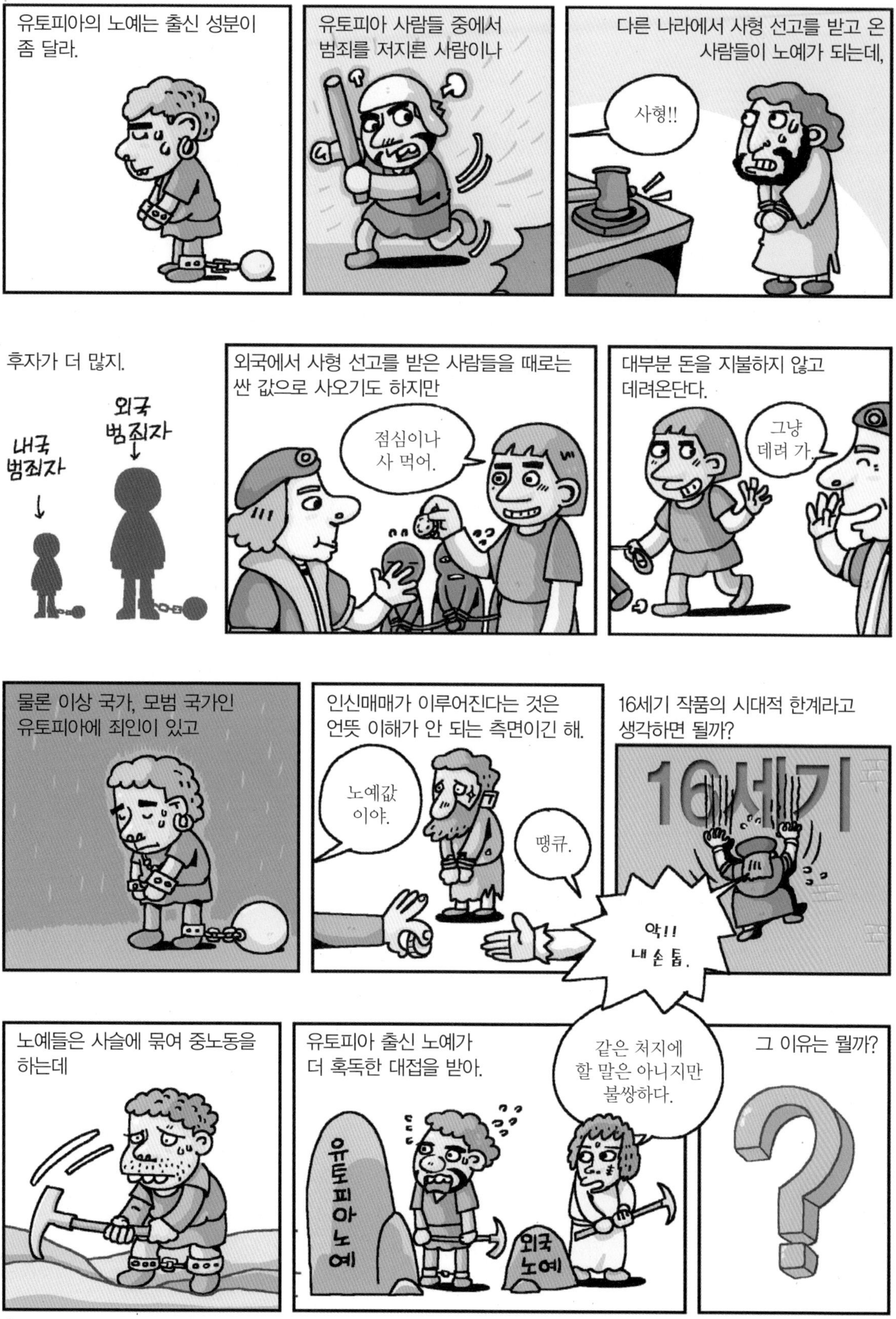
유토피아의 노예는 출신 성분이 좀 달라.
유토피아 사람들 중에서 범죄를 저지른 사람이나
다른 나라에서 사형 선고를 받고 온 사람들이 노예가 되는데,
사형!!
후자가 더 많지.
외국 범죄자
내국 범죄자
외국에서 사형 선고를 받은 사람들을 때로는 싼 값으로 사오기도 하지만
점심이나 사 먹어.
대부분 돈을 지불하지 않고 데려온단다.
그냥 데려 가.
물론 이상 국가, 모범 국가인 유토피아에 죄인이 있고
인신매매가 이루어진다는 것은 언뜻 이해가 안 되는 측면이긴 해.
노예값 이야.
땡큐.
악!! 내 손톱.
16세기 작품의 시대적 한계라고 생각하면 될까?
16세기
노예들은 사슬에 묶여 중노동을 하는데
유토피아 출신 노예가 더 혹독한 대접을 받아.
같은 처지에 할 말은 아니지만 불쌍하다.
유토피아 노예
외국 노예
그 이유는 뭘까?

최고급의 교육 환경에서
철저한 도덕적 훈련을 받으면서 자라난 유토피아인으로서
도덕적훈련
범죄를 저지른다는 것은 대단히 수치스러운 일이지.
혹독하게 다뤄야 해.
이 밖에 노예 중에는 외국의 노동자 출신들도 있어.
이들은 조국에서 가난하게 살기보다는
우루룽~
차라리 유토피아에서 노예로 사는 게 낫겠다고 이민을 온 거야.
자유보다 빵을!
이들은 다른 부류의 노예들보다 훨씬 존중을 받아서
유토피아인들과 거의 비슷한 대우를 받고 있고
떠나고 싶으면 언제든 자유롭게 떠날 수도 있어.
떠날 때는 약간의 사례금을 받기도 해.
그럼 유토피아의 의료 환경은 어떨까?
환자는 의료진들이 세심하게 치료하고 보살펴 줘.
좀 어떠세요?
병의 치료에 도움이 되는 약품이나 음식물도 아낌없이 제공되지.

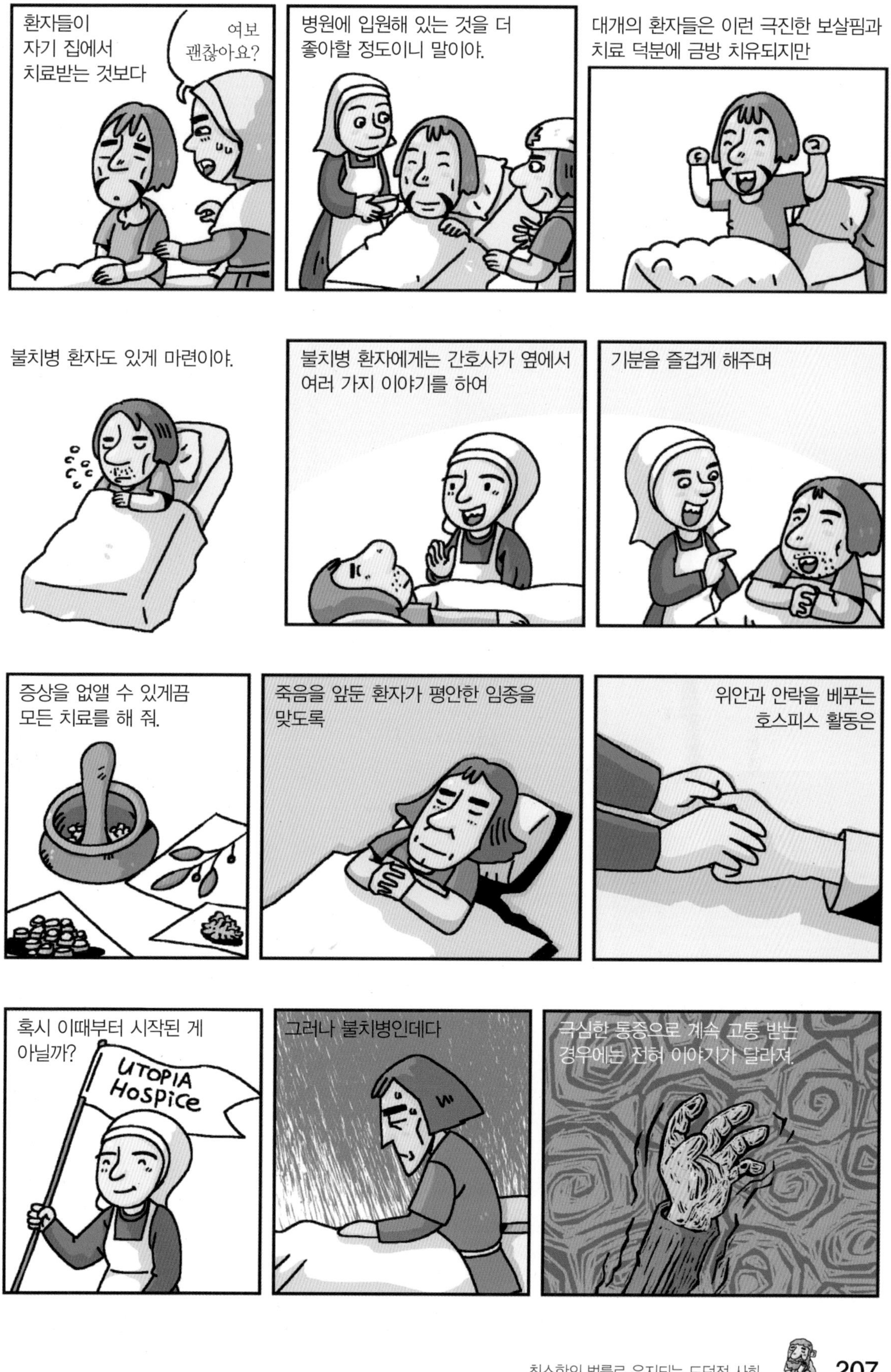
환자들이
자기 집에서
치료받는 것보다
여보
괜찮아요?
병원에 입원해 있는 것을 더
좋아할 정도이니 말이야.
대개의 환자들은 이런 극진한 보살핌과
치료 덕분에 금방 치유되지만
불치병 환자도 있게 마련이야.
불치병 환자에게는 간호사가 옆에서
여러 가지 이야기를 하여
기분을 즐겁게 해주며
증상을 없앨 수 있게끔
모든 치료를 해 줘.
죽음을 앞둔 환자가 평안한 임종을
맞도록
위안과 안락을 베푸는
호스피스 활동은
혹시 이때부터 시작된 게
아닐까?
UTOPIA
HOSPiCe
그러나 불치병인데다
극심한 통증으로 계속 고통 받는
경우에는 전혀 이야기가 달라져.

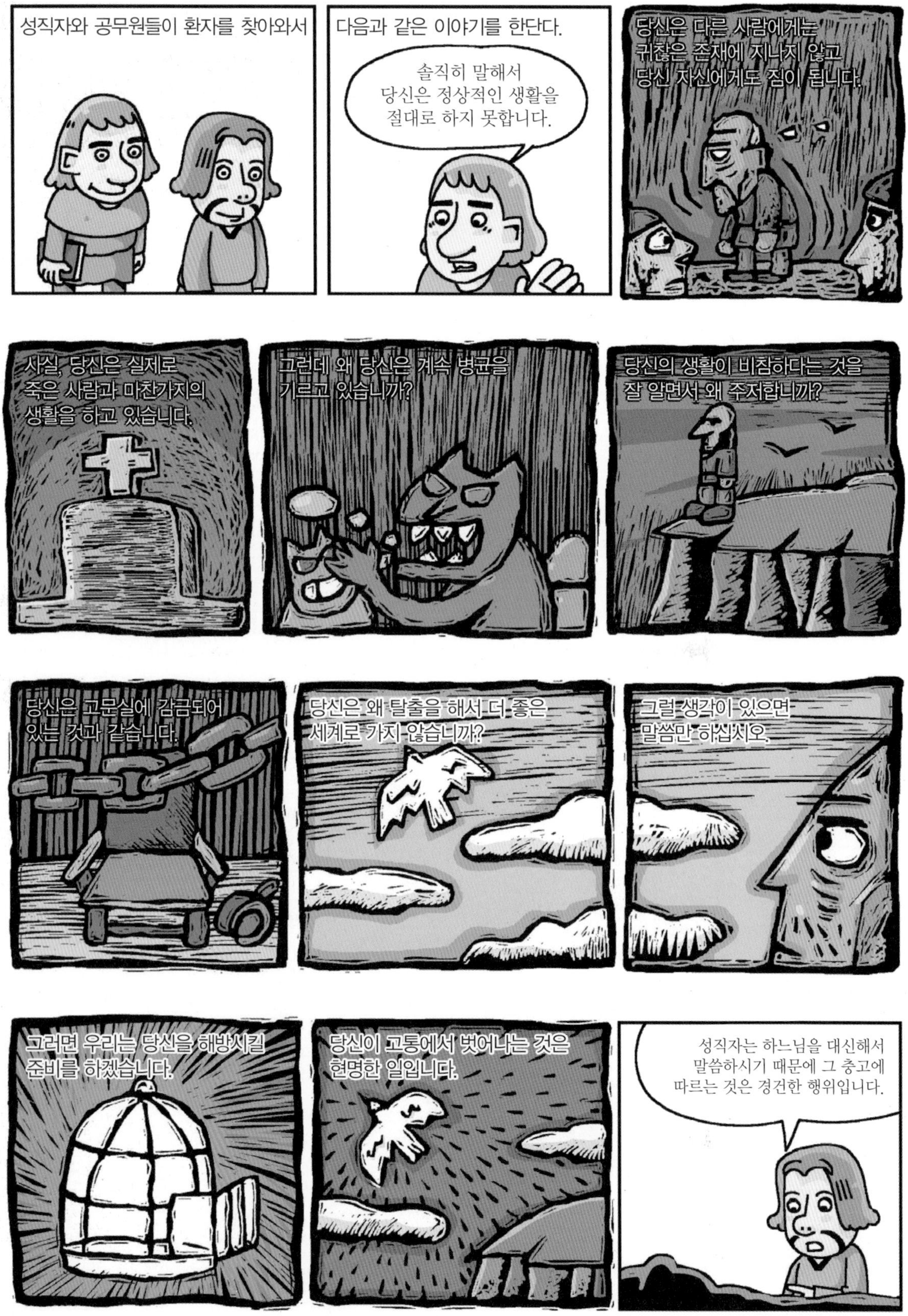

성직자와 공무원들이 환자를 찾아와서
다음과 같은 이야기를 한단다.
솔직히 말해서 당신은 정상적인 생활을 절대로 하지 못합니다.
당신은 다른 사람에게는 귀찮은 존재에 지나지 않고 당신 자신에게도 짐이 됩니다.
사실, 당신은 실제로 죽은 사람과 마찬가지의 생활을 하고 있습니다.
그런데 왜 당신은 계속 병균을 기르고 있습니까?
당신의 생활이 비참하다는 것을 잘 알면서 왜 주저합니까?
당신은 고문실에 감금되어 있는 것과 같습니다.
당신은 왜 탈출을 해서 더 좋은 세계로 가지 않습니까?
그럴 생각이 있으면 말씀만 하십시오.
그러면 우리는 당신을 해방시킬 준비를 하겠습니다.
당신이 고통에서 벗어나는 것은 현명한 일입니다.
성직자는 하느님을 대신해서 말씀하시기 때문에 그 충고에 따르는 것은 경건한 행위입니다.

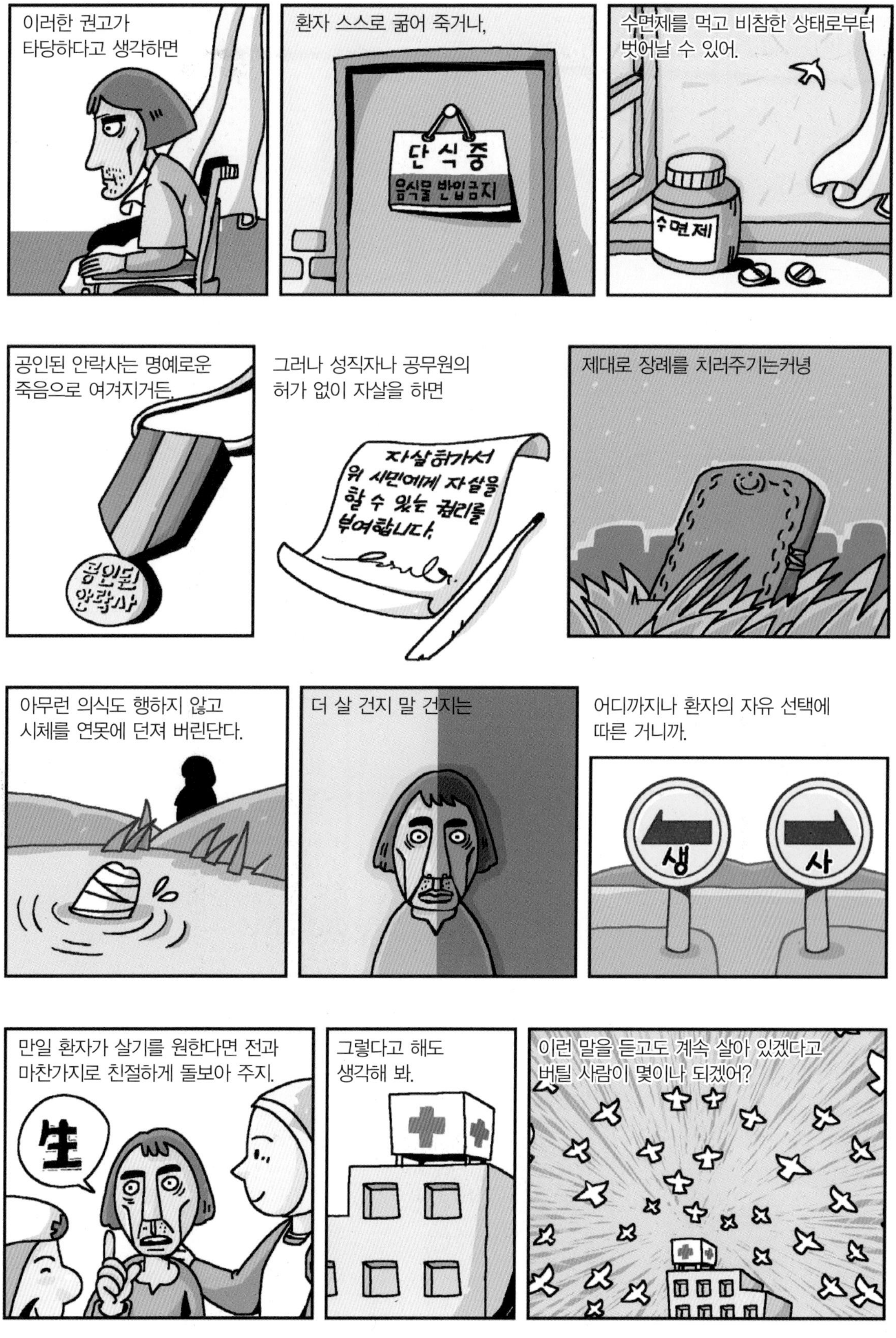
이러한 권고가
타당하다고 생각하면
환자 스스로 굶어 죽거나,
단식중
음식물 반입금지
수면제를 먹고 비참한 상태로부터
벗어날 수 있어.
수면제
공인된 안락사는 명예로운
죽음으로 여겨지거든.
공인된
안락사
그러나 성직자나 공무원의
허가 없이 자살을 하면
자살허가서
위 시민에게 자살을
할 수 있는 권리를
부여합니다.
제대로 장례를 치러주기는커녕
아무런 의식도 행하지 않고
시체를 연못에 던져 버린단다.
더 살 건지 말 건지는
어디까지나 환자의 자유 선택에
따른 거니까.
생
사
만일 환자가 살기를 원한다면 전과
마찬가지로 친절하게 돌보아 주지.
生
그렇다고 해도
생각해 봐.
이런 말을 듣고도 계속 살아 있겠다고
버틸 사람이 몇이나 되겠어?

안락사는 예로부터 논쟁거리였는데
21세기인 지금도 안락사를 인정하는 나라는 거의 없어.
안락사
2001년에 안락사를 합법화한 네덜란드와 조건부로 허용하고 있는 오스트레일리아 등이 꼽히지.
조건부 허용.
합법화
미국의 일부 주에서는 제한적으로 허용하고 있고
제한적 허용
벨기에, 스위스, 콜롬비아에서는 인정하지 않지만 묵인하는 실정이야.
우린 안 봤어.
로마 교황조차도 1995년에 안락사를 '하나님의 율법에 대한 중대한 위반'으로 규정한 마당이니
교황 요한 바오로 2세
지금으로부터 500여 년 전에
16세기
그것도 독실한 기독교 신자로서
안락사를 옹호한 모어의 소신과 배짱이 대단하지 않아?
안락사 허용
모어는 아마도 고대 철학자들의 영향을 받은 듯해.
哲學
소크라테스, 플라톤, 스토아 학파 등 고대의 사상가들은 대개 불가피한 경우의 자살을 허용했거든.
불가피한 경우
자살
허용!
소크라테스
플라톤
제논

그럼 유토피아 사람들의 결혼 제도는 어땠을까?
너희들도 어른이 되면 저마다 짝을 찾아서 결혼을 하겠지?
혹시 지금 좋아하는 이성 친구랑 이미 장래를 약속한 건 아닐까?
그러나 남자와 여자 모두 만 18세가 되어야
18세.
18세.
결혼을 할 수 있으니 적어도 그때까지는 참아야 하느니라.
우리나라 현행 민법에 그렇게 규정되어 있거든.
헌법상의 양성 평등 원칙에 따라 앞으로 바뀔지도 모르지만…
민법
유토피아에서도 나이에 제한을 두고 있어서, 여자는 18세, 남자는 22세가 되어야 결혼이 가능해.
18세.
22세.
그리고 혼전 성관계에 대해서 매우 엄격해서 당사자들에게는 결혼 자격을 영원히 박탈하는 가혹한 처벌을 내려.
사랑이 죄인가요?
평생독신형
가정교육을 제대로 하지 못한 부모에게 공개적으로 망신을 주는 건 물론이고,
사회적으로 결혼 제도를 공고히 유지하기 위해
결혼제도
남녀 간의 육체관계를 결혼이라는 틀 내에서만 허용하는 거야.
결 혼

그리고 그들은 배우자를 고르는 데 있어서 매우 독특한 풍습을 갖고 있어.
맞선장소
혼전 성관계는 처벌하되,
혼전 순결은 꼭 지켜야 해.
결혼 전에 서로 상대의 알몸을 미리 보도록 해주는 거야.
몸 만들기 프로젝트.
맞선 20일전

즉 여자는 정숙한 아줌마가 동석한 상태에서 예비 신랑에게 자신의 몸을 보여주고, 남자는 덕망 있는 아저씨가 동석한 상태에서 자기 몸을 예비 신부에게 보여주는 거지.

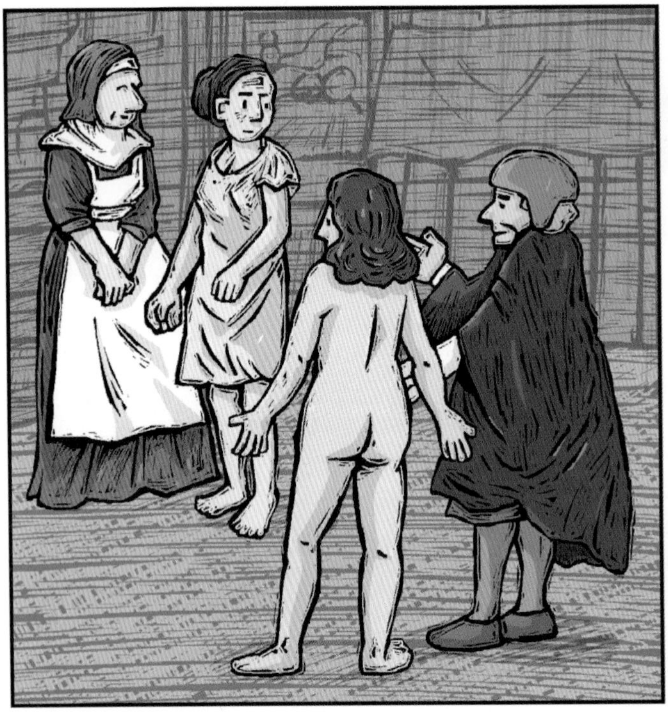

킥킥! 재미있다. 앞모습, 옆모습, 뒷모습…
이 이야기를 들은 라파엘 일행도 웃은 모양이야.

그러자 유토피아인들은 곧 반론을 펼쳤어.
꼭 설명해 줘야 하나?
내 말 잘 들어 봐요.
우리는 다른 세계의 결혼 절차를 아주 이상하다고 생각합니다.

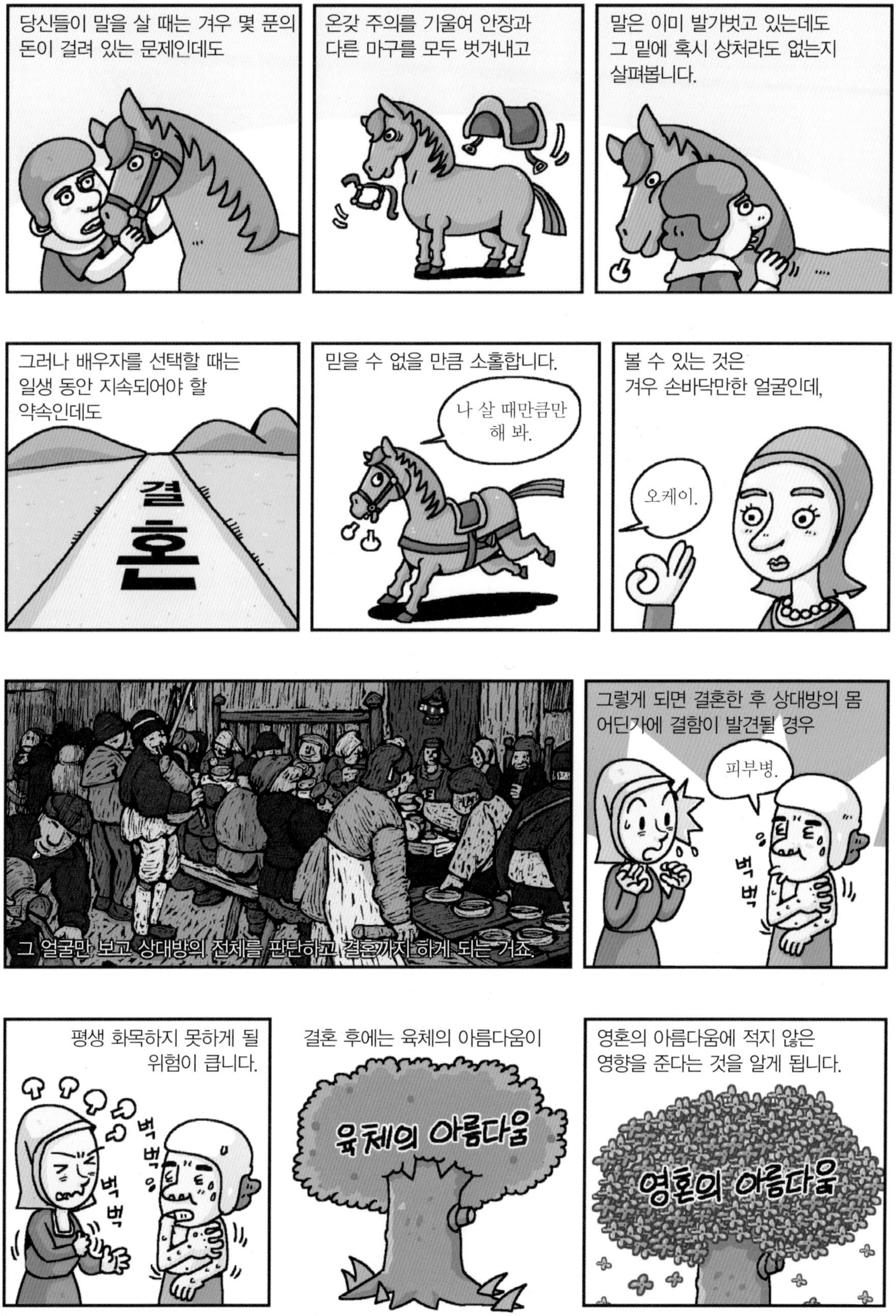

당신들이 말을 살 때는 겨우 몇 푼의 돈이 걸려 있는 문제인데도
온갖 주의를 기울여 안장과 다른 마구를 모두 벗겨내고
말은 이미 발가벗고 있는데도 그 밑에 혹시 상처라도 없는지 살펴봅니다.
그러나 배우자를 선택할 때는 일생 동안 지속되어야 할 약속인데도
결
혼
믿을 수 없을 만큼 소홀합니다.
나 살 때만큼만 해 봐.
볼 수 있는 것은 겨우 손바닥만한 얼굴인데,
오케이.
그 얼굴만 보고 상대방의 전체를 판단하고 결혼까지 하게 되는 거죠.
그렇게 되면 결혼한 후 상대방의 몸 어딘가에 결함이 발견될 경우
피부병.
벅벅
평생 화목하지 못하게 될 위험이 큽니다.
벅벅
벅벅
결혼 후에는 육체의 아름다움이
육체의 아름다움
영혼의 아름다움에 적지 않은 영향을 준다는 것을 알게 됩니다.
영혼의 아름다움

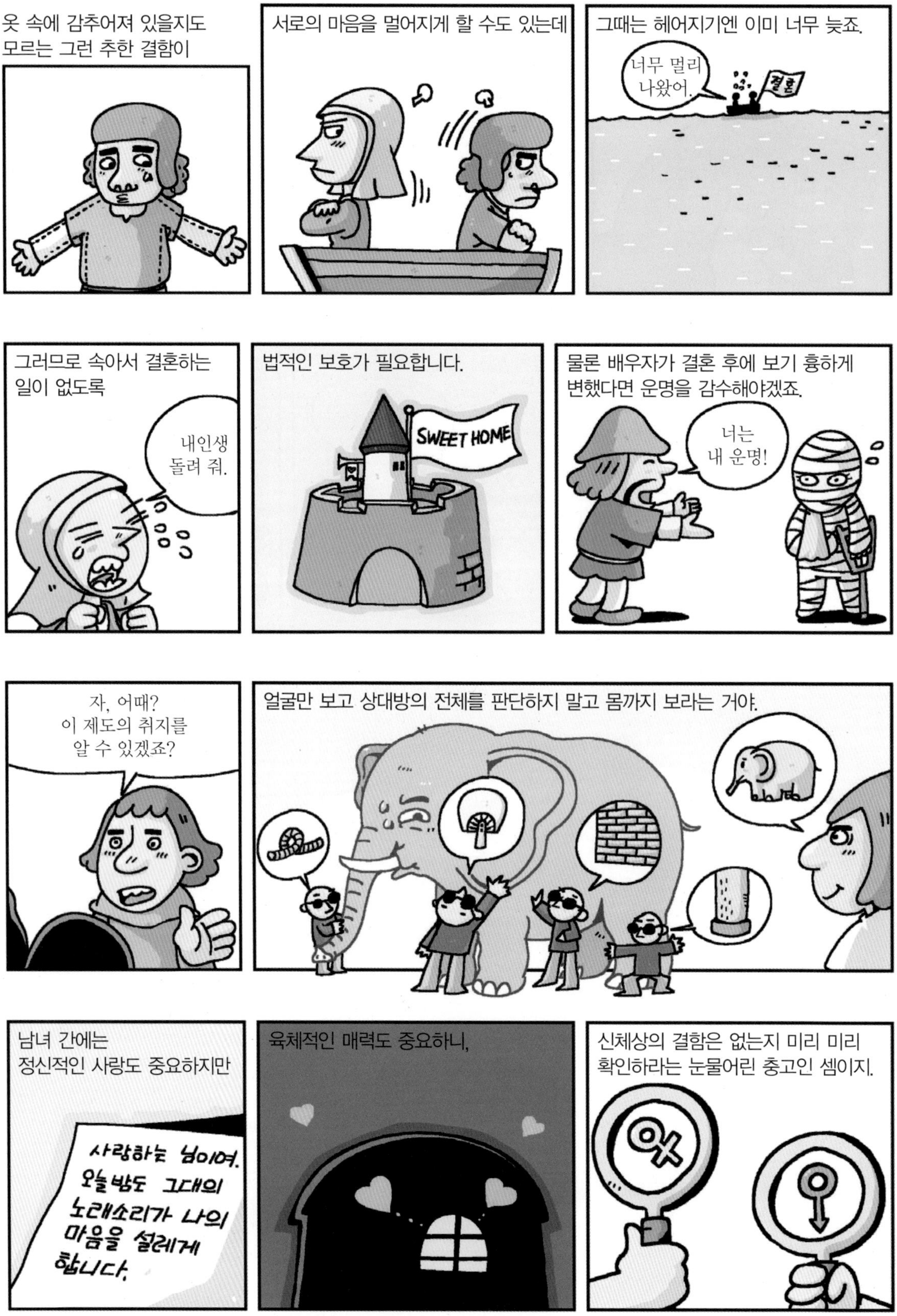
옷 속에 감추어져 있을지도
모르는 그런 추한 결함이
서로의 마음을 멀어지게 할 수도 있는데
그때는 헤어지기엔 이미 너무 늦죠.
너무 멀리 나왔어.
결혼
그러므로 속아서 결혼하는
일이 없도록
내인생 돌려 줘.
법적인 보호가 필요합니다.
SWEET HOME
물론 배우자가 결혼 후에 보기 흉하게
변했다면 운명을 감수해야겠죠.
너는 내 운명!
자, 어때?
이 제도의 취지를
알 수 있겠죠?
얼굴만 보고 상대방의 전체를 판단하지 말고 몸까지 보라는 거야.
남녀 간에는
정신적인 사랑도 중요하지만
사랑하는 님이여.
오늘밤도 그대의
노래소리가 나의
마음을 설레게
합니다.
육체적인 매력도 중요하니,
신체상의 결함은 없는지 미리 미리
확인하라는 눈물어린 충고인 셈이지.

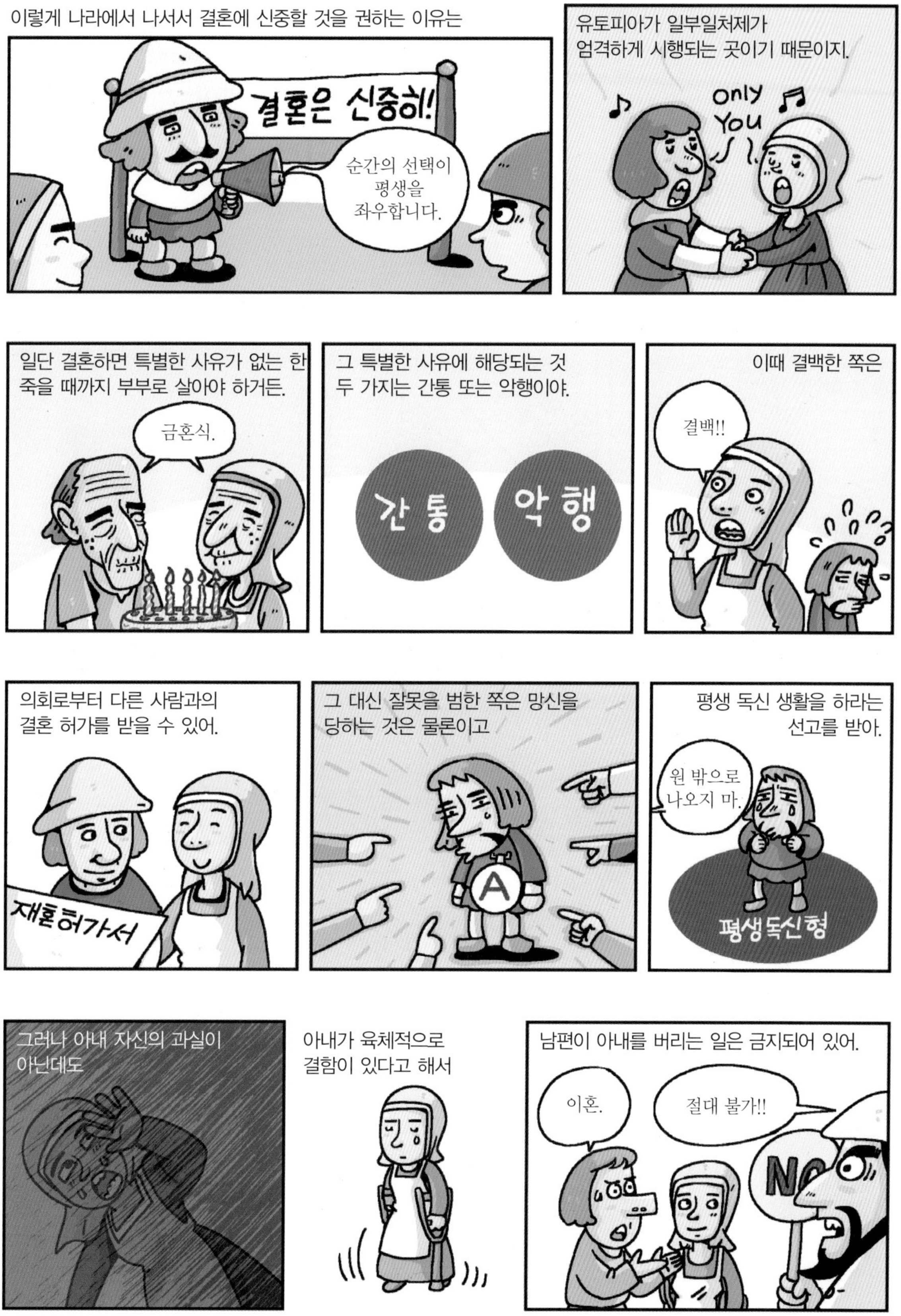

이렇게 나라에서 나서서 결혼에 신중할 것을 권하는 이유는
결혼은 신중히!
순간의 선택이 평생을 좌우합니다.
유토피아가 일부일처제가 엄격하게 시행되는 곳이기 때문이지.
Only You
일단 결혼하면 특별한 사유가 없는 한 죽을 때까지 부부로 살아야 하거든.
금혼식.
그 특별한 사유에 해당되는 것 두 가지는 간통 또는 악행이야.
간통
악행
이때 결백한 쪽은
결백!!
의회로부터 다른 사람과의 결혼 허가를 받을 수 있어.
재혼허가서
그 대신 잘못을 범한 쪽은 망신을 당하는 것은 물론이고
A
평생 독신 생활을 하라는 선고를 받아.
원 밖으로 나오지 마.
평생독신형
그러나 아내 자신의 과실이 아닌데도
아내가 육체적으로 결함이 있다고 해서
남편이 아내를 버리는 일은 금지되어 있어.
이혼.
절대 불가!!
NO

반면에 부부끼리 서로 합의하면
이혼할 수도 있어.
갈라서!
좋아!
그러나 트라이니보루스들과
그 아내들이 나서서
철저하게 조사를 한 후에
이혼사유서
이혼 서류
허가를 내기 때문에 어지간해서는
이혼이 쉽지 않아.
이혼 불허!!
그들은 이혼을 쉽게 허용하면
이혼
허가서
그만큼 결혼 생활이 쉽게 파탄날
것이라고 우려하기 때문이야.
빵
간통한 사람들에게는 가장
가혹한 징역형이 선고돼.
간통한 쌍방이 모두 기혼자일 경우,
기혼
기혼
피해자들은 원하면 이혼을 하고
다른 사람과 결혼할 수 있어.
이 혼
이 혼
그러나 자신을 배신한 배우자를
여전히 사랑한다고 하면,
Still Loving
You~
흑-
죄수가 된 그 배우자의 노동을
거들어 준다는 조건 하에
그들의 결혼 생활이 허용되지.

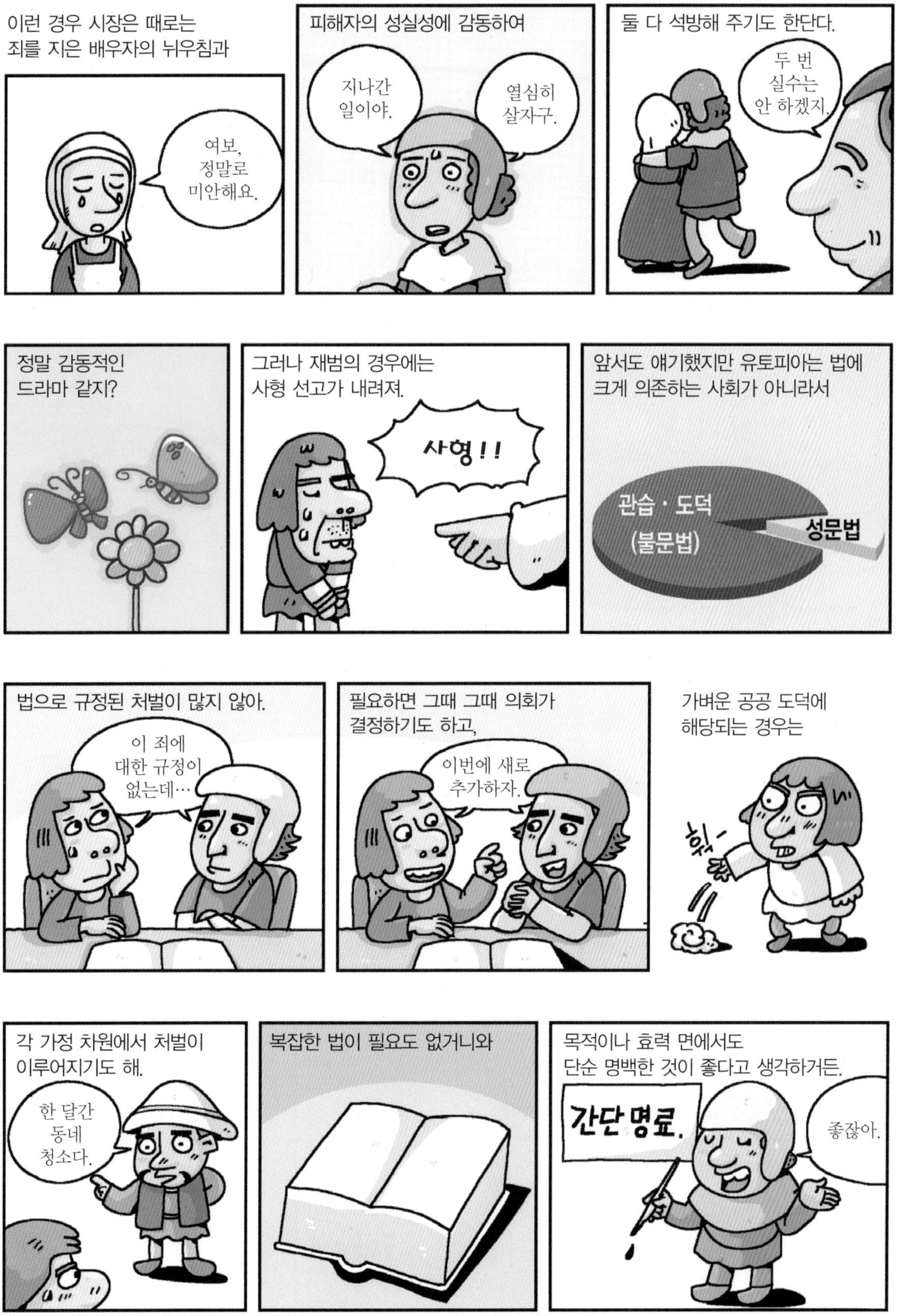
이런 경우 시장은 때로는
죄를 지은 배우자의 뉘우침과
여보, 정말로 미안해요.
피해자의 성실성에 감동하여
지나간 일이야.
열심히 살자구.
둘 다 석방해 주기도 한단다.
두 번 실수는 안 하겠지.
정말 감동적인 드라마 같지?
그러나 재범의 경우에는 사형 선고가 내려져.
사형!!
앞서도 얘기했지만 유토피아는 법에 크게 의존하는 사회가 아니라서
관습 · 도덕 (불문법)
성문법
법으로 규정된 처벌이 많지 않아.
이 죄에 대한 규정이 없는데…
필요하면 그때 그때 의회가 결정하기도 하고,
이번에 새로 추가하자.
가벼운 공공 도덕에 해당되는 경우는
휙-
각 가정 차원에서 처벌이 이루어지기도 해.
한 달간 동네 청소다.
복잡한 법이 필요도 없거니와
목적이나 효력 면에서도 단순 명백한 것이 좋다고 생각하거든.
간단명료.
좋잖아.

'법' 이란 국가권력에 의하여 강제되는 사회규범이야.
들어가.
법이 꼭 필요한 것이냐고 의문을 제기하는 사람도 있지.
법
그리스도교의 교리,
하늘의 법.
무정부주의,
어떤 형태든 권력은 반대!
anachism
자유방임주의,
정부 간섭의 최소화.
J.S.밀
마르크스주의,
유물론.
마르크스
성선설 등에서는 법을 필요 없는 것으로 봤어.
인간은 원래 착한 거야.
맹자
그러나 사람이 있고 사회가 있는 곳에는 법이 있어야 해.
신호위반 단속 카메라
사회의 혼란을 해결하고
조화와 복지를 도모하기 위한
강제적 장치가 어떤 식으로든 필요하거든.
신호위반 입니다.
유토피아에서는 중한 죄를 지은 죄수는 노예가 되어 강제 노역을 하게 되어 있어.
유토피아인들은 죄수를 사형에 처하느니
노예로 만드는 것이 여러 모로 유익하다고 생각하거든.

재범도 방지할 수 있고,
노동력으로도 쓸모 있고,
범죄 억제의 효과도 있다고 보는 거야.
죄 짓지 말아야지.
그러나 죄수가 이러한 처벌에 반발하거나 형무소의 규칙을 따르지 않으면
일 안 해!!
가차 없이 사형에 처하지.
사형장
대신 죄수가 노예 생활을 모범적으로 하고 진심으로 죄를 반성하는 기색이 보이면
참회하는 마음으로 열심히 일하자.
시장
시장의 재량 혹은 국민 투표에 의해서, 형벌이 줄어 들거나 취소될 수도 있어.
사면!
시장
사면은 예로부터 통치자의 특권이었어.
국왕이 국가에 경사가 있을 때나
탄원·청원이 있을 때,
탄원서
또는 정치적 이유로 그 필요성이 인정될 때
지지율 떨어지는 소리가 들리는군.
죄인들은 풀어주거나 형벌을 감해주었지.
국왕폐하 만세!!
당시의 사면은 군주의 특권적인 자비로 베풀어졌기 때문에 은사라고도 불렸어.
은혜로운(恩) 용서(赦)라 해서 은사라 하자.
표정관리 들어가고
군주의 은사 행위가 민주국가에 계승된 것이 바로 현대의 사면 제도란다.
3·1절 특별사면
전면광고
국민화합 위해…,
사면발표하는 대통령
희망을 부르는 꿈

유토피아에서는 죄를 저지르도록 남을 부추기는 행위도
화끈하게 저질러 봐.
비록 부추기는 데 실패했다 하더라도 똑같이 처벌을 받아.
얘가 자꾸 부추겼어요.
죄를 범하려고 했으나 그 목적을 이루지 못한 미수범에 대해서도,
죄를 범한 것으로 간주해서 엄하게 처벌하고 있어.
엉엉~ 실행에 옮기지도 못했는데…
범죄에 성공하지 못한 것은 그의 탓이 아닌데
어째서 실패했다고 그를 신용할 수 있겠느냐는 거야.
신용도 0%
한편, 법률적인 처벌은 아니라 하더라도
도덕적으로 비난 받는 행위들이 있어.
도덕
유토피아 사람들은 지능이 떨어지는 바보를 모욕하는 것은 매우 나쁜 행위로 간주해.
헤헤…
바보!
나쁜 녀석!!
모어 자신도 헨리 페이튼슨이라는 바보를 보호하고 있었다고 해.
헤헤헤
바보는 지능이 빈약하여 사회적 권리도 행사할 수 없고, 책임감도 없기 때문에
헤헤, 비 온다.
사회적으로 보호해 주어야 한다고 생각하는 거지.

그리고 기형이나 불구인 사람을 비웃는 행위는 오히려 비웃음을 사는 행동이야.
걷지도 못하는 주제에…
배려도 못하는 주제에…
자기 힘으로 어쩔 수 없는 결함을 갖고 놀리거나 멸시하는 행위는 아주 어리석은 짓이거든.
내 의지가 아닌 걸 어떡해?
내 다리보다 네 마음을 먼저 고쳐야 겠어.
또한 재미있는 것은 자신의 자연적인 아름다움을 간직하려고 노력하지 않는 사람은 게으른 사람으로 여겨지긴 하지만,
관리 좀 하시지?
유토피아인들은 얼굴에 화장하는 것을
아주 반대한다는 점이야.
Make up
유토피아 사람들이 경험으로 터득한 건
남자가 여자에게서 구하는 것은 아름다운 외모가 아니라
NO
아름다운 마음씨라는 거지.
여자의 아름다운 얼굴은
처음 남자의 마음을 사로잡는 데는 효과적일지 몰라도
남자의 사랑을 지속시키는 것은 결국 훌륭한 인품과 성격이라는군.

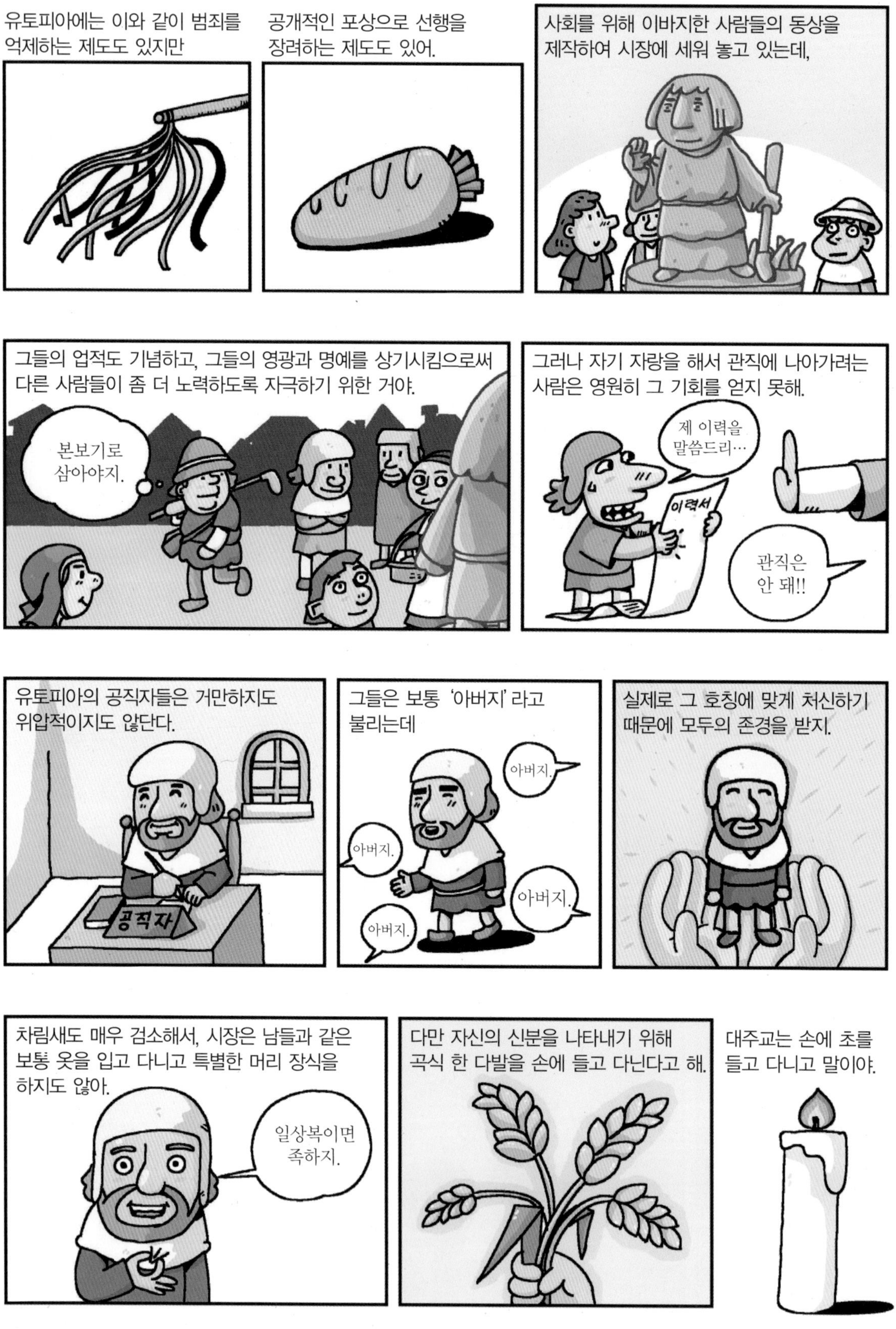

유토피아에는 이와 같이 범죄를 억제하는 제도도 있지만
공개적인 포상으로 선행을 장려하는 제도도 있어.
사회를 위해 이바지한 사람들의 동상을 제작하여 시장에 세워 놓고 있는데,
그들의 업적도 기념하고, 그들의 영광과 명예를 상기시킴으로써 다른 사람들이 좀 더 노력하도록 자극하기 위한 거야.
본보기로 삼아야지.
그러나 자기 자랑을 해서 관직에 나아가려는 사람은 영원히 그 기회를 얻지 못해.
제 이력을 말씀드리…
이력서
관직은 안 돼!!
유토피아의 공직자들은 거만하지도 위압적이지도 않단다.
공직자
그들은 보통 '아버지'라고 불리는데
아버지.
아버지.
아버지.
아버지.
실제로 그 호칭에 맞게 처신하기 때문에 모두의 존경을 받지.
차림새도 매우 검소해서, 시장은 남들과 같은 보통 옷을 입고 다니고 특별한 머리 장식을 하지도 않아.
일상복이면 족하지.
다만 자신의 신분을 나타내기 위해 곡식 한 다발을 손에 들고 다닌다고 해.
대주교는 손에 초를 들고 다니고 말이야.

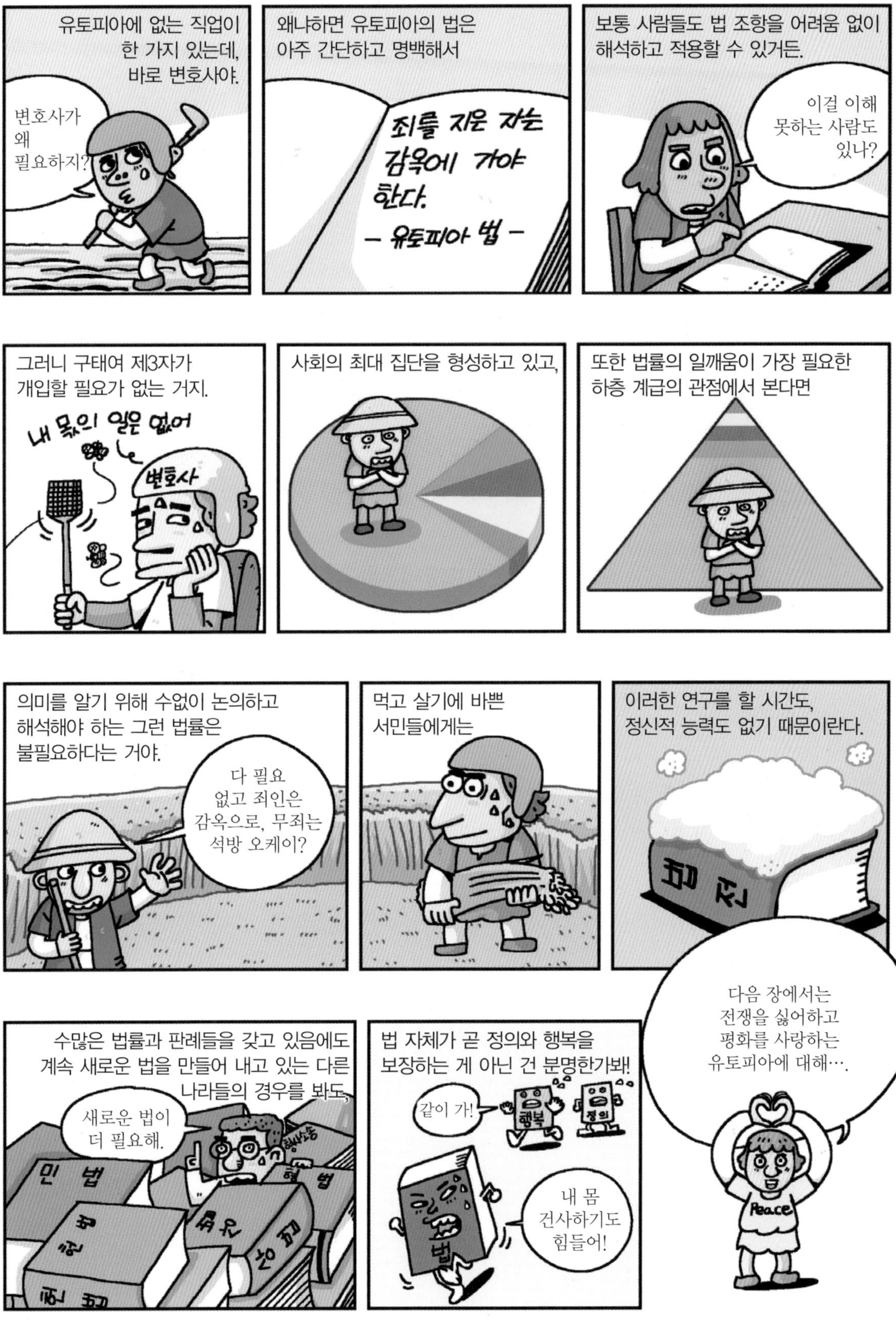
유토피아에 없는 직업이 한 가지 있는데, 바로 변호사야.
변호사가 왜 필요하지?
왜냐하면 유토피아의 법은 아주 간단하고 명백해서
죄를 지은 자는 감옥에 가야 한다.
– 유토피아 법 –
보통 사람들도 법 조항을 어려움 없이 해석하고 적용할 수 있거든.
이걸 이해 못하는 사람도 있나?
그러니 구태여 제3자가 개입할 필요가 없는 거지.
내 몫의 일은 없어
변호사
사회의 최대 집단을 형성하고 있고,
또한 법률의 일깨움이 가장 필요한 하층 계급의 관점에서 본다면
의미를 알기 위해 수없이 논의하고 해석해야 하는 그런 법률은 불필요하다는 거야.
다 필요 없고 죄인은 감옥으로, 무죄는 석방 오케이?
먹고 살기에 바쁜 서민들에게는
이러한 연구를 할 시간도, 정신적 능력도 없기 때문이란다.
수많은 법률과 판례들을 갖고 있음에도 계속 새로운 법을 만들어 내고 있는 다른 나라들의 경우를 봐도,
새로운 법이 더 필요해.
민 법
법 자체가 곧 정의와 행복을 보장하는 게 아닌 건 분명한가봐!
같이 가!
행복
정의
법
내 몸 건사하기도 힘들어!
다음 장에서는 전쟁을 싫어하고 평화를 사랑하는 유토피아에 대해….
Peace

법과 도덕은 어떻게 다를까?

우리 인간 사회에는 사회를 지탱하는 데 필요한 여러 가지 규범이 있는데, 예를 들자면 도덕, 종교, 관습 등입니다. 그러나 점차 사회가 발전하고, 국가가 건설되면서 법이 국가와 사회 규범의 중심이 되었습니다.

법이 독립된 규범으로 사회 질서를 유지하는 가장 강력한 수단이 되었지만, 아직까지 도덕이나 관습 역시 우리 사회에 큰 영향력을 발휘하고 있습니다. 예를 들어 부모를 공경해야 한다는 법은 따로 제정되어 있지 않지만, 그 어떤 법보다 더욱 우선시 되죠. 이럴 경우에는 법보다 도덕이 더 강력한 규범이 되는 셈이지요. 그러므로 가끔 법과 도덕의 차이점이 무엇인지 헷갈리는 경우가 생기기도 한답니다.

한손엔 칼을, 한손엔 저울을 들고, 눈을 가리고 있는 정의의 여신.

중세 시대 유명한 철학자 토마스 아퀴나스는 법을 정의의 표현으로 보았습니다. 그는 법은 타인과의 관계에서 존재하는 덕목이므로 외적으로 나타내는 행동과 관련이 있다고 했어요. 그리고 17세기의 철학자 토마지우스는 '법은 인간의 외적 행위를, 도덕은 인간의 내적 행위를 대상으로 하는 규범'이라는 말을 했어요. 그래서 그는 '사색에는 누구도 벌을 가할 수 없다.' 라는 유명한 말을 남기기도 했지요. 즉, 법은 외부에 나타난 행동에만 관계하지만, 도덕은 마음으로 저지르는 죄도 부정한 행위로 본다는 뜻입니다. 어떤 사람은 '법은 내면을 바라보면서도 그 관심 방향은 외부에 있고, 도덕은 외면을 바라보면서 관심 방향은 내면에 두고 있다.' 고 말하기도 했지요.

법은 국가가 강제적인 방법을 동원하여 명령을 실현시킬 수 있지만, 도덕은 이러한 강제력을 가지고 있지 않으며, 가질 수도 없다는 점이 큰 차이입니다. 또한 법은 한 국가 안에서 효력을 갖고 있는 강제 규범으로 국가가 법의 원천이지요. 반면에 도덕은 사회적인 가치관이나 문화에 의해서 통제를 받는 규범으로 그 위반에 대해서는 사회의 비난을 받는 것으로 그칠 뿐이랍니다. 뿐만 아니라 법은 외부적인 힘에 의지하는 타율적인 규범인 반면에, 도덕은 인간의 양심에 바탕을 두는 자율적인 규범이라는 본질적인 차이점을 가지고 있습니다.

가운데 위에 있는 사람이 토마스 아퀴나스이다.

예를 들어 '사람을 살해한 자는 사형 · 무기 또는 5년 이상의 징역에 처한다.(형법 제250조)' 고 하는 규정은 법으로서 자기를 규율하려는 것이 아니라 타인을 규율하는 데 목적을 두지요. 반면에 '사람을 살해할 마음을 가지는 사람은 이미 인간이 아니다.' 라는 가치관은 도덕으로 자기와 타인을 규율하는 데 목적을 두는 것이랍니다.

그리고 법은 현실을, 도덕은 이상을 목표로 하므로 법 규범은 최소한으로 실천할 수 있는 것만을 내용으로 합니다. 하지만 도덕은 '네 이웃을 내 몸과 같이 사랑하라.' 와 같이 인간 누구나가 쉽게 실천할 수 없는 이상적인 내용을 요구하고 있지요. 그렇다고 법에서 높은 이상을 무시한다는 것은 아니에요. 마찬가지로 도덕에서도 공중도덕과 같은 현실적인 내용도 포함하고 있다는 점을 무시해서는 안 되지요. '법은 죽은 것이며, 법을 살리는 것은 인간이다.' 라는 유명한 말이 있어요. 이때 법을 살리는 인간을 건강하게 지키는 것이 도덕이라고 한다면, 법보다 도덕이 우리 인간에게 더 중요한 규범이라는 생각이 들어요.

관습
성문법

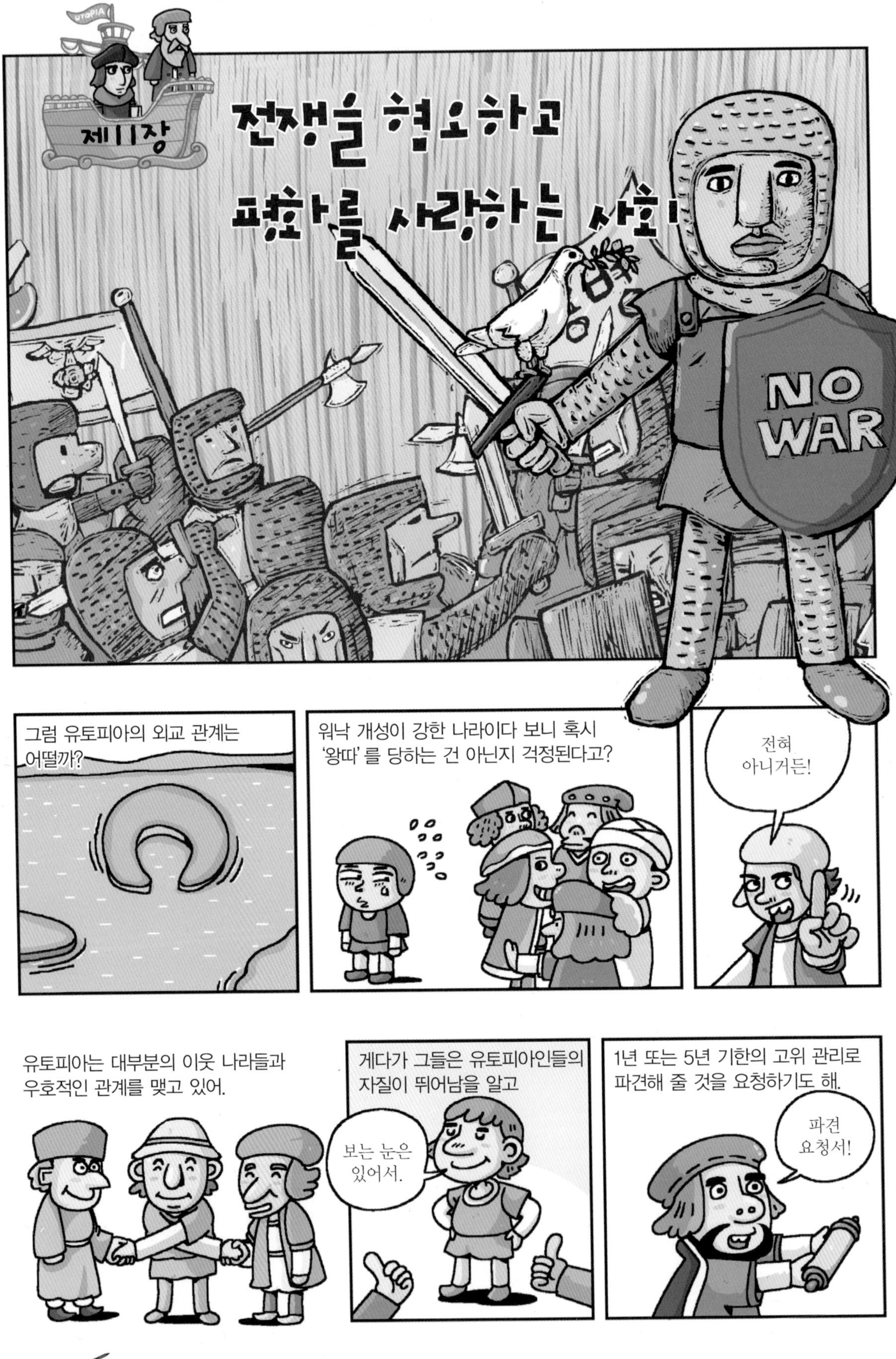
제11장
전쟁을 혐오하고
평화를 사랑하는 사회
NO WAR
그럼 유토피아의 외교 관계는 어떨까?
워낙 개성이 강한 나라이다 보니 혹시 '왕따'를 당하는 건 아닌지 걱정된다고?
전혀 아니거든!
유토피아는 대부분의 이웃 나라들과 우호적인 관계를 맺고 있어.
게다가 그들은 유토피아인들의 자질이 뛰어남을 알고
보는 눈은 있어서.
1년 또는 5년 기한의 고위 관리로 파견해 줄 것을 요청하기도 해.
파견 요청서!

파견된 관리가 임기를 마치고 돌아올 때는 명예와 존경을 한 몸에 받고 귀국하지.
파견 관리 귀국 환영
유토피아인들이 인기가 높은 이유는 우선, 재물에 초연하기 때문에 부정부패의 염려가 없어서야.
NO
파견 기간이 끝나면
임기만료
사유재산이 없는 고국으로 돌아가기 때문에
음~ 고향의 향기.
굳이 돈을 모을 필요가 없기 때문이지.
쓸 데도 없다고.
게다가 그곳 사람들과 개인적 친분이 없으니
나는 자유인!
사사로운 인연에 이끌려
아~
잘못된 판단을 내릴 일도 없잖아?
크윽~ 오판을 내리다니.
이러한 자질은 특히 판사에게 중요해.
개인적인 선입견과 재물에 대한 탐욕이야말로
신성한 법정을 위협하는 2대 악이거든.
어이 형씨.
선입견
탐욕
법

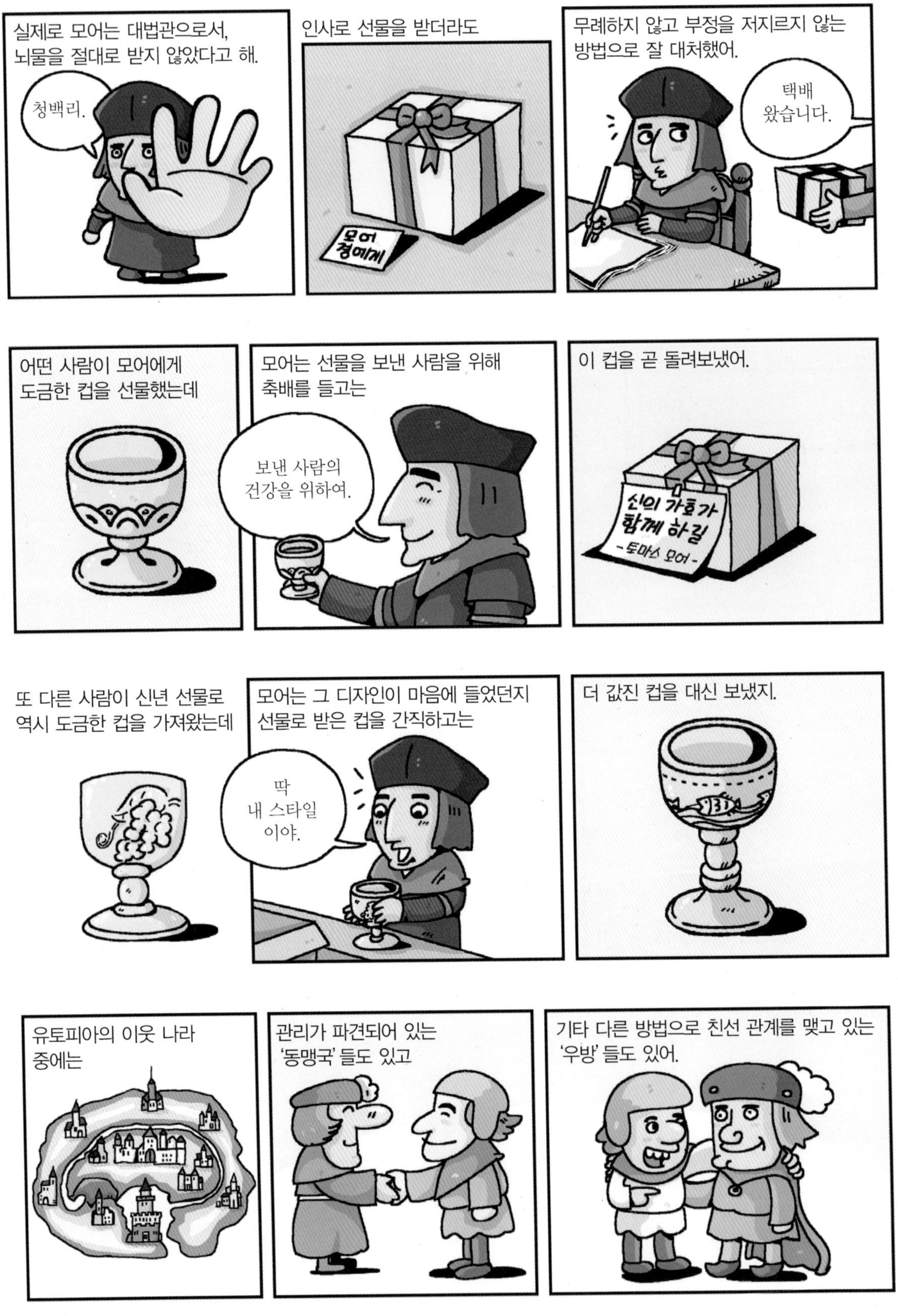
실제로 모어는 대법관으로서,
뇌물을 절대로 받지 않았다고 해.
청백리.
인사로 선물을 받더라도
모어 경에게
무례하지 않고 부정을 저지르지 않는 방법으로 잘 대처했어.
택배 왔습니다.
어떤 사람이 모어에게
도금한 컵을 선물했는데
모어는 선물을 보낸 사람을 위해
축배를 들고는
보낸 사람의 건강을 위하여.
이 컵을 곧 돌려보냈어.
신의 가호가 함께 하길
-토마스 모어-
또 다른 사람이 신년 선물로
역시 도금한 컵을 가져왔는데
모어는 그 디자인이 마음에 들었던지
선물로 받은 컵을 간직하고는
딱 내 스타일이야.
더 값진 컵을 대신 보냈지.
유토피아의 이웃 나라
중에는
관리가 파견되어 있는
'동맹국' 들도 있고
기타 다른 방법으로 친선 관계를 맺고 있는
'우방' 들도 있어.

그렇지만 유토피아는 무슨 친선조약이나
우호조약 같은 걸 체결한 적은 결코 없어.
조약서
왜냐하면 조약이라는 것 자체를 불필요하고 무의미한 것으로
여기거든.
조약은
의미가 없어.
조약
조약
조약
모든 인간은 자연적으로 이미
동지나 다름 없는데
이런 기본적인 유대가
무시된다면
유대
몇 마디 문구에 지나지 않는
조약이 무슨 의미가
있겠느냐는 거야.
문구
문구
사실 현대 사회에서도
21세기
계약서니, 합의서니
계약서
합의서
계약서
합의서
수많은 문서들이 오고 가지만
문서
정작 중요한 것은 믿음 아니겠니?
믿고 일하자.
신뢰로 맺어진 사이라면
사람(人)
이
말(言)
로써
믿는다.
信
굳이 문서가 필요 없거든.
약속

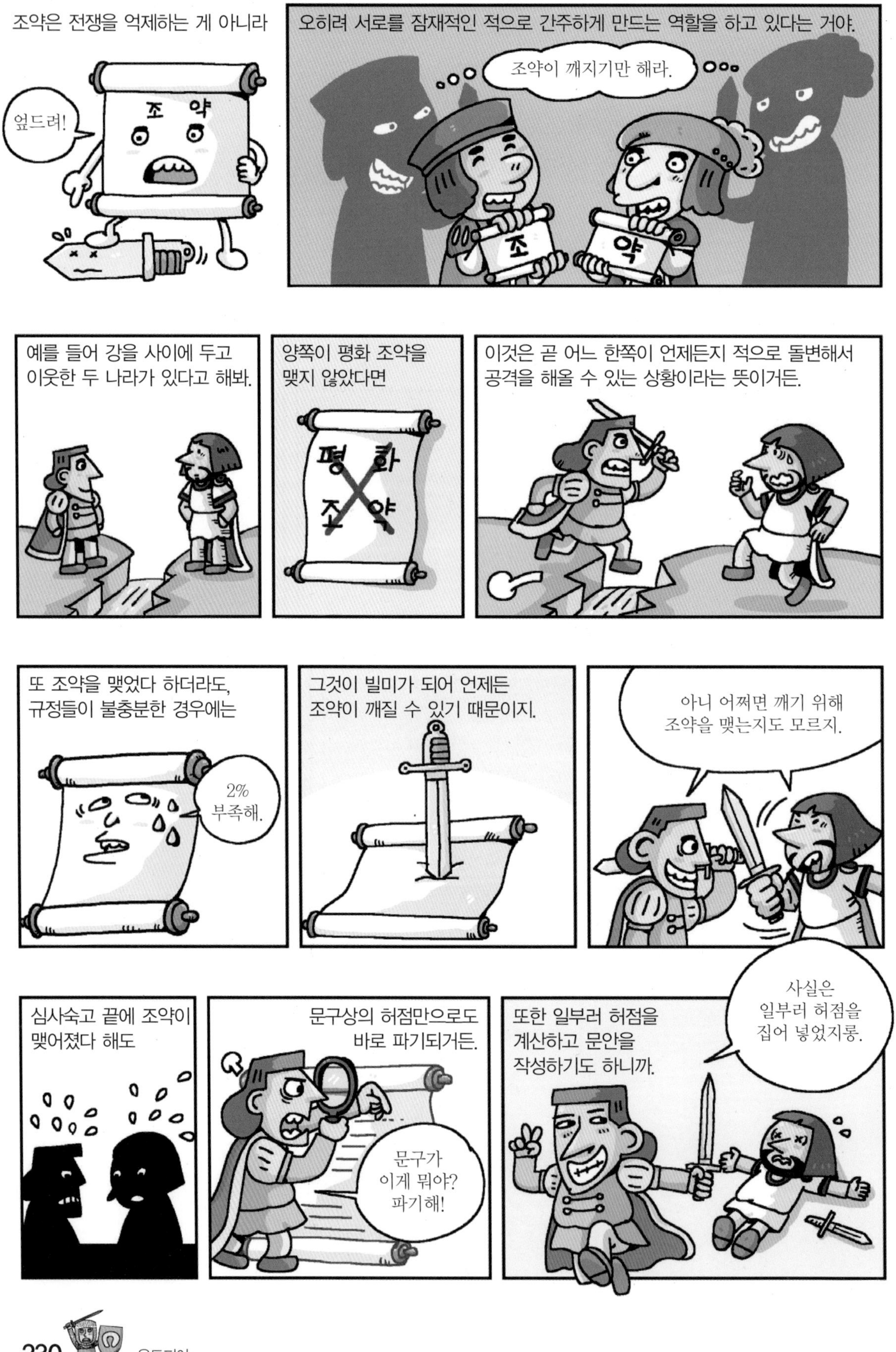

조약은 전쟁을 억제하는 게 아니라
조 약
엎드려!
오히려 서로를 잠재적인 적으로 간주하게 만드는 역할을 하고 있다는 거야.
조약이 깨지기만 해라.
조
약
예를 들어 강을 사이에 두고 이웃한 두 나라가 있다고 해봐.
양쪽이 평화 조약을 맺지 않았다면
평 화 조 약
이것은 곧 어느 한쪽이 언제든지 적으로 돌변해서 공격을 해올 수 있는 상황이라는 뜻이거든.
또 조약을 맺었다 하더라도, 규정들이 불충분한 경우에는
2% 부족해.
그것이 빌미가 되어 언제든 조약이 깨질 수 있기 때문이지.
아니 어쩌면 깨기 위해 조약을 맺는지도 모르지.
심사숙고 끝에 조약이 맺어졌다 해도
문구상의 허점만으로도 바로 파기되거든.
문구가 이게 뭐야? 파기해!
또한 일부러 허점을 계산하고 문안을 작성하기도 하니까.
사실은 일부러 허점을 집어 넣었지롱.

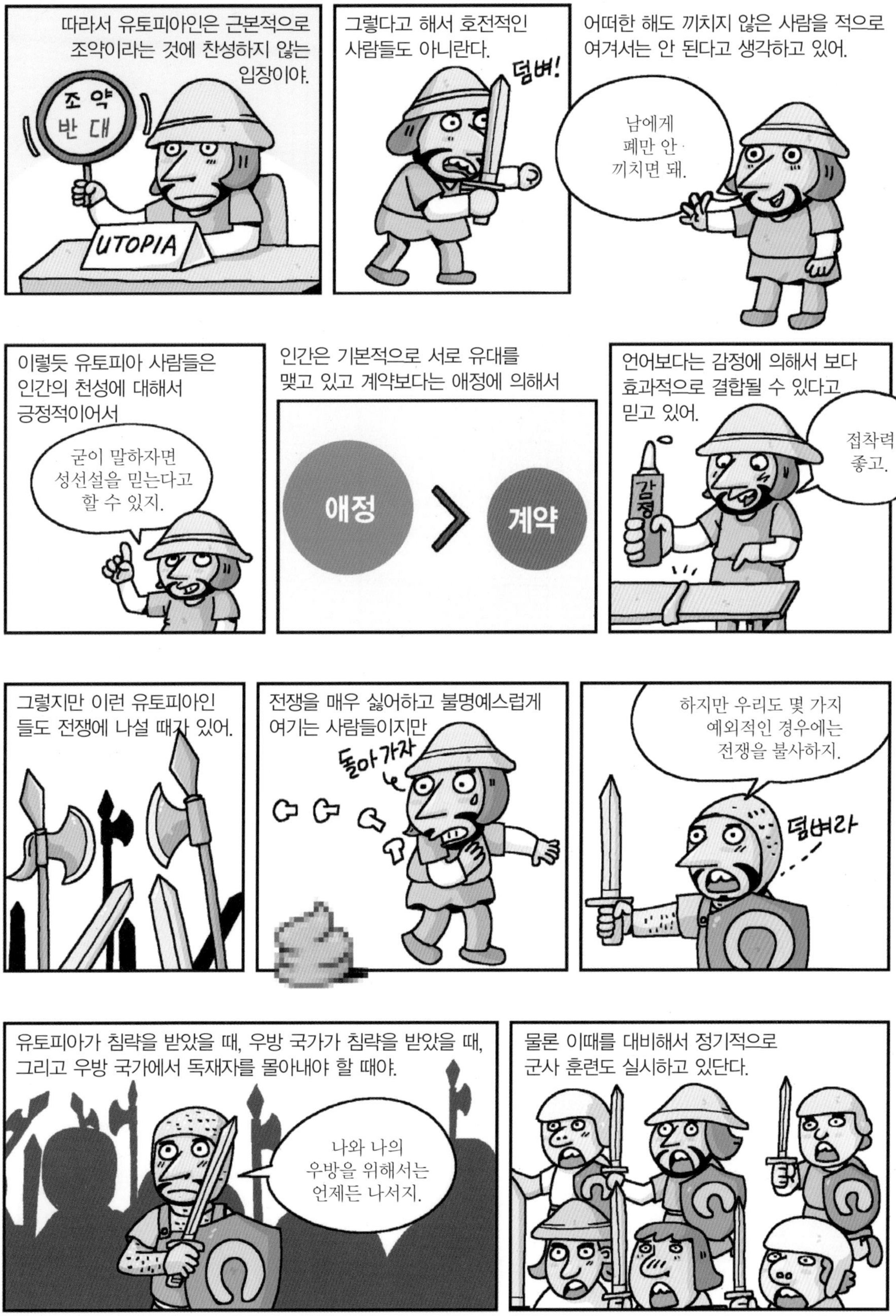
따라서 유토피아인은 근본적으로 조약이라는 것에 찬성하지 않는 입장이야.
조 약 반 대
UTOPIA
그렇다고 해서 호전적인 사람들도 아니란다.
덤벼!
어떠한 해도 끼치지 않은 사람을 적으로 여겨서는 안 된다고 생각하고 있어.
남에게 폐만 안 끼치면 돼.
이렇듯 유토피아 사람들은 인간의 천성에 대해서 긍정적이어서
굳이 말하자면 성선설을 믿는다고 할 수 있지.
인간은 기본적으로 서로 유대를 맺고 있고 계약보다는 애정에 의해서
애정
계약
언어보다는 감정에 의해서 보다 효과적으로 결합될 수 있다고 믿고 있어.
감정
접착력 좋고.
그렇지만 이런 유토피아인들도 전쟁에 나설 때가 있어.
전쟁을 매우 싫어하고 불명예스럽게 여기는 사람들이지만
돌아 가자
하지만 우리도 몇 가지 예외적인 경우에는 전쟁을 불사하지.
덤벼라
유토피아가 침략을 받았을 때, 우방 국가가 침략을 받았을 때, 그리고 우방 국가에서 독재자를 몰아내야 할 때야.
나와 나의 우방을 위해서는 언제든 나서지.
물론 이때를 대비해서 정기적으로 군사 훈련도 실시하고 있단다.

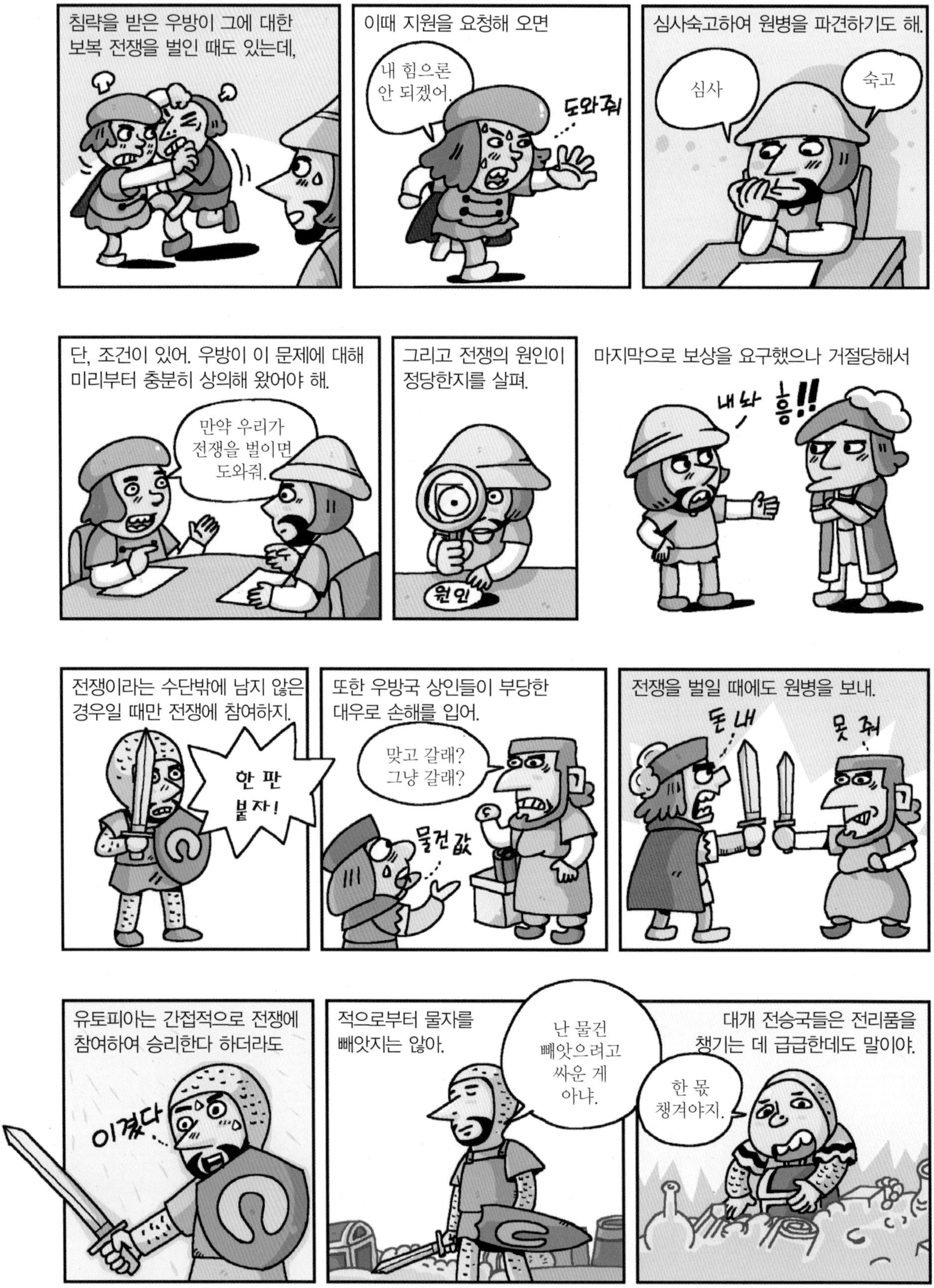
침략을 받은 우방이 그에 대한 보복 전쟁을 벌인 때도 있는데,
이때 지원을 요청해 오면
내 힘으론 안 되겠어.
도와줘
심사숙고하여 원병을 파견하기도 해.
심사
숙고
단, 조건이 있어. 우방이 이 문제에 대해 미리부터 충분히 상의해 왔어야 해.
만약 우리가 전쟁을 벌이면 도와줘.
그리고 전쟁의 원인이 정당한지를 살펴.
원인
마지막으로 보상을 요구했으나 거절당해서
내놔
흥!!
전쟁이라는 수단밖에 남지 않은 경우일 때만 전쟁에 참여하지.
한 판 붙자!
또한 우방국 상인들이 부당한 대우로 손해를 입어.
맞고 갈래? 그냥 갈래?
물건값
전쟁을 벌일 때에도 원병을 보내.
돈 내
못 줘
유토피아는 간접적으로 전쟁에 참여하여 승리한다 하더라도
이겼다
적으로부터 물자를 빼앗지는 않아.
난 물건 빼앗으려고 싸운 게 아냐.
대개 전승국들은 전리품을 챙기는 데 급급한데도 말이야.
한 몫 챙겨야지.

유토피아는 자국민이 외국과의 상거래에서 금전적 손해를 입은 경우에는 관대해.
그까짓 돈 몇 푼.
하지만 신체적 피해를 입은 경우에는 철저하게 조사하고 단호하게 대처하지.
뭐? 맞고 왔어?
필요하다면 전쟁을 선포하기도 하고,
전쟁이다!
그러나 유토피아인들은 싸우지 않고 이기는 것을 최상으로 여겨.
항복!
지혜를 이용해서 적을 굴복시키는 것 말이야.
머리를 써야지.
그들은 이러한 승리는 개선 경축식을 열고,
와— 만세~ 와—
또 영웅적 행위를 찬양하기 위하여
전승 기념비를 세워서 축하해.
전승기념비
인간만의 능력인 이성으로 획득한 승리야말로 진정한 승리라는 거야.
이성
그들은 짐승만이 신체적인 싸움을 한다고 보는 거야.
그래서 그들은 가능한 한 전쟁을 피하는 방법으로 승리하고자 애쓰지.
나는 이 방법을 권하지.
싸우지 않고 이기는 방법
벌모(伐模) =>상대방의 싸우려고 하는 의지를 꺾어서 전쟁 없이 승리
벌교(伐交) =>주변의 외교관계를 끊어 놓아라.
손자

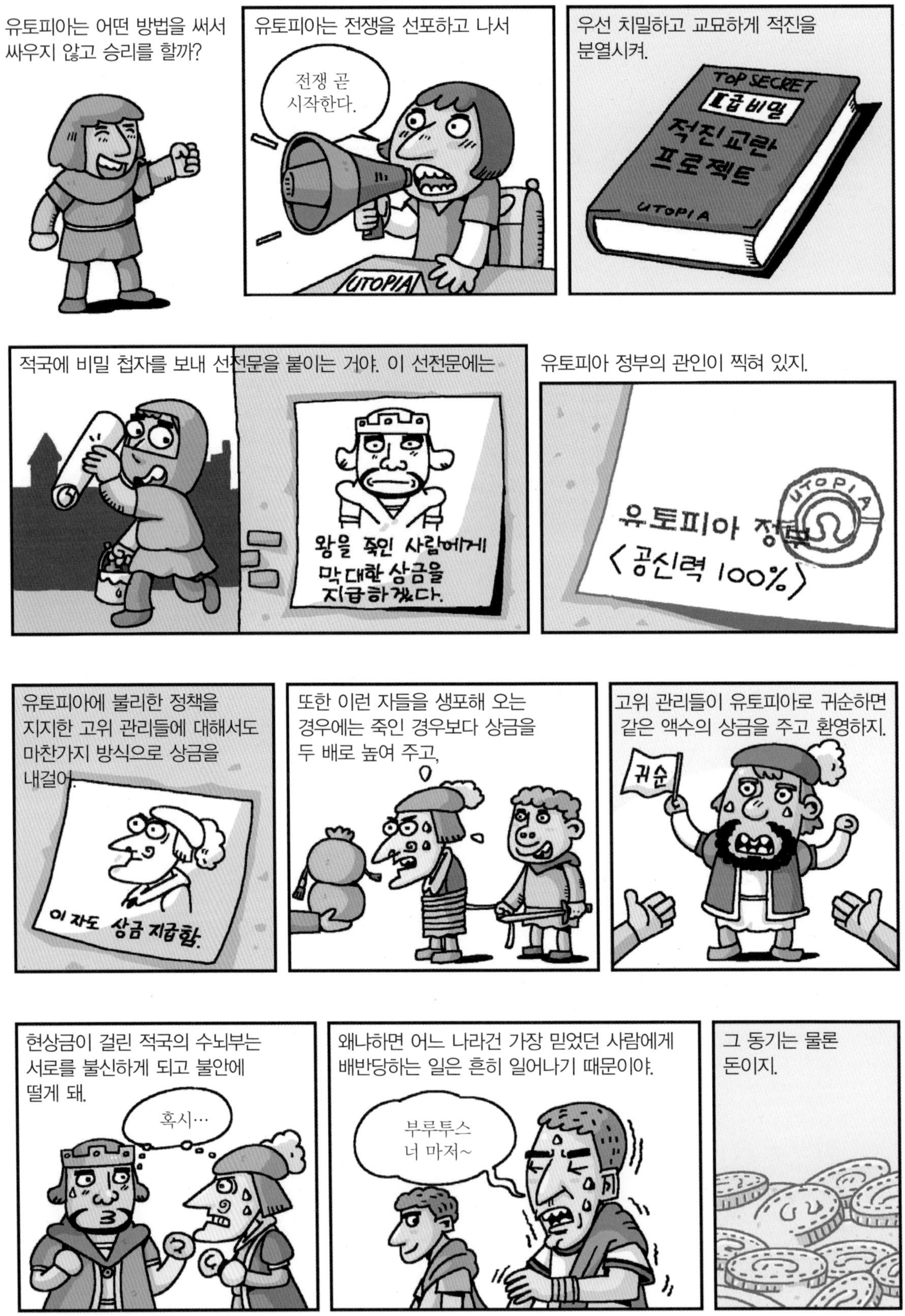
유토피아는 어떤 방법을 써서 싸우지 않고 승리를 할까?
유토피아는 전쟁을 선포하고 나서
전쟁 곧 시작한다.
UTOPIA
우선 치밀하고 교묘하게 적진을 분열시켜.
TOP SECRET
1급 비밀
적진교란 프로젝트
UTOPIA
적국에 비밀 첩자를 보내 선전문을 붙이는 거야. 이 선전문에는
왕을 죽인 사람에게 막대한 상금을 지급하겠다.
유토피아 정부의 관인이 찍혀 있지.
유토피아 정부
〈공신력 100%〉
UTOPIA
유토피아에 불리한 정책을 지지한 고위 관리들에 대해서도 마찬가지 방식으로 상금을 내걸어.
이 자도 상금 지급함.
또한 이런 자들을 생포해 오는 경우에는 죽인 경우보다 상금을 두 배로 높여 주고,
고위 관리들이 유토피아로 귀순하면 같은 액수의 상금을 주고 환영하지.
귀순
현상금이 걸린 적국의 수뇌부는 서로를 불신하게 되고 불안에 떨게 돼.
혹시…
왜냐하면 어느 나라건 가장 믿었던 사람에게 배반당하는 일은 흔히 일어나기 때문이야.
부루투스 너 마저~
그 동기는 물론 돈이지.

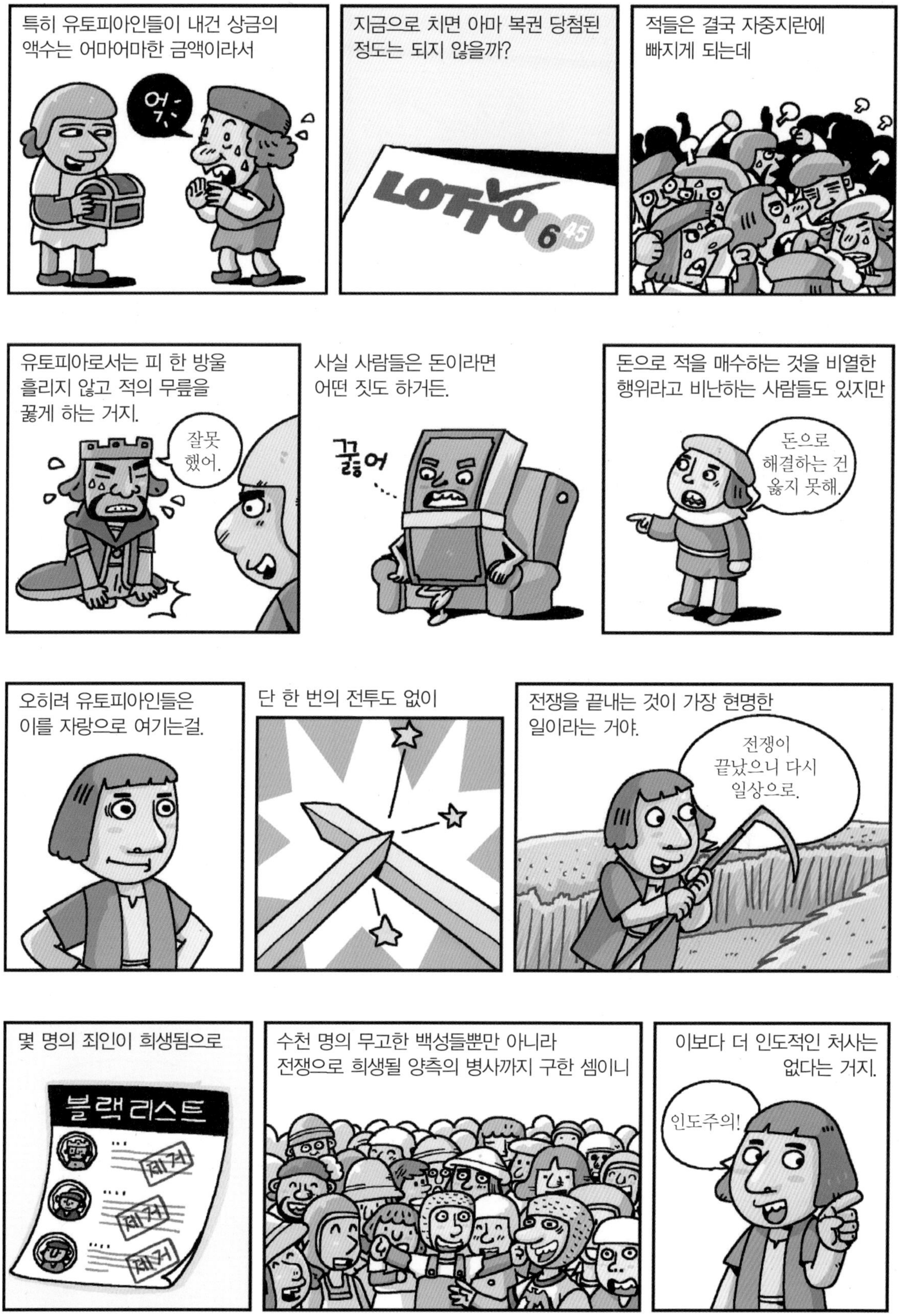
특히 유토피아인들이 내건 상금의
액수는 어마어마한 금액이라서
억-
지금으로 치면 아마 복권 당첨된
정도는 되지 않을까?
LOTTO 645
적들은 결국 자중지란에
빠지게 되는데
유토피아로서는 피 한 방울
흘리지 않고 적의 무릎을
꿇게 하는 거지.
잘못
했어.
사실 사람들은 돈이라면
어떤 짓도 하거든.
끓어
돈으로 적을 매수하는 것을 비열한
행위라고 비난하는 사람들도 있지만
돈으로
해결하는 건
옳지 못해.
오히려 유토피아인들은
이를 자랑으로 여기는걸.
단 한 번의 전투도 없이
전쟁을 끝내는 것이 가장 현명한
일이라는 거야.
전쟁이
끝났으니 다시
일상으로.
몇 명의 죄인이 희생됨으로
블랙리스트
제거
제거
제거
수천 명의 무고한 백성들뿐만 아니라
전쟁으로 희생될 양측의 병사까지 구한 셈이니
이보다 더 인도적인 처사는
없다는 거지.
인도주의!

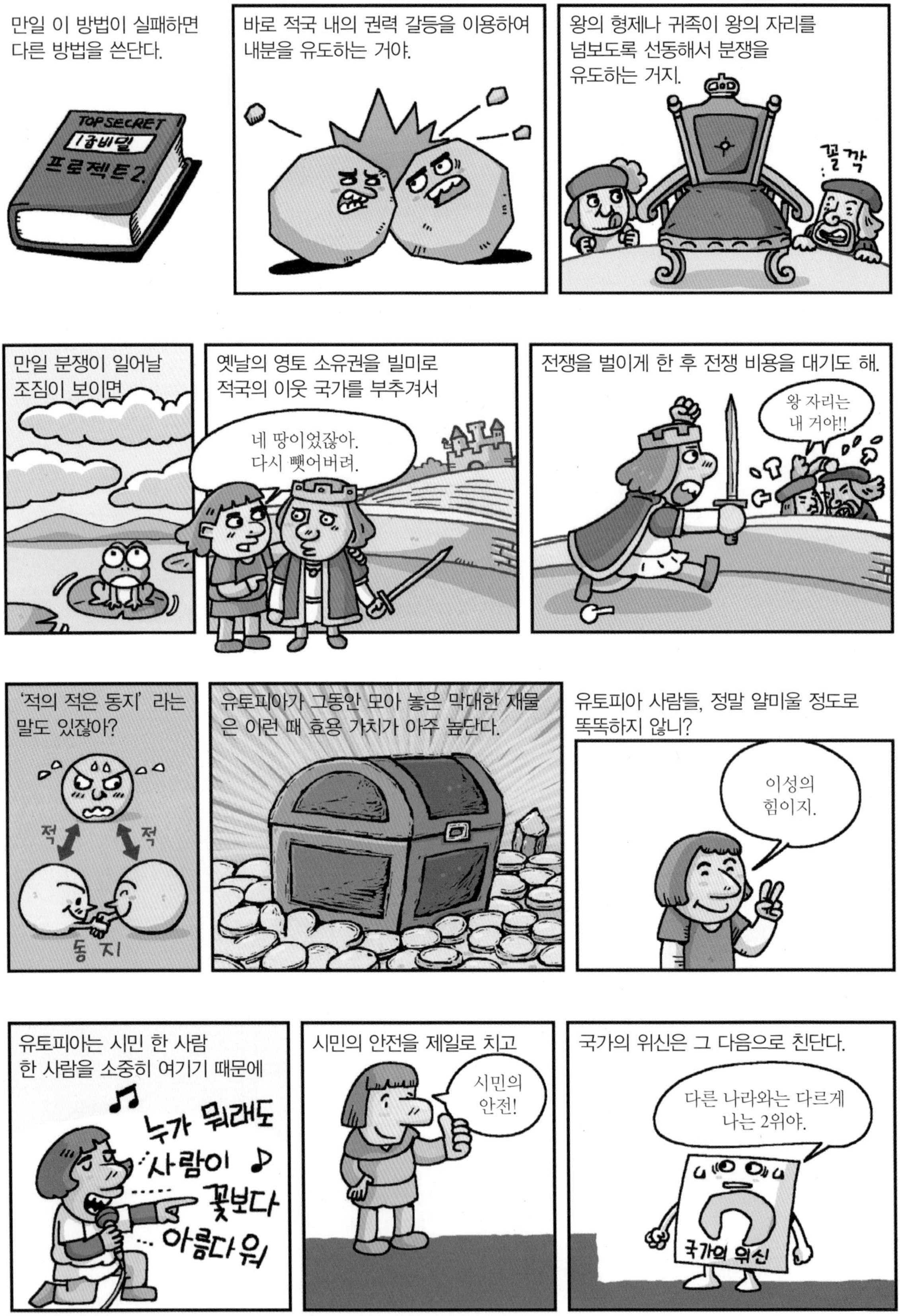
만일 이 방법이 실패하면 다른 방법을 쓴단다.
TOP SECRET
1급비밀
프로젝트2.
바로 적국 내의 권력 갈등을 이용하여 내분을 유도하는 거야.
왕의 형제나 귀족이 왕의 자리를 넘보도록 선동해서 분쟁을 유도하는 거지.
꼴깍
만일 분쟁이 일어날 조짐이 보이면
옛날의 영토 소유권을 빌미로 적국의 이웃 국가를 부추겨서
네 땅이었잖아. 다시 빼어버려.
전쟁을 벌이게 한 후 전쟁 비용을 대기도 해.
왕 자리는 내 거야!!
'적의 적은 동지' 라는 말도 있잖아?
적
적
동지
유토피아가 그동안 모아 놓은 막대한 재물은 이런 때 효용 가치가 아주 높단다.
유토피아 사람들, 정말 얄미울 정도로 똑똑하지 않니?
이성의 힘이지.
유토피아는 시민 한 사람 한 사람을 소중히 여기기 때문에
누가 뭐래도
사람이
꽃보다
아름다워
시민의 안전을 제일로 치고
시민의 안전!
국가의 위신은 그 다음으로 친단다.
다른 나라와는 다르게 나는 2위야.
국가의 위신

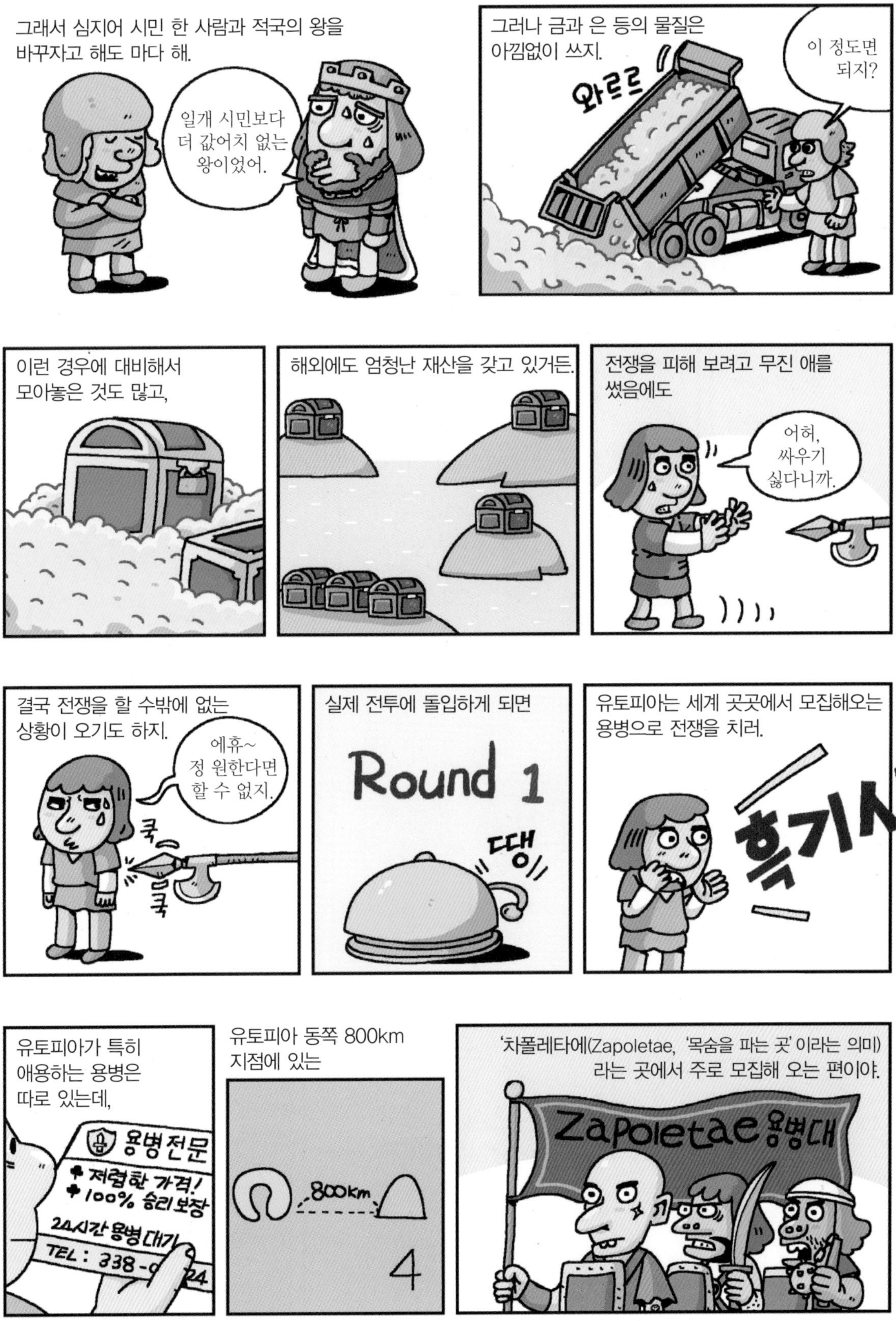
그래서 심지어 시민 한 사람과 적국의 왕을 바꾸자고 해도 마다 해.
일개 시민보다 더 값어치 없는 왕이었어.
그러나 금과 은 등의 물질은 아낌없이 쓰지.
와르르
이 정도면 되지?
이런 경우에 대비해서 모아놓은 것도 많고,
해외에도 엄청난 재산을 갖고 있거든.
전쟁을 피해 보려고 무진 애를 썼음에도
어허, 싸우기 싫다니까.
결국 전쟁을 할 수밖에 없는 상황이 오기도 하지.
에휴~ 정 원한다면 할 수 없지.
쿡
쿡
실제 전투에 돌입하게 되면
Round 1
땡
유토피아는 세계 곳곳에서 모집해오는 용병으로 전쟁을 치러.
흑기사
유토피아가 특히 애용하는 용병은 따로 있는데,
용병전문
저렴한 가격!
100% 승리보장
유토피아 동쪽 800km 지점에 있는
800km
4
'차폴레타에(Zapoletae, '목숨을 파는 곳'이라는 의미)라는 곳에서 주로 모집해 오는 편이야.
Zapoletae 용병대

차폴레타에 사람들은 험한 지역에 사는 원시적이고 야만적인 부족이야.
유토피아인이 보기에 이들은 무식하며 문명 수준이 낮고 신체적으로는 강건하니 돈을 주고 고용하는 병사로는 아주 적당한 거지.
용병으론 딱이야.
그저 돈만 ....
게다가 전쟁에 가담할 기회를 잡기만 하면
용병 모집!!
수천 명이 달려가서 싼 값에 봉사한대.
금화 닷 냥.
네 냥.
난 세 냥.
두 냥에 가겠어.
용병이란 돈에 따라 움직이기 때문에
거의 모든 전쟁에서 이쪽 편과
저쪽 편 양쪽에서
차폴레타에 사람들을 발견할 수 있어.
형님!
동생아!
같은 부대에서 전우로 함께 싸우다가
오늘은 전우!
어느 한 순간에 양쪽으로 갈라져서
내일은 적!!
서로 숙명적인 원수처럼 싸우곤 한단다.
몸값은 해야지.

이렇게 유토피아인들은 필요할 때에는
용병.
차폴레타에 사람들을 막대한 상금으로 유혹하여
위험한 전투에 참가시켜.
그런데 대부분은 살아서 돌아오지 못하니
상금을 받을 수 없지.
내 상금
그러나 살아 돌아온 자에게는
앞으로도 똑같은 모험을 할 만한 보람이 있다고 생각하도록 하기 위해 약속한 상금을 반드시 지급해.
또 불러 주슈.
그러나 유토피아인들은 전투에서 희생된 대다수의 병사들에 대해서는 별다른 책임감을 못 느껴.
책임감은 커녕 오히려,
책임감? 왜?
그들처럼 비도덕적이고 사악한 사람들을
지구상에서 제거해 버리는 것은 유익한 일이라고 생각해.

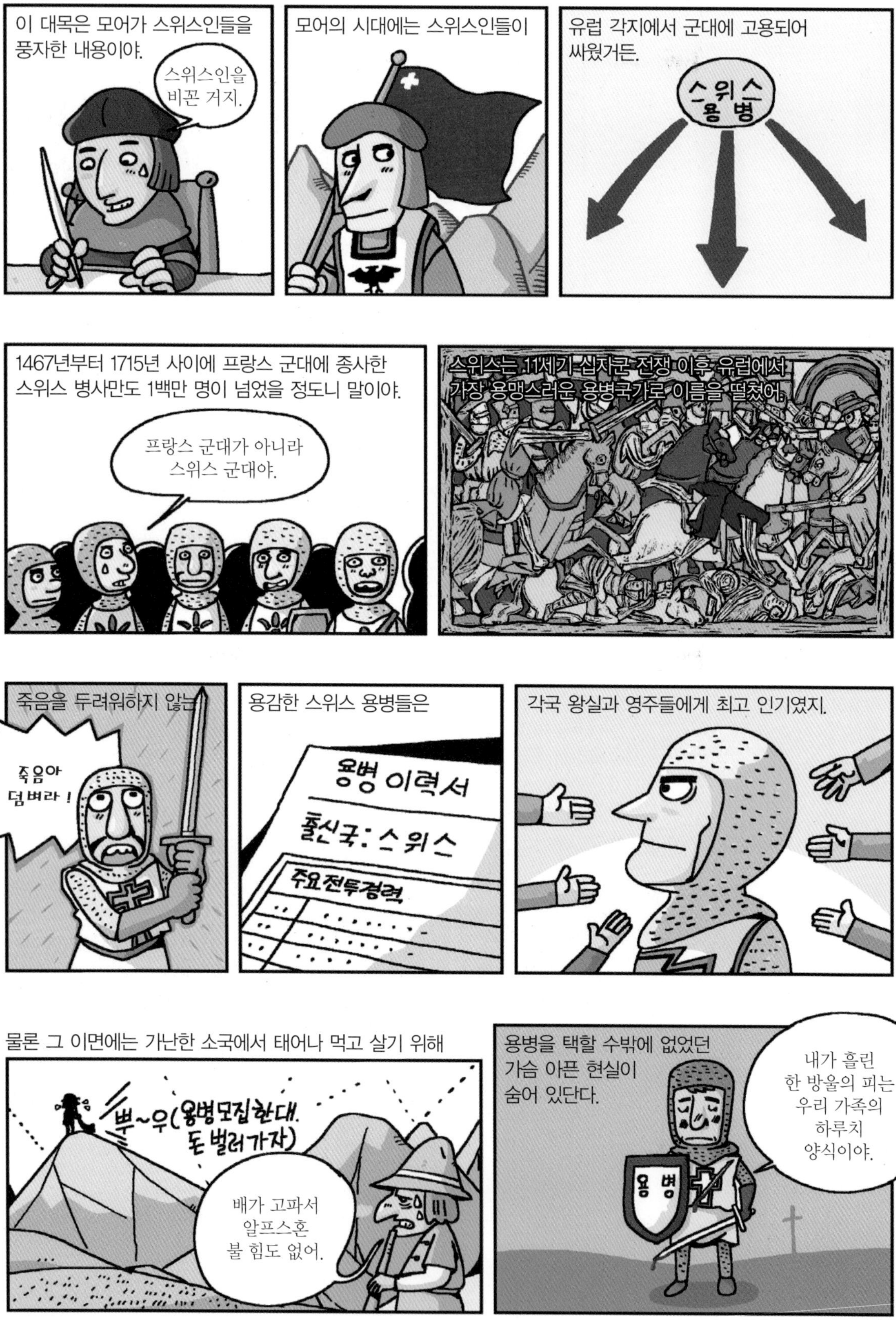
이 대목은 모어가 스위스인들을
풍자한 내용이야.
스위스인을
비꼰 거지.
모어의 시대에는 스위스인들이
유럽 각지에서 군대에 고용되어
싸웠거든.
스위스
용병
1467년부터 1715년 사이에 프랑스 군대에 종사한
스위스 병사만도 1백만 명이 넘었을 정도니 말이야.
프랑스 군대가 아니라
스위스 군대야.
스위스는 11세기 십자군 전쟁 이후 유럽에서
가장 용맹스러운 용병국가로 이름을 떨쳤어.
죽음을 두려워하지 않는
죽음아
덤벼라 !
용감한 스위스 용병들은
용병 이력서
출신국 : 스위스
주요전투경력
각국 왕실과 영주들에게 최고 인기였지.
물론 그 이면에는 가난한 소국에서 태어나 먹고 살기 위해
뿌~우(용병모집한대.
돈 벌러가자)
배가 고파서
알프스혼
불 힘도 없어.
용병을 택할 수밖에 없었던
가슴 아픈 현실이
숨어 있단다.
용 병
내가 흘린
한 방울의 피는
우리 가족의
하루치
양식이야.

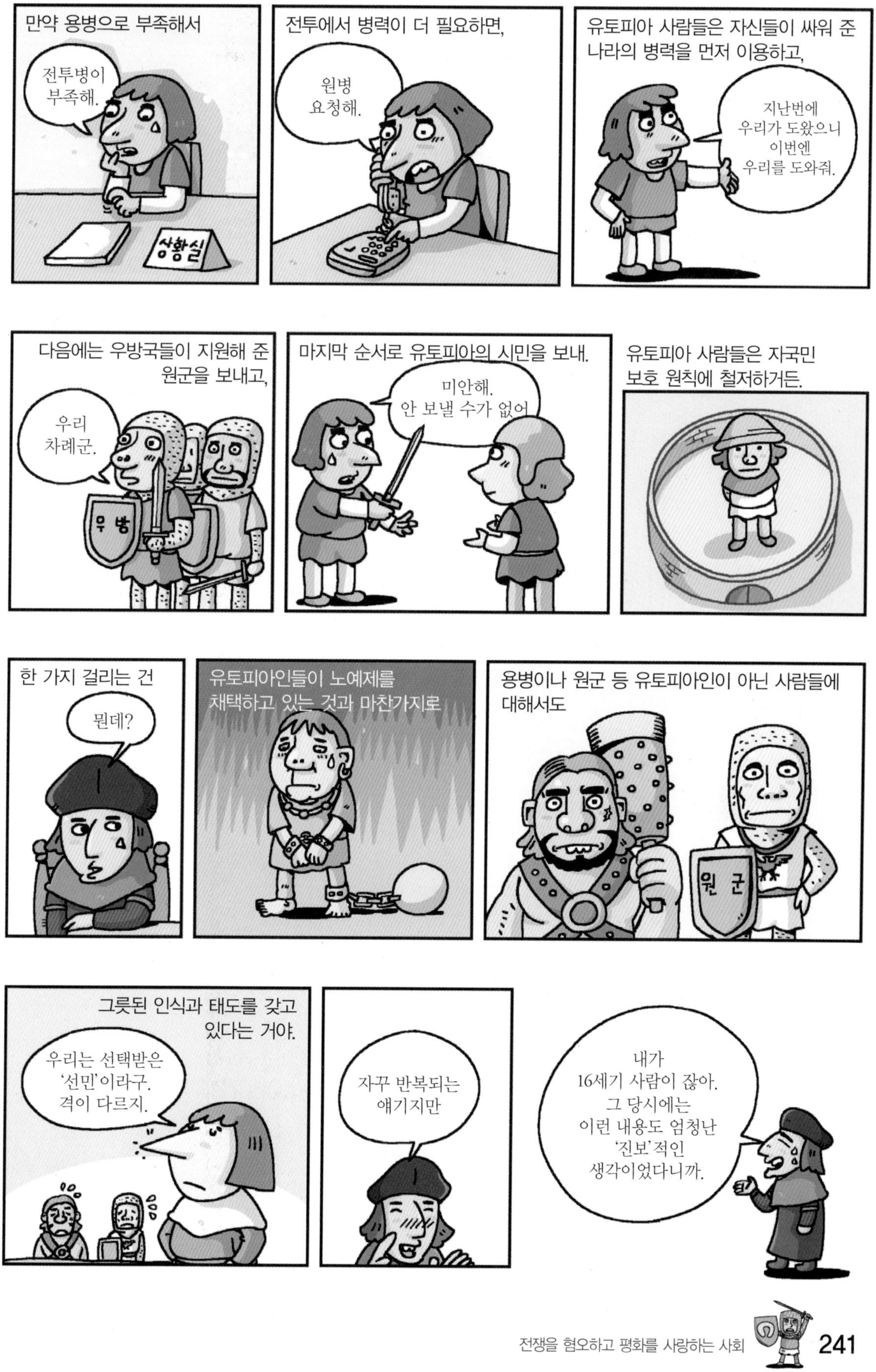
만약 용병으로 부족해서
전투병이 부족해.
상황실
전투에서 병력이 더 필요하면,
원병 요청해.
유토피아 사람들은 자신들이 싸워 준 나라의 병력을 먼저 이용하고,
지난번에 우리가 도왔으니 이번엔 우리를 도와줘.
다음에는 우방국들이 지원해 준 원군을 보내고,
우리 차례군.
우방
마지막 순서로 유토피아의 시민을 보내.
미안해. 안 보낼 수가 없어.
유토피아 사람들은 자국민 보호 원칙에 철저하거든.
한 가지 걸리는 건
뭔데?
유토피아인들이 노예제를 채택하고 있는 것과 마찬가지로
용병이나 원군 등 유토피아인이 아닌 사람들에 대해서도
원군
그릇된 인식과 태도를 갖고 있다는 거야.
우리는 선택받은 '선민'이라구. 격이 다르지.
자꾸 반복되는 얘기지만
내가 16세기 사람이 잖아. 그 당시에는 이런 내용도 엄청난 '진보'적인 생각이었다니까.

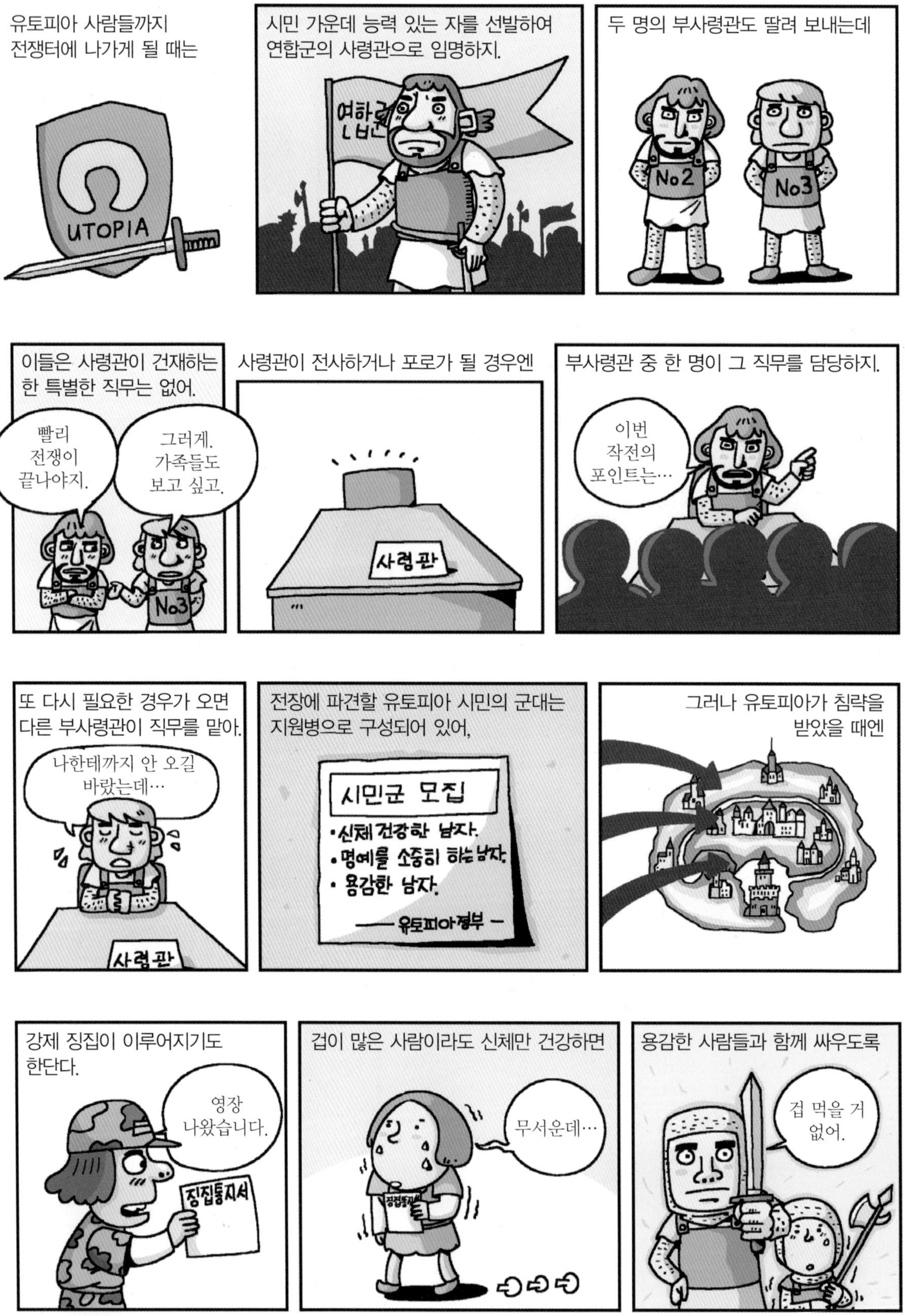
유토피아 사람들까지
전쟁터에 나가게 될 때는
UTOPIA
시민 가운데 능력 있는 자를 선발하여
연합군의 사령관으로 임명하지.
두 명의 부사령관도 딸려 보내는데
No2
No3
이들은 사령관이 건재하는
한 특별한 직무는 없어.
빨리 전쟁이 끝나야지.
그러게. 가족들도 보고 싶고.
No3
사령관이 전사하거나 포로가 될 경우엔
사령관
부사령관 중 한 명이 그 직무를 담당하지.
이번 작전의 포인트는…
또 다시 필요한 경우가 오면
다른 부사령관이 직무를 맡아.
나한테까지 안 오길 바랐는데…
사령관
전장에 파견할 유토피아 시민의 군대는
지원병으로 구성되어 있어,
시민군 모집
•신체 건강한 남자.
•명예를 소중히 하는 남자.
•용감한 남자.
— 유토피아 정부 —
그러나 유토피아가 침략을
받았을 때엔
강제 징집이 이루어지기도
한단다.
영장 나왔습니다.
징집통지서
겁이 많은 사람이라도 신체만 건강하면
무서운데…
용감한 사람들과 함께 싸우도록
겁 먹을 거 없어.

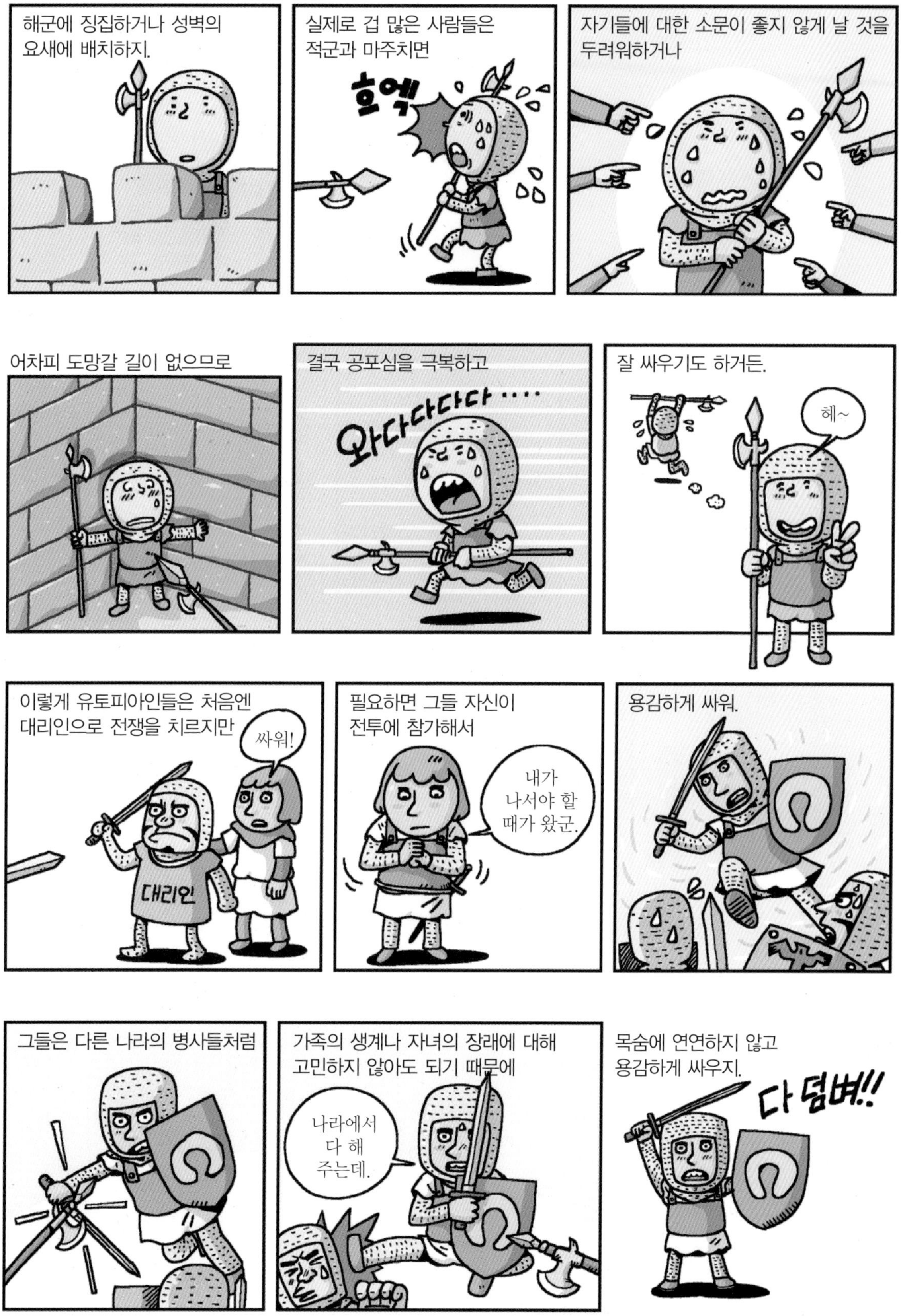
해군에 징집하거나 성벽의
요새에 배치하지.
실제로 겁 많은 사람들은
적군과 마주치면
호엑
자기들에 대한 소문이 좋지 않게 날 것을
두려워하거나
어차피 도망갈 길이 없으므로
결국 공포심을 극복하고
와다다다다 ....
잘 싸우기도 하거든.
헤~
이렇게 유토피아인들은 처음엔
대리인으로 전쟁을 치르지만
싸워!
대리인
필요하면 그들 자신이
전투에 참가해서
내가
나서야 할
때가 왔군.
용감하게 싸워.
그들은 다른 나라의 병사들처럼
가족의 생계나 자녀의 장래에 대해
고민하지 않아도 되기 때문에
나라에서
다 해
주는데.
목숨에 연연하지 않고
용감하게 싸우지.
다 덤벼!!

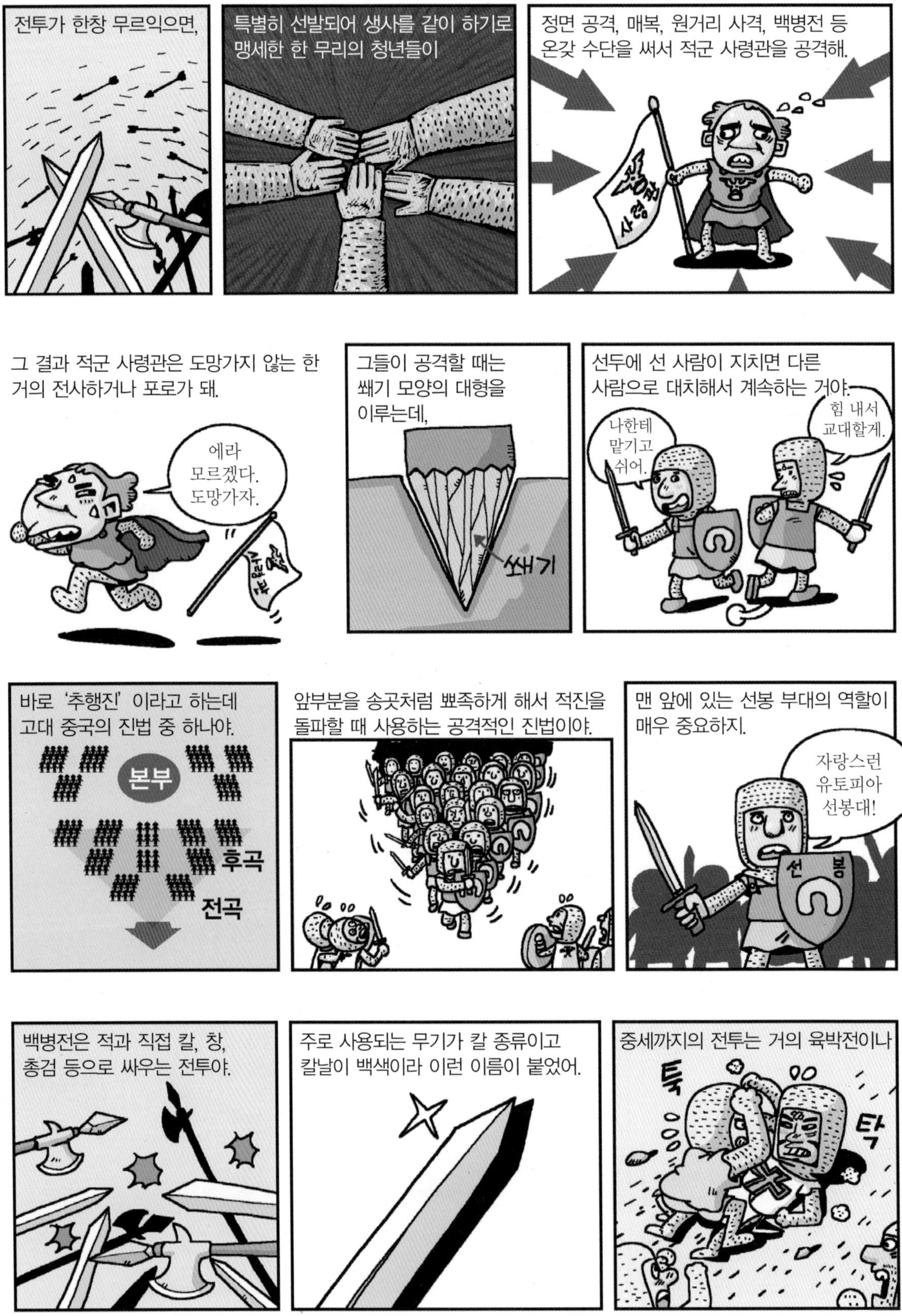
전투가 한창 무르익으면,
특별히 선발되어 생사를 같이 하기로 맹세한 한 무리의 청년들이
정면 공격, 매복, 원거리 사격, 백병전 등 온갖 수단을 써서 적군 사령관을 공격해.
그 결과 적군 사령관은 도망가지 않는 한 거의 전사하거나 포로가 돼.
에라 모르겠다. 도망가자.
그들이 공격할 때는 쐐기 모양의 대형을 이루는데,
쐐기
선두에 선 사람이 지치면 다른 사람으로 대치해서 계속하는 거야.
나한테 맡기고 쉬어.
힘 내서 교대할게.
바로 '추행진' 이라고 하는데 고대 중국의 진법 중 하나야.
본부
후곡
전곡
앞부분을 송곳처럼 뾰족하게 해서 적진을 돌파할 때 사용하는 공격적인 진법이야.
맨 앞에 있는 선봉 부대의 역할이 매우 중요하지.
자랑스런 유토피아 선봉대!
선 봉
백병전은 적과 직접 칼, 창, 총검 등으로 싸우는 전투야.
주로 사용되는 무기가 칼 종류이고 칼날이 백색이라 이런 이름이 붙었어.
중세까지의 전투는 거의 육박전이나
툭
탁

격투 형식의 백병전이라고 할 수 있어.
와!
덤벼라 꼬마야.
와!
와!!
당시에는 백병전으로 발생한 사상자의 수에 의해서
승부가 가려지는 경우가 많았지.
전투에 승리했을 때도 유토피아인들은 절대로 학살을 하지 않아.
WINNER
도망가는 적군도 죽이기보다는 포로로 잡으려고 하지.
꼼짝 마.
그들은 적군을 추격하기 위해 대오를 허물어 뜨리면서까지 전진하지 않고
대오를 유지하라!
오히려 적군 전부를 달아나도록 내버려 둬.
UTOPIA
이것은 유토피아 사람들이, 자신들이 여러 번 쓴 적이 있는 속임수를 기억하고 있기 때문이야.
유토피아식 전술이지.
언젠가 유토피아가 적군과의 싸움에서 허물어져 패색이 짙었을 때,
적군은 승리감에 도취하여 뿔뿔이 흩어져서 각 방면으로 추격을 해 왔어.
조금만 더 와라.
이때 기회를 엿보면서 매복시켜 두었던 소수의 유토피아 예비대에 의해
너희들은 딱 걸렸어.
전세가 단번에 역전되어 결국 유토피아가 승리를 거두었거든.
손 똑바로!!
네

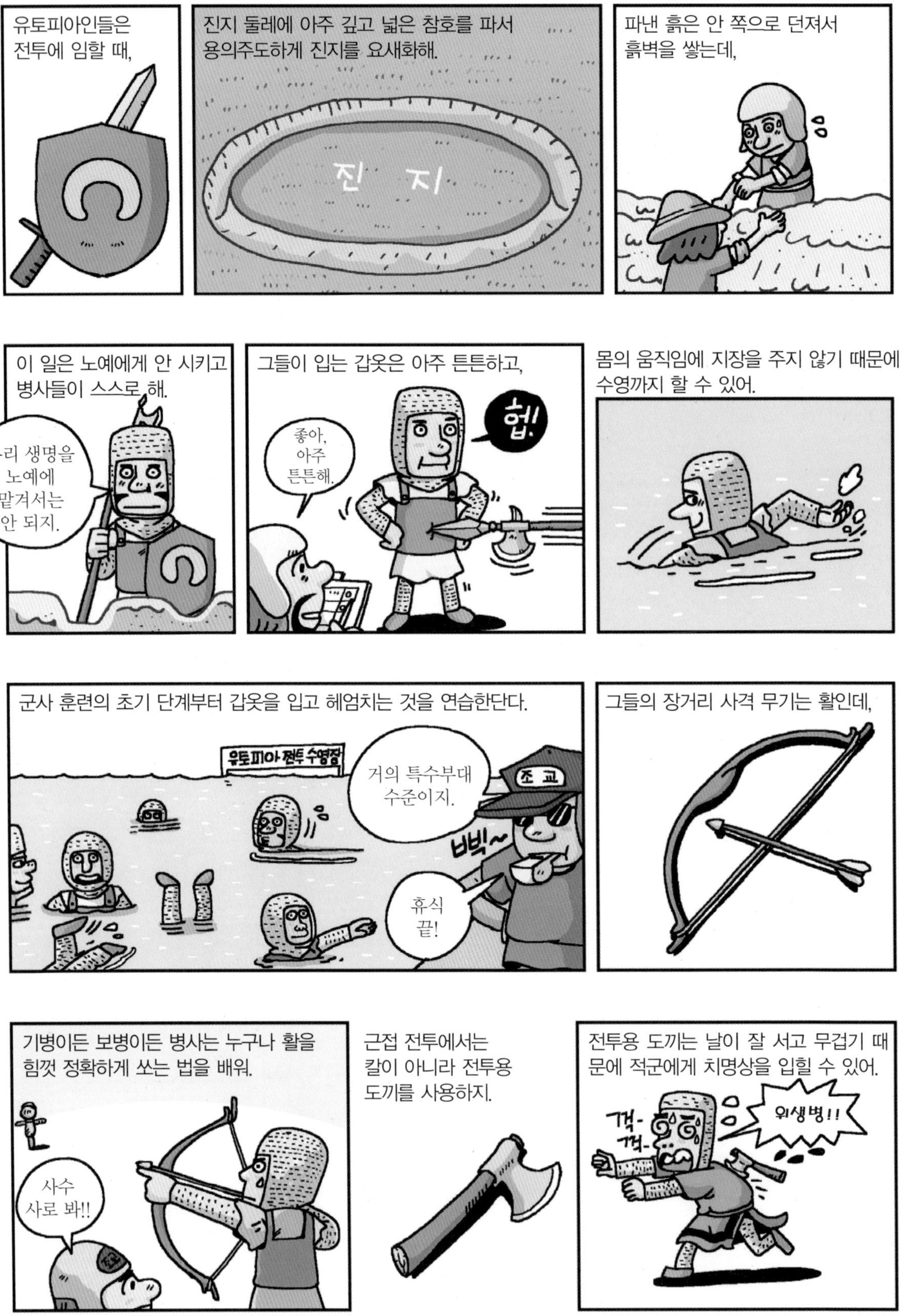
유토피아인들은
전투에 임할 때,
진지 둘레에 아주 깊고 넓은 참호를 파서
용의주도하게 진지를 요새화해.
진 지
파낸 흙은 안 쪽으로 던져서
흙벽을 쌓는데,
이 일은 노예에게 안 시키고
병사들이 스스로 해.
우리 생명을
노예에
맡겨서는
안 되지.
그들이 입는 갑옷은 아주 튼튼하고,
좋아,
아주
튼튼해.
헙!
몸의 움직임에 지장을 주지 않기 때문에
수영까지 할 수 있어.
군사 훈련의 초기 단계부터 갑옷을 입고 헤엄치는 것을 연습한단다.
유토피아 전투 수영장
거의 특수부대
수준이지.
조교
삐빅~
휴식
끝!
그들의 장거리 사격 무기는 활인데,
기병이든 보병이든 병사는 누구나 활을
힘껏 정확하게 쏘는 법을 배워.
사수
사로 봐!!
근접 전투에서는
칼이 아니라 전투용
도끼를 사용하지.
전투용 도끼는 날이 잘 서고 무겁기 때
문에 적군에게 치명상을 입힐 수 있어.
위생병!!

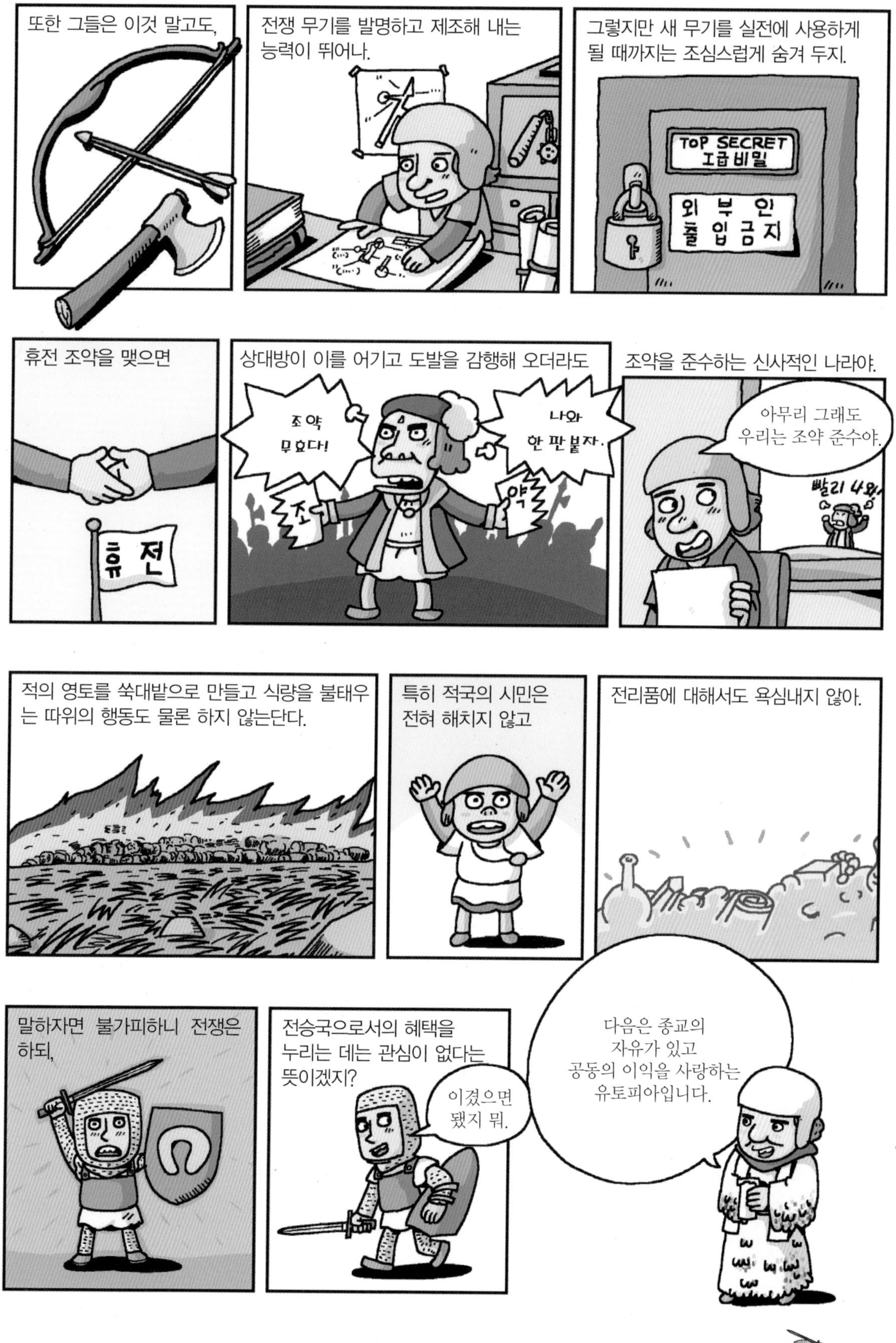

또한 그들은 이것 말고도,
전쟁 무기를 발명하고 제조해 내는 능력이 뛰어나.
그렇지만 새 무기를 실전에 사용하게 될 때까지는 조심스럽게 숨겨 두지.
TOP SECRET
1급비밀
외부인 출입금지
휴전 조약을 맺으면
휴전
상대방이 이를 어기고 도발을 감행해 오더라도
조약 무효다!
나와 한 판 붙자.
조
약
조약을 준수하는 신사적인 나라야.
아무리 그래도 우리는 조약 준수야.
빨리 나와!
적의 영토를 쑥대밭으로 만들고 식량을 불태우는 따위의 행동도 물론 하지 않는단다.
특히 적국의 시민은 전혀 해치지 않고
전리품에 대해서도 욕심내지 않아.
말하자면 불가피하니 전쟁은 하되,
전승국으로서의 혜택을 누리는 데는 관심이 없다는 뜻이겠지?
이겼으면 됐지 뭐.
다음은 종교의 자유가 있고 공동의 이익을 사랑하는 유토피아입니다.

중세 시대의 군대와 용병 제도

중세 유럽의 군대는 그 기원을 고대부터 내려온 부족 중심의 전투 부대에서 찾아볼 수 있어요. 이러한 전투 부대들은 영주에게 속한 기사들과, 그 부하들로 구성되는 중세 봉건 시대의 군대로 발전했답니다. 장원의 영주로부터 영지(땅)를 하사받은 기사들은 일정한 기간 동안 군사적인 의무를 졌습니다. 당시 기사들에게 군사적인 의무는 명예였어요. 기사는 전쟁과 전투를 위해 살았으며, 전투에서 승리해야만 명성을 얻고 부를 누릴 수 있었거든요. 그 시대에 재산이 없는 귀족의 아들들은 직업 군인이 되는 경우도 많았는데, 이들에게는 전쟁은 일터와 같았답니다. 하지만 평민들에게 전쟁에 나가는 것은 단순한 의무에 불과했어요. 그들은 왕이나 영주들의 징집 명령에 따라 복무해야 했으므로 전투를 명예로 여기지는 않았어요.

하지만 14~15세기에 이르러서는 분위기가 많이 달라졌어요. 평민들이 다른 직업보다 상대적으로 수입이 좋은 군인으로 자원하는 일이 많아졌기 때문이에요. 또 전쟁에서 이겼을 때 전리품을 챙기는 일도 큰 미끼가 되었지요. 그래서 하급 기사나 직업 군인들은 약탈할 물건이 많은 부유한 마을이나 성을 공략하는 것을 좋아했답니다. 군인들은 한 도시를 약탈하여 일 년 동안에 받는 보수보다 몇 배나 많은 재물을 모을 수도 있었고, 죽은 병사의 갑옷과 무기를 팔 수도 있었으며, 포로로 잡은 기사를 몸값을 받고 넘겨 줄 수도 있었거든요. 실제

중세 시대 군인들의 복장.

로 포로로 잡힌 기사들의 목숨을 건지기 위해서 높은 액수의 몸값을 지불하는 일이 많았는데, 역사적으로 가장 높았던 몸값은 십자군 원정에서 돌아오다 포로가 된 영국의 리처드 1세를 구하기 위해 독일 왕자에게 지불한 몸값이라고 해요. 이 몸값을 현재의 화폐 가치로 환산하면 약 2,000만 불이 넘는 큰돈이라고 합니다.

중세시대 공성 전투의 모습. 사슬 갑옷과 투 핸드 소드(two hands sword 양손으로 잡고 휘두르는 칼)는 중세 기사들의 일반적인 무기였다.

한편 당시에는 용병이라는 제도도 있었습니다. 용병은 자신이 속한 나라나 영지가 아닌 곳에서 돈을 받고 직업적으로 전쟁에서 전투를 하는 군인들을 일컫는 말이에요. 어떤 사람은 사람을 모아 용병 회사를 설립한 후, 부유한 영주나 왕에게 당장 싸울 수 있는 유능한 병력을 제공하기도 했습니다. 한 가지 무기만을 가지고 전문적으로 전투를 해주는 용병 회사도 있었는데, 그 예로 1346년 크레시 전투 당시 프랑스 군에서 활약했던 스위스 출신의 석궁 병사 2,000명을 들 수 있답니다.

일반적으로 용병들은 잔인한 약탈을 일삼고 각종 불법 행위를 했기 때문에 일반 백성들에게는 악마와 같은 존재였어요.

대표적인 용병으로 프랑스의 찰스 7세가 1439년에 만든 로열 오디넌스 컴퍼니라는 용병 회사를 들 수 있습니다. 이들은 국왕이 지정한 갑옷을 입고, 무기를 소유했는데, 이것이 서양 근대 상비군의 시작이 되었다고 합니다.

NO
WAR

프랑스 외인부대의 사열식 모습.

현대의 용병, 프랑스의 외인부대

프랑스 말로 레종 에트랑제라고 하는데, 1831년 프랑스 국왕 루이 필립 1세가 식민지였던 알제리의 반란을 진압하기 위해 창설한 군대이다. 그 후 프랑스 군대의 일원으로 전 세계 많은 전쟁터에서 활약했으며, 전 세계 138개국 출신으로 약 8,500여명으로 구성되어 있다. 국적에 상관없이 만 17~40세의 남자를 대상으로 선발하며, 훈련 과정이 매우 엄해 대부분 탈락한다고 한다.

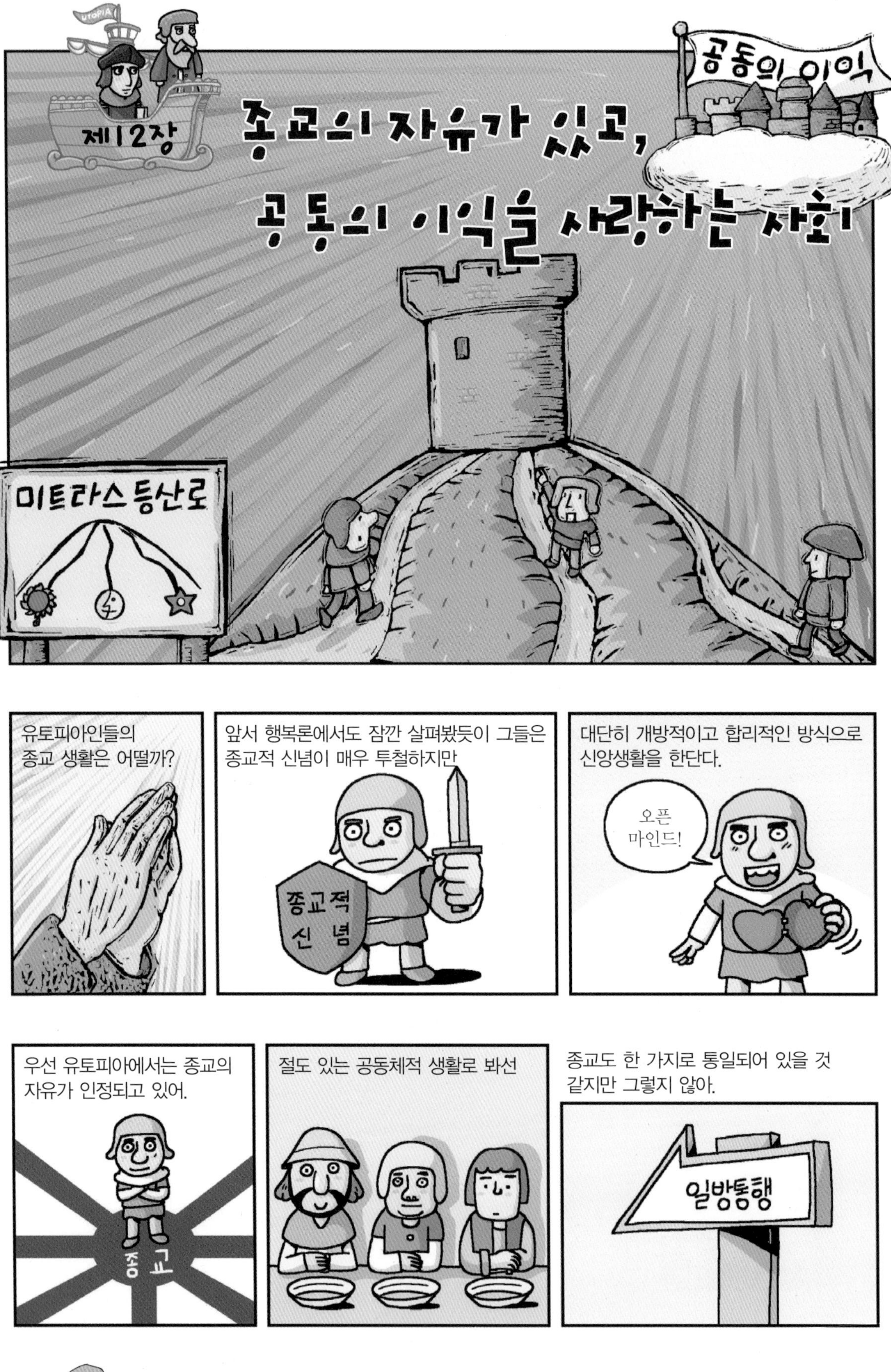
UTOPIA
제12장
공동의 이익
종교의 자유가 있고,
공동의 이익을 사랑하는 사회
미트라스 등산로
유토피아인들의
종교 생활은 어떨까?
앞서 행복론에서도 잠깐 살펴봤듯이 그들은
종교적 신념이 매우 투철하지만
종교적
신 념
대단히 개방적이고 합리적인 방식으로
신앙생활을 한단다.
오픈
마인드!
우선 유토피아에서는 종교의
자유가 인정되고 있어.
종교
절도 있는 공동체적 생활로 봐선
종교도 한 가지로 통일되어 있을 것
같지만 그렇지 않아.
일방통행

태양을 숭배하는 사람,
달을 숭배하는 사람,
별을 숭배하는 사람,
위인을 숭배하는 사람에 이르기까지 실로 다양한 종교와 종교인이 공존하고 있지.
UTOPUS
종교 간에 사이도 아주 좋단다.
UTOPUS
유토피아가 진정 유토피아인 이유는
유토피아는 이 세상에는 없는 것이란 걸 생각해 봐.
아마도 종교 간에 화합이 잘 되고 있다는 점일 거야.
UTOPUS
종교 간의 갈등이
only JESUS!! 오직 예수 뿐!
제…. 발….
얼마나 인류 평화를 위협하는 요소인지
우리는 우리의 신만으로 충분해!
너희들도 어느 정도는 들어서 알겠지?
종교전쟁사
유토피아의 각 종파는 유일한 최고신이 있다는 점에 대해서 모두 동의하고 있어.
게다가 각 종파는 이 신을 '미트라스'라는 동일한 유토피아어로 부른단다.
미트라스
단지, 어느 신이 미트라스인가에 대해서만 종파들 간에 의견이 다르지.
미트라스!
미트라스!
UTOPUS
미트라스!
미트라스!

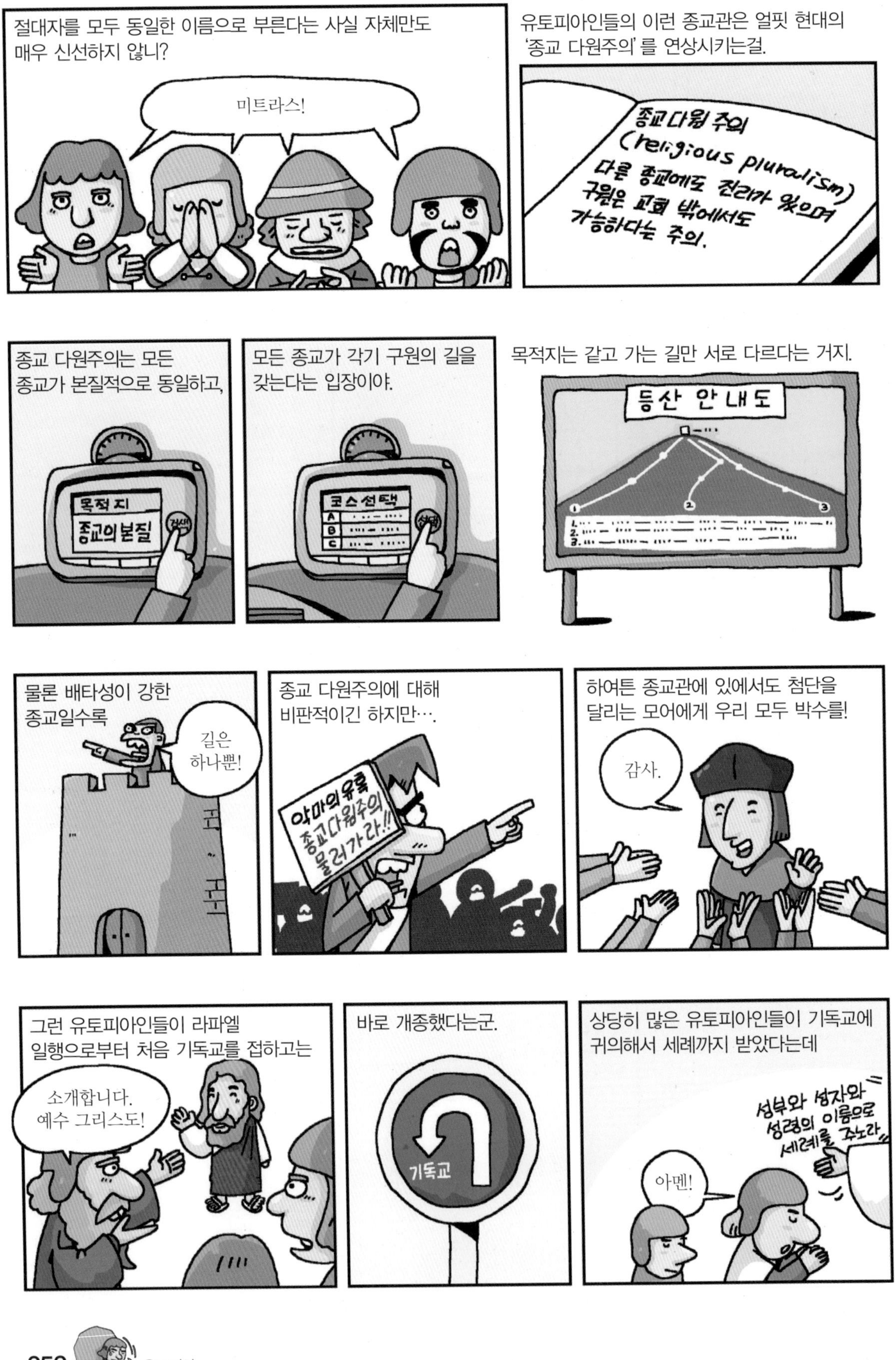
절대자를 모두 동일한 이름으로 부른다는 사실 자체만도
매우 신선하지 않니?
미트라스!
유토피아인들의 이런 종교관은 얼핏 현대의
'종교 다원주의'를 연상시키는걸.
종교다원주의 (religious pluralism)
다른 종교에도 진리가 있으며 구원은 교회 밖에서도 가능하다는 주의.
종교 다원주의는 모든
종교가 본질적으로 동일하고,
목적지
종교의본질
검색
모든 종교가 각기 구원의 길을
갖는다는 입장이야.
코스선택
선택
목적지는 같고 가는 길만 서로 다르다는 거지.
등산 안내도
물론 배타성이 강한
종교일수록
길은 하나뿐!
종교 다원주의에 대해
비판적이긴 하지만….
악마의 유혹 종교다원주의 물러가라!!
하여튼 종교관에 있어서도 첨단을
달리는 모어에게 우리 모두 박수를!
감사.
그런 유토피아인들이 라파엘
일행으로부터 처음 기독교를 접하고는
소개합니다. 예수 그리스도!
바로 개종했다는군.
기독교
상당히 많은 유토피아인들이 기독교에
귀의해서 세례까지 받았다는데
성부와 성자와 성령의 이름으로 세례를 주노라
아멘!

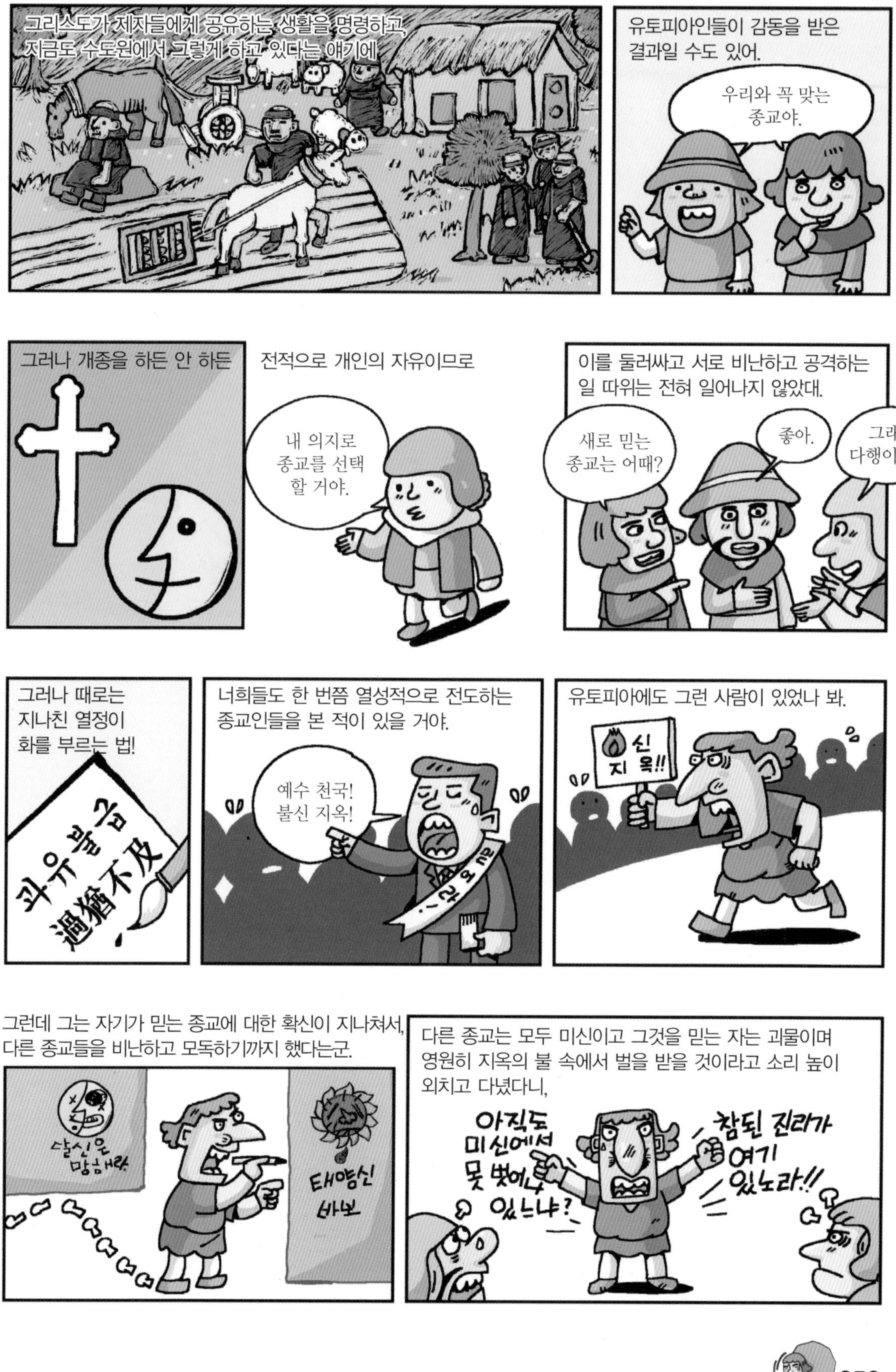
그리스도가 제자들에게 공유하는 생활을 명령하고,
지금도 수도원에서 그렇게 하고 있다는 얘기에
유토피아인들이 감동을 받은 결과일 수도 있어.
우리와 꼭 맞는 종교야.
그러나 개종을 하든 안 하든
전적으로 개인의 자유이므로
내 의지로 종교를 선택할 거야.
이를 둘러싸고 서로 비난하고 공격하는 일 따위는 전혀 일어나지 않았대.
새로 믿는 종교는 어때?
좋아.
그래 다행이다.
그러나 때로는 지나친 열정이 화를 부르는 법!
과유불급
過猶不及
너희들도 한 번쯤 열성적으로 전도하는 종교인들을 본 적이 있을 거야.
예수 천국! 불신 지옥!
유토피아에도 그런 사람이 있었나 봐.
신 지옥!!
그런데 그는 자기가 믿는 종교에 대한 확신이 지나쳐서,
다른 종교들을 비난하고 모독하기까지 했다는군.
달신은 망하리라
태양신 바보
다른 종교는 모두 미신이고 그것을 믿는 자는 괴물이며 영원히 지옥의 불 속에서 벌을 받을 것이라고 소리 높이 외치고 다녔다니,
아직도 미신에서 못 벗어나 있느냐?
참된 진리가 여기 있노라!!

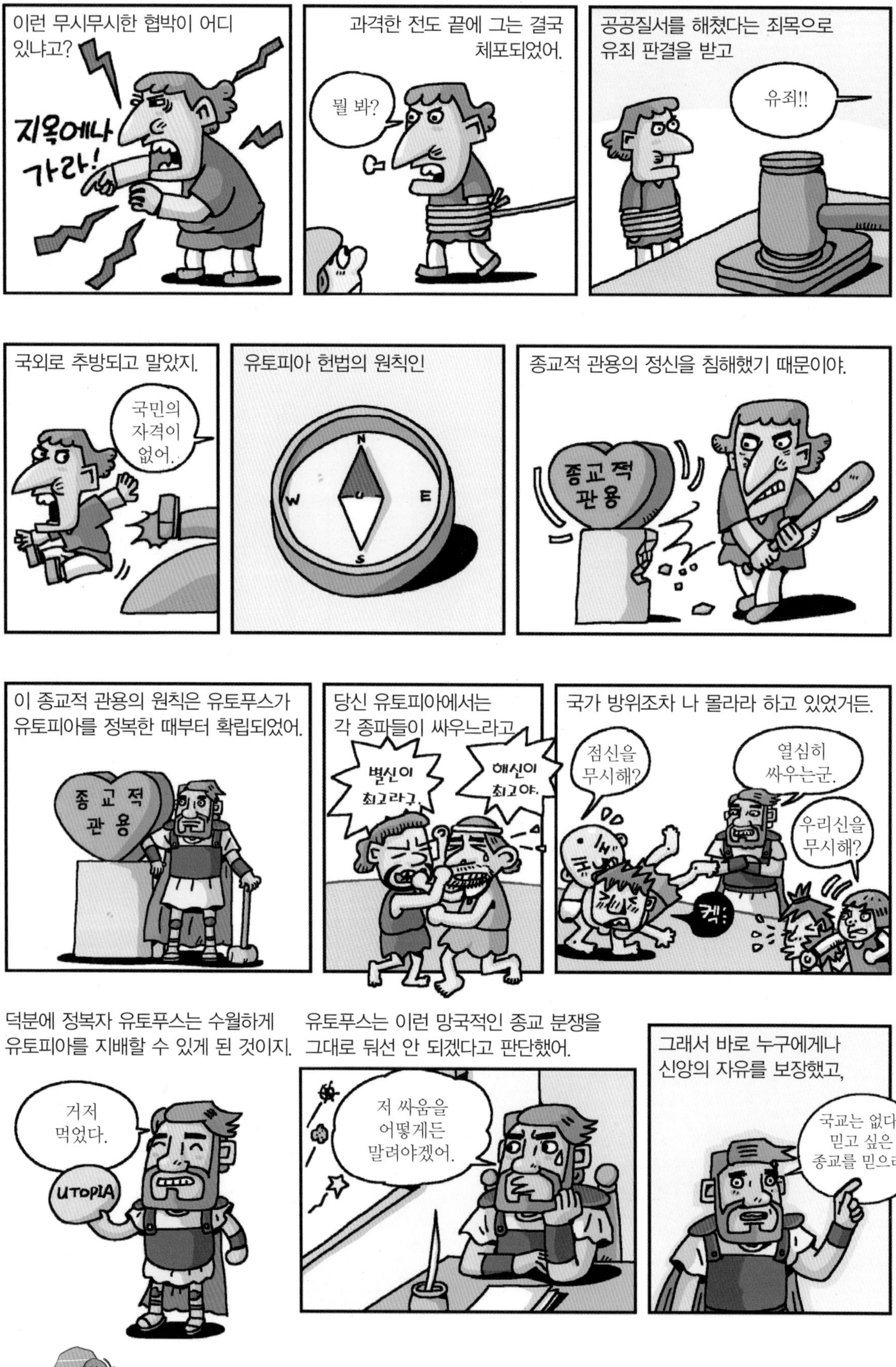
이런 무시무시한 협박이 어디 있냐고?
지옥에나 가라!
과격한 전도 끝에 그는 결국 체포되었어.
뭘 봐?
공공질서를 해쳤다는 죄목으로 유죄 판결을 받고
유죄!!
국외로 추방되고 말았지.
국민의 자격이 없어.
유토피아 헌법의 원칙인
N
W
E
S
종교적 관용의 정신을 침해했기 때문이야.
종교적 관용
이 종교적 관용의 원칙은 유토푸스가 유토피아를 정복한 때부터 확립되었어.
종교적 관용
당신 유토피아에서는 각 종파들이 싸우느라고
별신이 최고라구.
해신이 최고야.
국가 방위조차 나 몰라라 하고 있었거든.
점신을 무시해?
열심히 싸우는군.
우리신을 무시해?
켁!
덕분에 정복자 유토푸스는 수월하게 유토피아를 지배할 수 있게 된 것이지.
거저 먹었다.
UTOPIA
유토푸스는 이런 망국적인 종교 분쟁을 그대로 둬선 안 되겠다고 판단했어.
저 싸움을 어떻게든 말려야겠어.
그래서 바로 누구에게나 신앙의 자유를 보장했고,
국교는 없다. 믿고 싶은 종교를 믿으라.

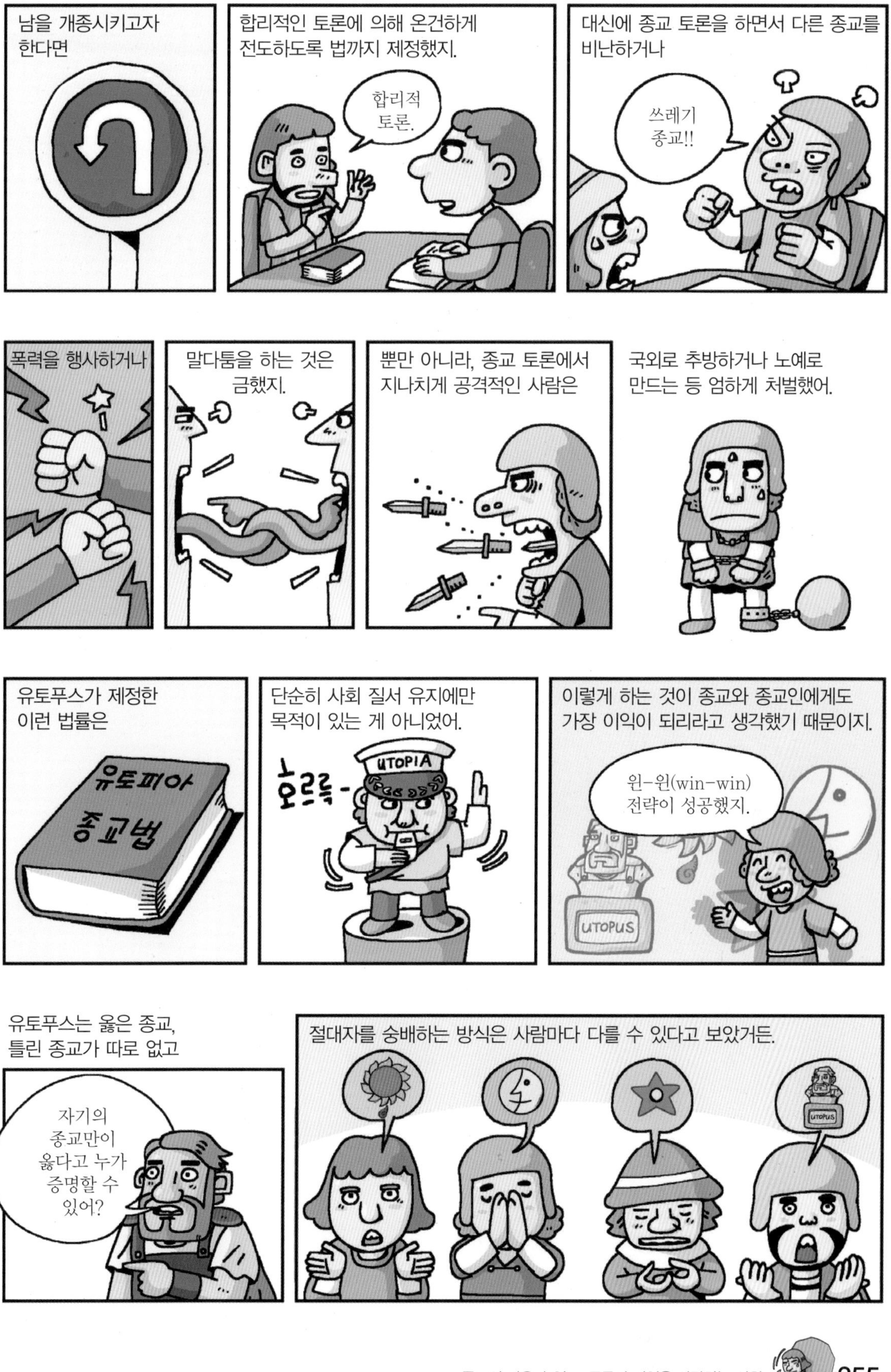
남을 개종시키고자 한다면
합리적인 토론에 의해 온건하게 전도하도록 법까지 제정했지.
합리적 토론.
대신에 종교 토론을 하면서 다른 종교를 비난하거나
쓰레기 종교!!
폭력을 행사하거나
말다툼을 하는 것은 금했지.
뿐만 아니라, 종교 토론에서 지나치게 공격적인 사람은
국외로 추방하거나 노예로 만드는 등 엄하게 처벌했어.
유토푸스가 제정한 이런 법률은
유토피아 종교법
단순히 사회 질서 유지에만 목적이 있는 게 아니었어.
UTOPIA
호르륵-
이렇게 하는 것이 종교와 종교인에게도 가장 이익이 되리라고 생각했기 때문이지.
윈-윈(win-win) 전략이 성공했지.
UTOPUS
유토푸스는 옳은 종교, 틀린 종교가 따로 없고
자기의 종교만이 옳다고 누가 증명할 수 있어?
절대자를 숭배하는 방식은 사람마다 다를 수 있다고 보았거든.
UTOPUS

유토푸스가 어떤 종교를 믿었는지는 모르겠지만
하여튼 열린 마음, 열린 정신의 소유자임이 분명해.
한마디로, 자신의 종교를 타인에게 강권하거나
우리 종교 믿으시라니까요.
화장실
으윽~ 일 좀 보자!!
종교를 이유로 다른 종교를 비난하거나
그것도 종교냐?
쯧쯧
분쟁을 일으키는 행위 등은
종교를 모독하다니?
이 거 못 놔?
종교 자체를 잘못 이해한 데서 비롯된단다.
종교의 맛은 이런 것이구나.
그러니 종교 선택은 어디까지나 개인의 자유이지만
종교와 무관하게 유토피아 사람이라면 모두가 인정하는 전제 조건이 있어.
인정!
인정!
인정!
인정!
그것은 영혼은 육체와 별개로 영원히 존재한다는 것과
우주는 신의 섭리에 의해 움직인다는 것, 두 가지야.
내세는 있어.
이는 곧 내세에 대한 믿음으로 연결되고,
존엄한 인간으로서 도덕적인 삶을 영위하는 토대가 돼.
영혼의 안식을 위해 현세를 잘 살아야 해.

만약에 이렇게 생각하지 않는 사람은 대단히 경멸을 받아.
쳇! 영혼은 무슨…
왜냐하면, 자신에게 있는 불멸의 영혼을 부정하는 것은
귀찮아! 저리 가!!
자기를 곧 짐승과 동일한 존재로 격하시키는 것이므로 사람 대우를 받을 수 없기 때문이지.
형제여…
얜 또 뭐야? 뺏기기 전에 빨리 먹자!
또 영혼을 부정하는 사람은 사후의 처벌을 믿지 않으므로
내일 일도 모르는데 사후는 무슨…
사사로운 이익을 위해 공공의 이익을 무시하고
흥!
나라의 법률을 어길 것이므로, 진정한 유토피아인이 될 수 없다는 거야.
사이비 유토피아인!!
영혼의 존재를 믿기에 그들은 죽음을 슬픈 일로 여기지도 않아.
그렇다고는 해도 죽음에 맞닥뜨렸을 때
하이.
싱글벙글 웃지는 않았겠지?
빨리 가요.
왜 이제야 왔어요? 기다렸어요.
어쨌건 유토피아인들은 죽음을 신의 부름으로 해석하는데
어서 오너라.
죽음을 두려워하는 사람들의 경우는
죽는 게 두려워.
자기 죄를 자기가 알기에 처벌이 무서워 공포를 느낀다고 봤어.
지은 죄가 얼마나 많았으면…
죽기 싫어.
그러게요.

도살장에 끌려오는 소처럼
죽기 싫어!
억지로 끌려오는 사람을
데려오느라 많이 힘들었어요.
신이 환영해 줄 리도 없다고 생각했지.
환영식을 받을 자격이 없어. 취소해.
네~
이런 사람들의 장례식은 침통한 분위기 속에 진행되기 마련이고,
신이여, 이 영혼을 가엾이 여기시고 그의 나약함을 용서하소서.
라고 말하고 나서 시체를 묻는단다.
반면, 신의 부름에 기쁜 마음으로 달려가는
컴 히어!
대다수 유토피아인들의 장례식은 밝고 경건한 분위기에서 치러지지.
참석한 사람들도 전혀 슬퍼하지 않고,
찬송가를 부르면서 시체를 화장하고
고인의 공적을 기리는 비석도 세워.
고인을 기억하며
고인이 행복하고 즐거운 마음으로 죽었다는 점을 기억하며 고인을 회상하지.
행복한 죽음!

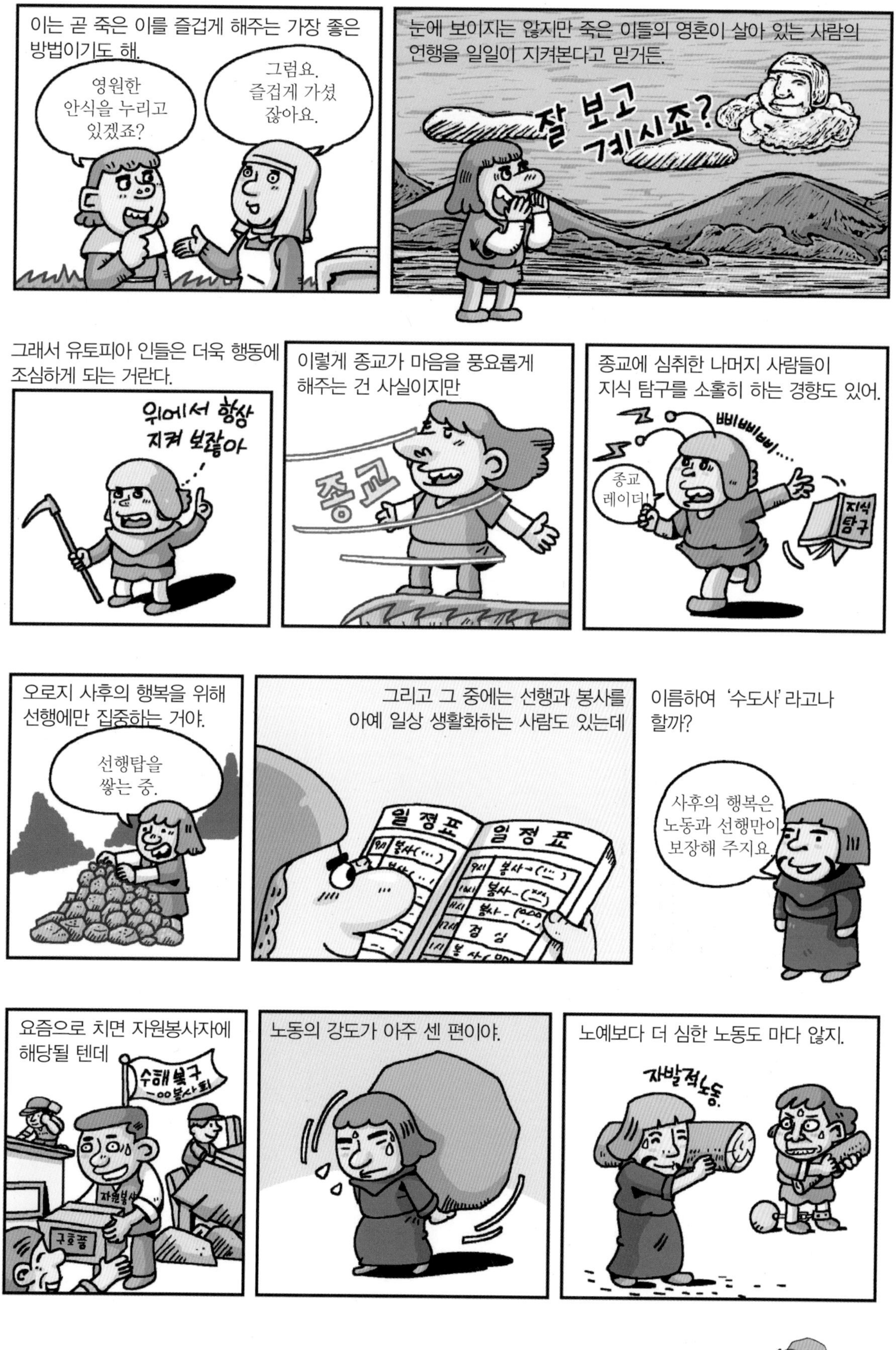

이는 곧 죽은 이를 즐겁게 해주는 가장 좋은 방법이기도 해.
영원한 안식을 누리고 있겠죠?
그럼요. 즐겁게 가셨잖아요.
눈에 보이지는 않지만 죽은 이들의 영혼이 살아 있는 사람의 언행을 일일이 지켜본다고 믿거든.
잘 보고 계시죠?
그래서 유토피아 인들은 더욱 행동에 조심하게 되는 거란다.
위에서 항상 지켜 보잖아
이렇게 종교가 마음을 풍요롭게 해주는 건 사실이지만
종교
종교에 심취한 나머지 사람들이 지식 탐구를 소홀히 하는 경향도 있어.
삐삐삐삐삐….
종교 레이더!
지식 탐구
오로지 사후의 행복을 위해 선행에만 집중하는 거야.
선행탑을 쌓는 중.
그리고 그 중에는 선행과 봉사를 아예 일상 생활화하는 사람도 있는데
일정표
일정표
이름하여 '수도사'라고나 할까?
사후의 행복은 노동과 선행만이 보장해 주지요.
요즘으로 치면 자원봉사자에 해당될 텐데
수해복구 -00봉사회
자원봉사
구호품
노동의 강도가 아주 센 편이야.
노예보다 더 심한 노동도 마다 않지.
자발적 노동.

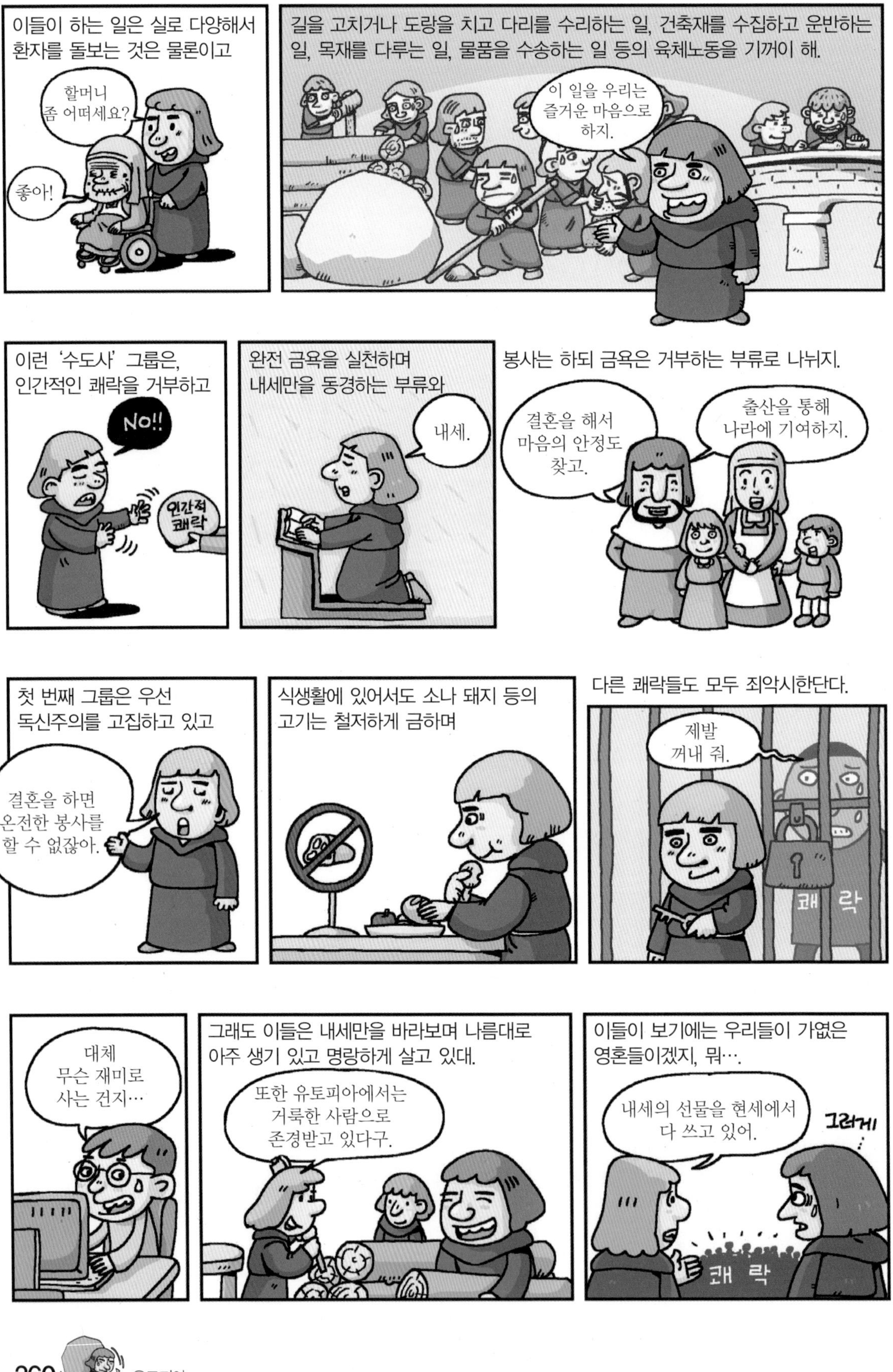

이들이 하는 일은 실로 다양해서 환자를 돌보는 것은 물론이고
할머니 좀 어떠세요?
좋아!
길을 고치거나 도랑을 치고 다리를 수리하는 일, 건축재를 수집하고 운반하는 일, 목재를 다루는 일, 물품을 수송하는 일 등의 육체노동을 기꺼이 해.
이 일을 우리는 즐거운 마음으로 하지.
이런 '수도사' 그룹은, 인간적인 쾌락을 거부하고
No!!
인간적 쾌락
완전 금욕을 실천하며 내세만을 동경하는 부류와
내세.
봉사는 하되 금욕은 거부하는 부류로 나뉘지.
결혼을 해서 마음의 안정도 찾고,
출산을 통해 나라에 기여하지.
첫 번째 그룹은 우선 독신주의를 고집하고 있고
결혼을 하면 온전한 봉사를 할 수 없잖아.
식생활에 있어서도 소나 돼지 등의 고기는 철저하게 금하며
다른 쾌락들도 모두 죄악시한단다.
제발 꺼내 줘.
쾌 락
대체 무슨 재미로 사는 건지…
그래도 이들은 내세만을 바라보며 나름대로 아주 생기 있고 명랑하게 살고 있대.
또한 유토피아에서는 거룩한 사람으로 존경받고 있다구.
이들이 보기에는 우리들이 가엾은 영혼들이겠지, 뭐….
내세의 선물을 현세에서 다 쓰고 있어.
그러게…
쾌 락

유토피아의 성직자들은
대주교는 상징의 의미로 초를 들고 다니지.
사회에서 가장 존경 받는 공직자야.
시민 전체에 의해 비밀투표로 선출되는데
성직자 선거 투표 함
예배를 주관하고
교회 사사무를 관장하며
교회 사무
장부
사회 도덕을 감독할 책임을 진단다.
사회도덕 감독관
성직자가 내리는 경고, 특히 파문은 그 영향력이 커서 파문보다 더 두려운 형벌이 없을 정도야.
파문!
제발 파문만은…
명예가 훼손되는 것은 물론이고 신체적 안전도 위협 당하며
명예
쓰레기통
무엇보다도 신의 복수가 두려워 공포에 떨게 되지.
신께서 곧 복수하실 거야.
덜 덜 덜
사제가 파문된 사람이 뉘우쳤다는 것을 인정해 주지 않으면 불경죄로 체포되어 처벌을 받기도 했어.
인정할 수 없어.
반성문
불경죄로 체포한다.
한편 성직자들은 어린이와 청소년들의 교육도 책임지고 있는데
학문적 훈련과 함께 인성 교육을 담당하지.
예비 사회인들에 대한 정신 교육인 셈이지.
정신교육 강화.
유토피아 정신
유토피아 정신

유토피아의 성직자들은 도덕성과 신앙심이 깊어
성직자님을 화장한 자리에 이런 구슬이 있었어요.
도덕성
신앙심
국내외에서 신망이 두텁고
환
유토피아 성직자님
영
신성불가침한 존재로 여겨져서 죄를 범해도 기소되지 않았단다.
미트라스의 대리인은 미트라스와 같은 거야.
심지어는 유토피아가 적국과 전투를 벌이는 현장에서도
유토피아의 성직자는 사랑과 평화의 수호자 역할을 하지.
전투가 벌어지고 있을 때, 성직자는 싸움터 근처에서 꿇어 앉아 하늘을 향해 두 손을 높이 들고 기도를 해.
우선은 평화를 위해 기도하고,
희생이 없는 승리를 위해 기도하는 거야.
유토피아가 이기면 성직자는 바로 전쟁터로 달려가 더 이상의 폭력과 희생을 막는 거야.
STOP THE WAR!!
UTOPIA
적군의 병사들도 성직자를 소리쳐 부르면 생명을 구할 수 있고,
성직자님!!
멈춰!!
너풀거리는 옷자락을 만지면 재산을 보호받을 수 있어.
이 자의 재산을 보호해 주시오.
가히 국적을 뛰어넘는 권위와 힘을 가졌다고나 할까?

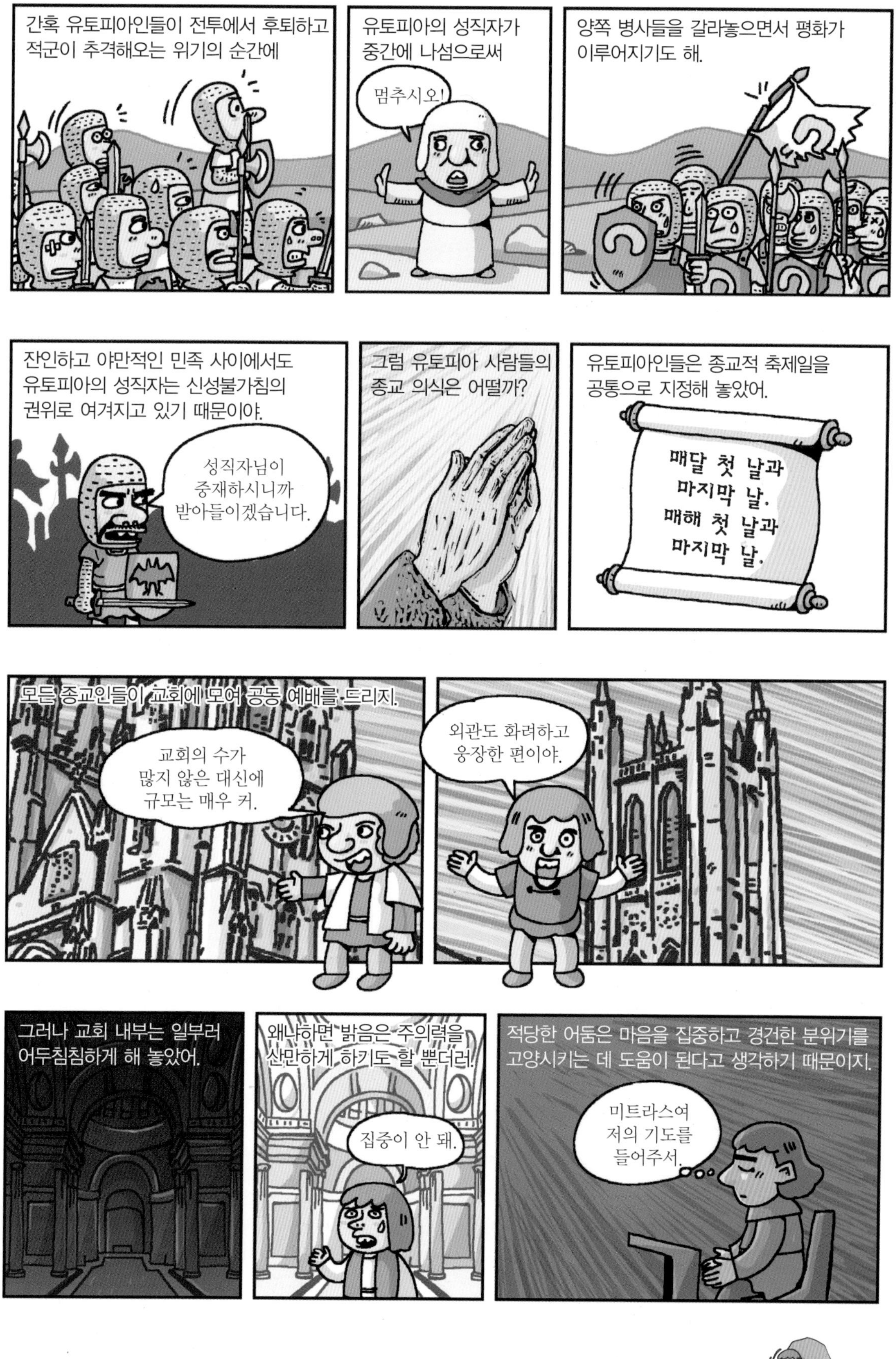
간혹 유토피아인들이 전투에서 후퇴하고 적군이 추격해오는 위기의 순간에
유토피아의 성직자가 중간에 나섬으로써
멈추시오!
양쪽 병사들을 갈라놓으면서 평화가 이루어지기도 해.
잔인하고 야만적인 민족 사이에서도 유토피아의 성직자는 신성불가침의 권위로 여겨지고 있기 때문이야.
성직자님이 중재하시니까 받아들이겠습니다.
그럼 유토피아 사람들의 종교 의식은 어떨까?
유토피아인들은 종교적 축제일을 공통으로 지정해 놓았어.
매달 첫 날과 마지막 날, 매해 첫 날과 마지막 날.
모든 종교인들이 교회에 모여 공동 예배를 드리지.
교회의 수가 많지 않은 대신에 규모는 매우 커.
외관도 화려하고 웅장한 편이야.
그러나 교회 내부는 일부러 어두침침하게 해 놓았어.
왜냐하면 밝음은 주의력을 산만하게 하기도 할 뿐더러
집중이 안 돼.
적당한 어둠은 마음을 집중하고 경건한 분위기를 고양시키는 데 도움이 된다고 생각하기 때문이지.
미트라스여 저의 기도를 들어주서.

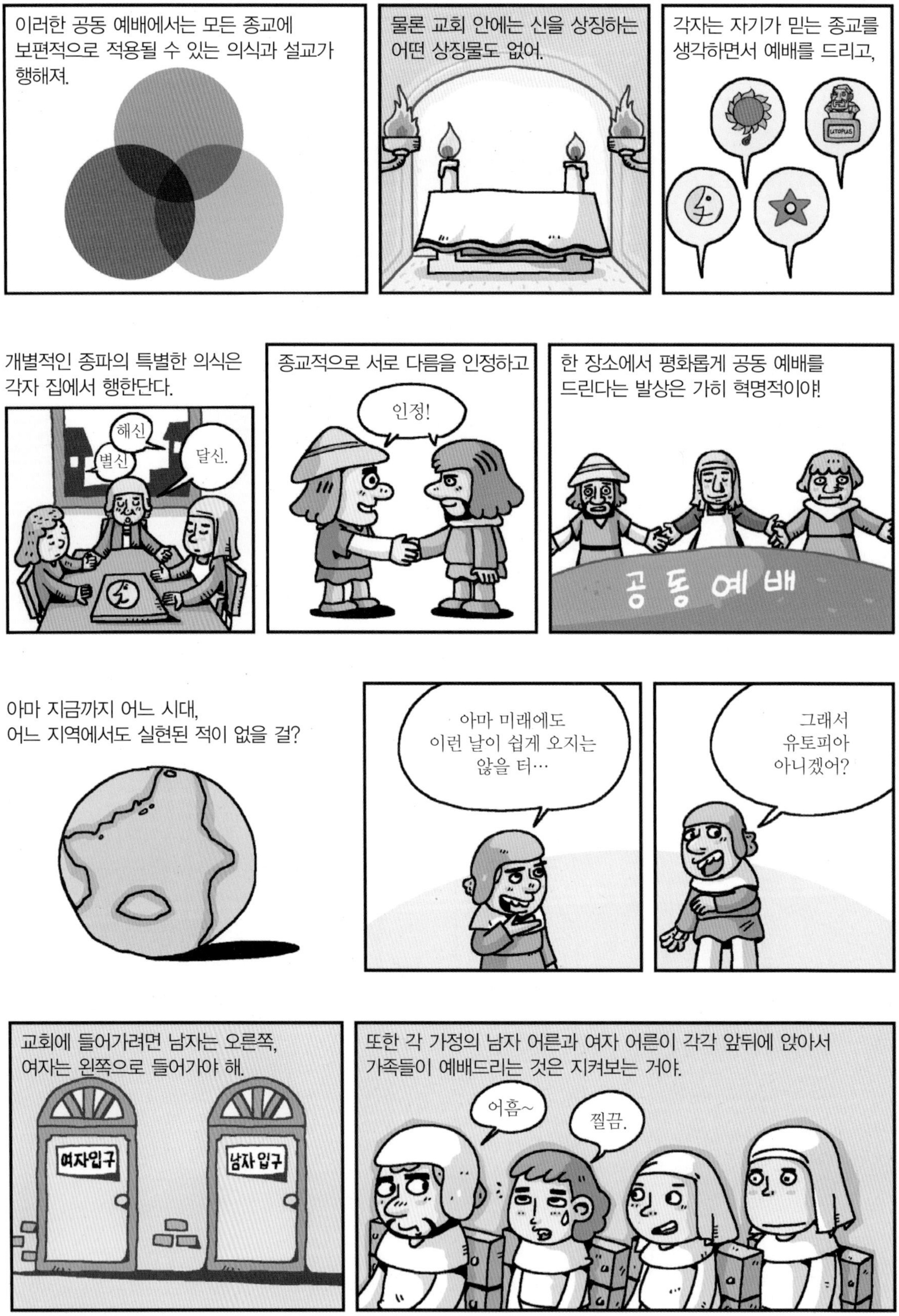
이러한 공동 예배에서는 모든 종교에 보편적으로 적용될 수 있는 의식과 설교가 행해져.
물론 교회 안에는 신을 상징하는 어떤 상징물도 없어.
각자는 자기가 믿는 종교를 생각하면서 예배를 드리고,
UTOPUS
개별적인 종파의 특별한 의식은 각자 집에서 행한단다.
해신
별신
달신.
종교적으로 서로 다름을 인정하고
인정!
한 장소에서 평화롭게 공동 예배를 드린다는 발상은 가히 혁명적이야!
공동 예배
아마 지금까지 어느 시대, 어느 지역에서도 실현된 적이 없을 걸?
아마 미래에도 이런 날이 쉽게 오지는 않을 터…
그래서 유토피아 아니겠어?
교회에 들어가려면 남자는 오른쪽, 여자는 왼쪽으로 들어가야 해.
여자입구
남자 입구
또한 각 가정의 남자 어른과 여자 어른이 각각 앞뒤에 앉아서 가족들이 예배드리는 것은 지켜보는 거야.
어흠~
찔끔.

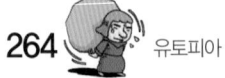

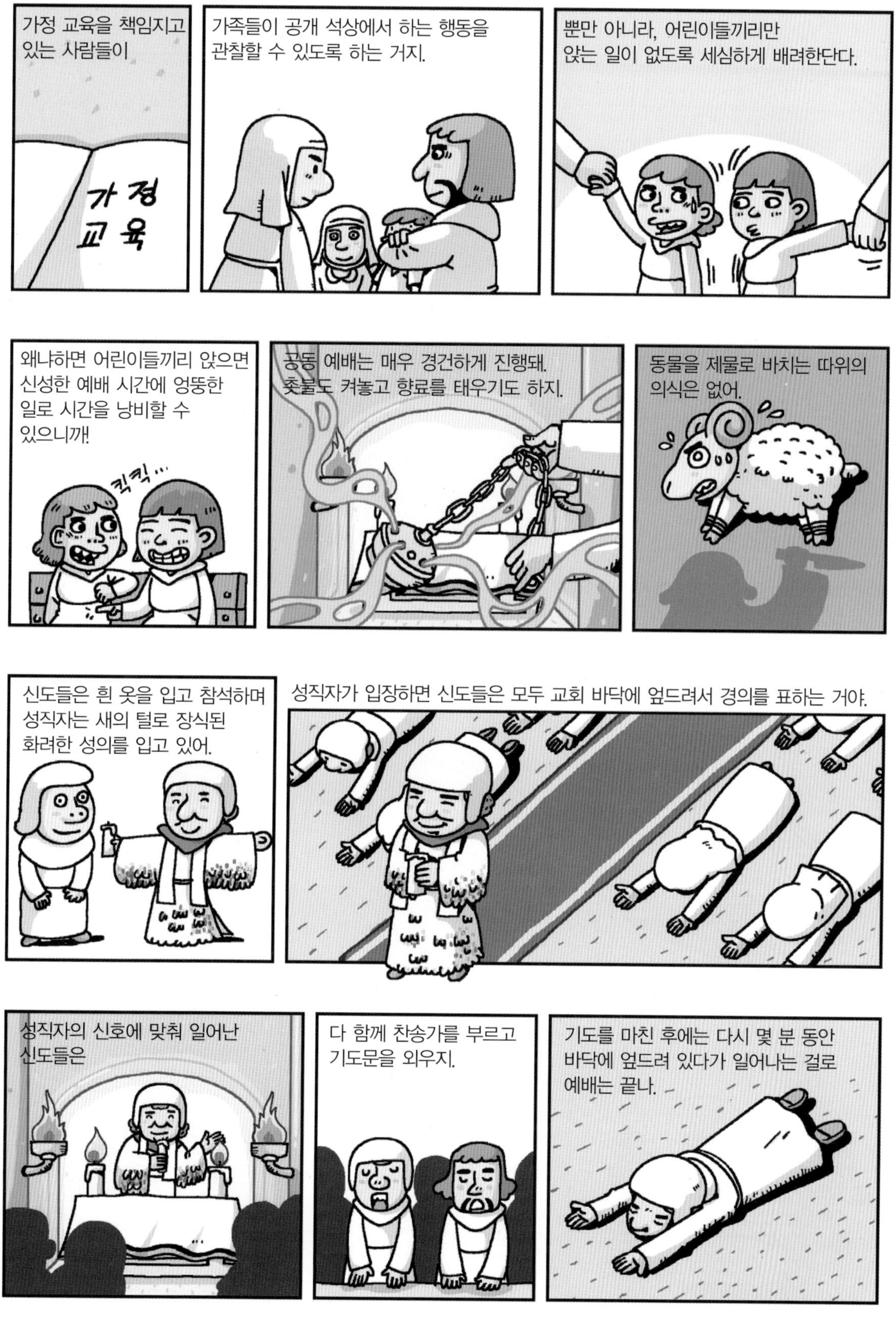

가정 교육을 책임지고 있는 사람들이
가 정 교 육
가족들이 공개 석상에서 하는 행동을 관찰할 수 있도록 하는 거지.
뿐만 아니라, 어린이들끼리만 앉는 일이 없도록 세심하게 배려한단다.
왜냐하면 어린이들끼리 앉으면 신성한 예배 시간에 엉뚱한 일로 시간을 낭비할 수 있으니까!
킥킥...
공동 예배는 매우 경건하게 진행돼. 촛불도 켜놓고 향료를 태우기도 하지.
동물을 제물로 바치는 따위의 의식은 없어.
신도들은 흰 옷을 입고 참석하며 성직자는 새의 털로 장식된 화려한 성의를 입고 있어.
성직자가 입장하면 신도들은 모두 교회 바닥에 엎드려서 경의를 표하는 거야.
성직자의 신호에 맞춰 일어난 신도들은
다 함께 찬송가를 부르고 기도문을 외우지.
기도를 마친 후에는 다시 몇 분 동안 바닥에 엎드려 있다가 일어나는 걸로 예배는 끝나.

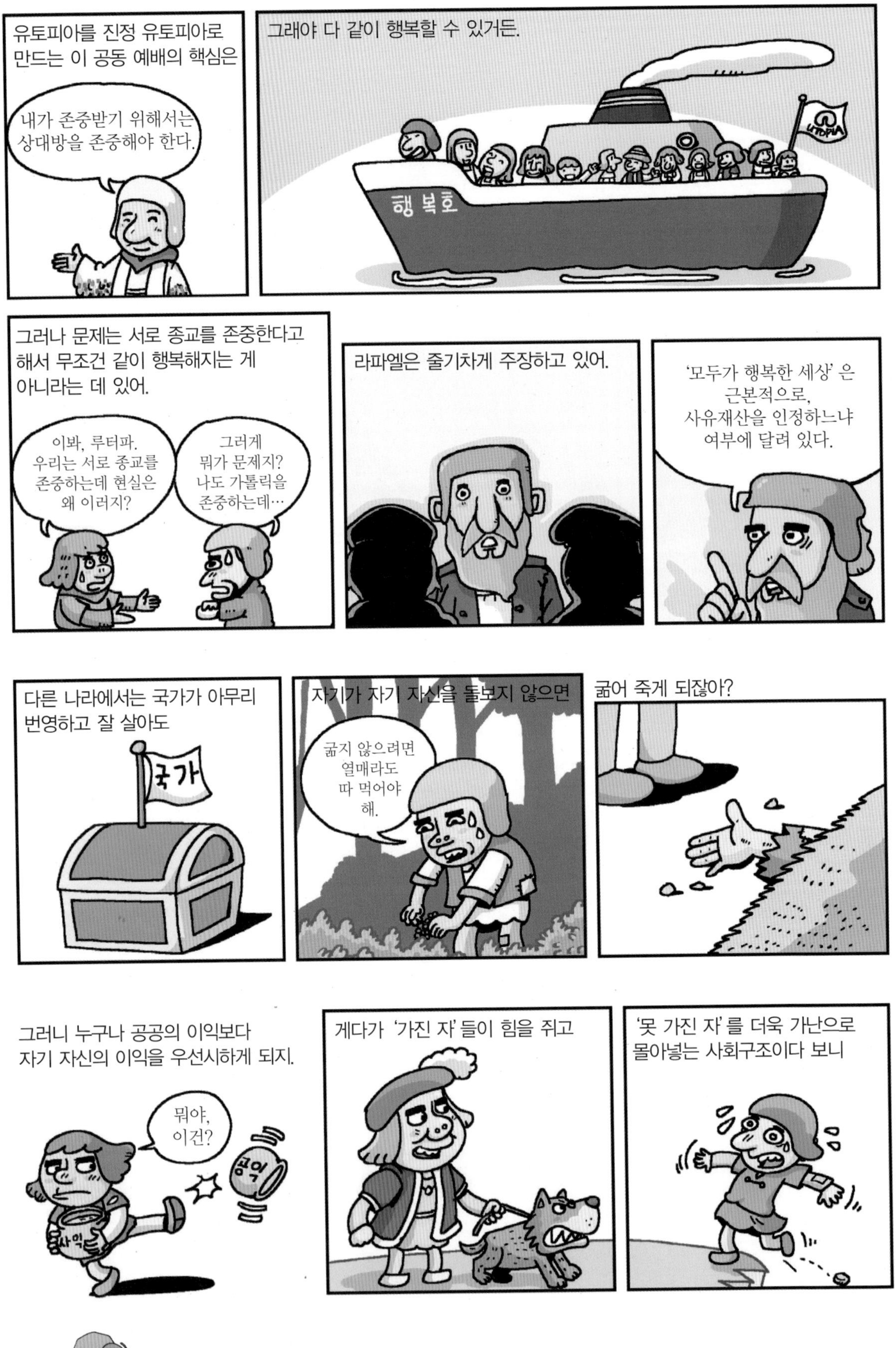
유토피아를 진정 유토피아로 만드는 이 공동 예배의 핵심은
내가 존중받기 위해서는 상대방을 존중해야 한다.
그래야 다 같이 행복할 수 있거든.
UTOPIA
행복호
그러나 문제는 서로 종교를 존중한다고 해서 무조건 같이 행복해지는 게 아니라는 데 있어.
이봐, 루터파. 우리는 서로 종교를 존중하는데 현실은 왜 이러지?
그러게 뭐가 문제지? 나도 가톨릭을 존중하는데…
라파엘은 줄기차게 주장하고 있어.
'모두가 행복한 세상' 은 근본적으로, 사유재산을 인정하느냐 여부에 달려 있다.
다른 나라에서는 국가가 아무리 번영하고 잘 살아도
국가
자기가 자기 자신을 돌보지 않으면
굶지 않으려면 열매라도 따 먹어야 해.
굶어 죽게 되잖아?
그러니 누구나 공공의 이익보다 자기 자신의 이익을 우선시하게 되지.
뭐야, 이건?
공익
사익
게다가 '가진 자' 들이 힘을 쥐고
'못 가진 자' 를 더욱 가난으로 몰아넣는 사회구조이다 보니

빈익빈 부익부의 악순환이 계속되게 마련이고.
뫼비우스의 띠.
별로 하는 일 없이
배가 고프네.
아 함...
풍족하게 살며 사치를 즐기는 귀족들이 있는 반면,
식탁이 이게 뭐야? 먹을 게 없잖아.
끊임없이 노동에 시달리는
노동자, 마부, 목수, 농부 등은
곧 죽을 나보다 더 비참하게 사네.
황소보다도 못한 비참한 생활을 하고 있어.
오히려 사회를 위해 꼭 필요한 일을 하고 있음에도 말이야.
사 회
이런 사회가 과연 공정하고 정의로운 사회일까?
윽!
뿐만 아니라 부자들은 온갖 속임수와 편법으로
주사위는 어디 있을까?
맞추면 소작료 줌
가난한 사람들을 더욱 착취하고 있지.
또 굶었다
맞추면 소작료 줌
흉년이 들어 사람들이 굶어 죽어갈 때
까옥 까옥
부잣집 곳간을 뒤지면 십중팔구 곡식이 쌓여 있게 마련이야.
내일은 비싼 값에 내다 팔아야지!

그러나 유토피아에서는 모든 것이 공동 소유이므로
우리 것!
재산을 가진 사람도 없지만 가난한 사람도, 거지도 없어.
모두가 부자인 셈이지.
요즘으로 치면 쌀값, 기름값 걱정을 할 필요가 없고
보일러에 기름이 떨어졌는데 돈이…
사교육비에 부담을 느끼지 않아도 되고,
애들 학원비라도 벌어보려고…
아줌마! 여기 물!
갑니다
결혼 비용과 사업 자금을 마련하기 위해 대출을 받지 않아도 되는 거야.
은행
은행 문턱이 왜 이리 높은 거야?
대출
집을 사기 위해 허리띠를 졸라매지 않아도 되고 말이야.
넌 꼭 내가 산다.
헙
병원비를 걱정하다 병의 치료 시기를 놓치는 일도 없겠지.
병원비 때문에 꾹 참고 있었는데……
너무 늦었습니다.
사형선고
노후를 대비해서 연금을 들 필요도 없을 거고,
너에게 짐이 되지는 않겠어.
한마디로 모두가 잘 사는 세상, 대대손손 잘 사는 세상이라는 거야.
혼자만 잘 살믄 무슨 재민겨.
전우익*
유토피아에는 돈 자체가 없기 때문에, 돈에 대한 욕망도 없고,
이까짓 종잇조각이 뭐가 좋은 거야?
따라서 돈으로 인한 사회문제와 범죄도 없는 거란다.
아이 참 돈 내놓으라구
킥킥 장난치지 마.

＊전우익 – 수필가. 《혼자만 잘살믄 무슨 재민겨》의 저자.

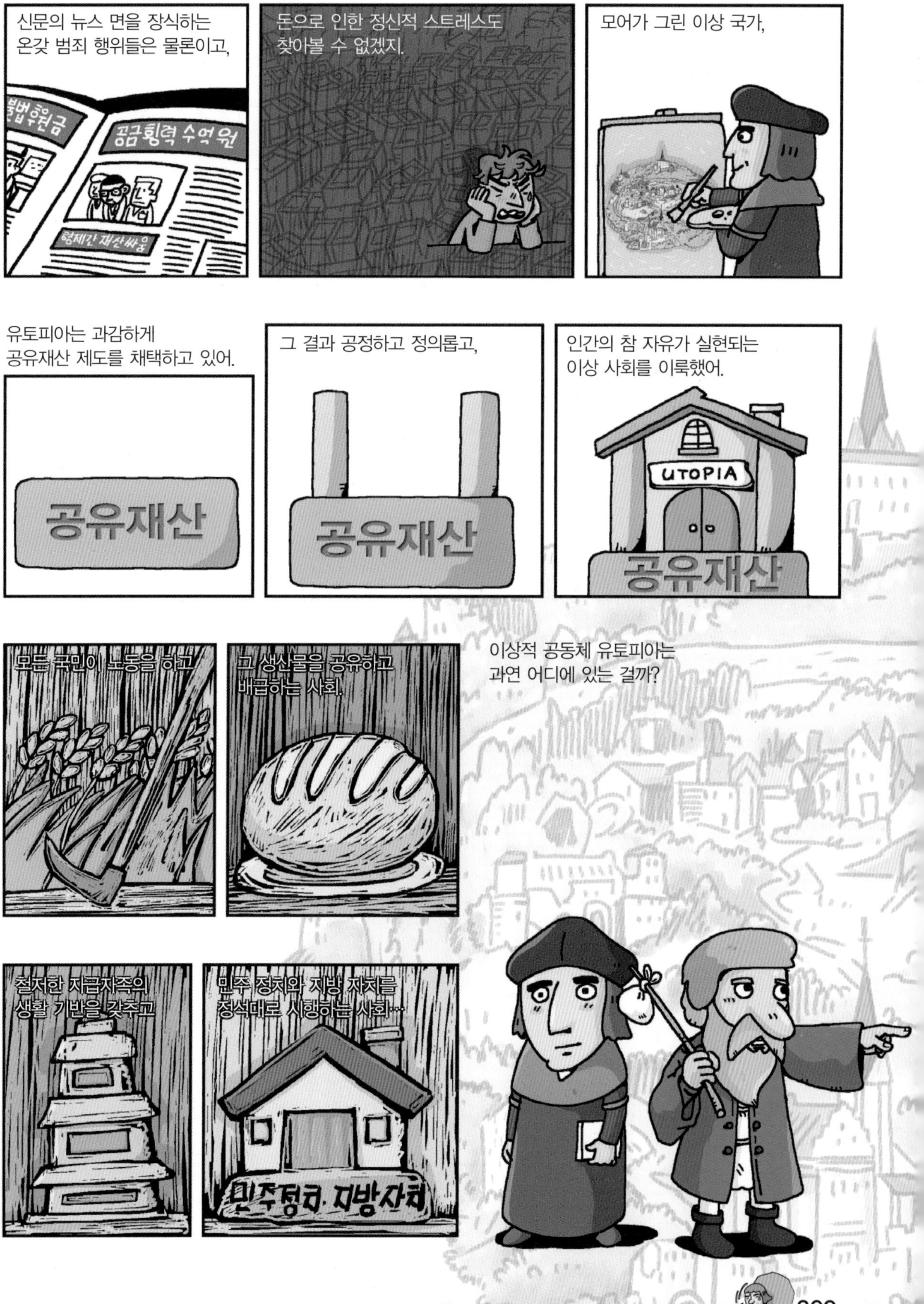

신문의 뉴스 면을 장식하는 온갖 범죄 행위들은 물론이고,
공금횡령 수억 원
형제간 재산싸움
돈으로 인한 정신적 스트레스도 찾아볼 수 없겠지.
모어가 그린 이상 국가,
유토피아는 과감하게 공유재산 제도를 채택하고 있어.
공유재산
그 결과 공정하고 정의롭고,
공유재산
인간의 참 자유가 실현되는 이상 사회를 이룩했어.
UTOPIA
공유재산
모든 국민이 노동을 하고
그 생산물을 공유하고 배급하는 사회.
이상적 공동체 유토피아는 과연 어디에 있는 걸까?
철저한 자급자족의 생활 기반을 갖추고
민주 정치와 지방 자치를 정석대로 시행하는 사회…
민주정치. 지방자치

종교 다원주의

오늘날은 전 세계에 많은 종류의 종교가 다양하게 분포하고 있는 종교 다양성의 시대라고 할 수 있습니다. 인구의 수로 종교 분포 비율을 살펴보면, 이슬람교가 21.9%로 가장 많고, 다음으로 무교가 15.1%예요. 가톨릭은 14.88%, 힌두교는 14.28%, 개신교는 10.91%, 불교는 6.47%의 순서랍니다. 이들 종교 외에도 유대교, 시크교, 자이나교, 조로아스터교 등 실로 많은 종교가 존재하지요.

종교는 오랜 세월 사람들의 삶에 큰 영향을 끼쳤으며, 특히 사람들의 정신세계를 잘 표현하고 있는 단면이라고 할 수도 있습니다. 각각의 종교는 자신들의 종교의 교리와 뜻을 담은 경전을 가지고 있지요. 또한 종교는 다양한 문화와 민족들의 지혜를 전달하는 데 크게 기여하기도 했어요. 하지만 종교는 서로 다른 종교를 가진 민족과 국가 사이의 갈등과 분쟁의 원인이 되기도 했어요. 이러한 까닭으로 오늘날에 와서 절대 종교란 있을

종교전쟁은 종교와 신앙을 표면에 내걸고 있지만 대부분은 신을 핑계로 다른 세속적인 이권을 얻기 위해 치러진다. 교황과 세속의 황제의 탐욕, 동방의 부에 대한 막연한 동경 등이 어우러져 일어나게 된 십자군 전쟁 역시 표면적으로는 성지 수복이라는 신성한 임무를 외쳤다.

수 없고 모든 종교는 상대적이라고 주장하는 종교 다원주의가 탄생하게 되었답니다.

종교 다원주의는 각 종교를 어떤 특수하고 유일한 종교로 바라보지 않고 다양한 여러 가지 종교들 가운데 하나로 봅니다. 종교 다원주의의 기본 입장은 모든 종교들이 제시하는 진리에는 그 나름대로의 타당성이 있을 뿐 아니라 적어도 그것을 받아들이는 사람들에게는 절대적인 영향을 미치므로 결코 특정 종교의 기준이 타 종교를 가늠하는 잣대가 될 수 없다는 것이에요. 따라서 모든 종교는 본질적으로 동일하므로 그 어떤 종교도 절대성, 혹은 우월성을 주장할 수 없다는 거지요.

두 종교가 공존하는 사원 메스키타 : 780년 아브둘 라흐만 1세에 의해 서고트 왕국의 '가톨릭 성당'이 있었던 자리에 건립된 메스키타는 이슬람 사원이다. 이후 스페인의 카를로스 5세가 다시 르네상스 양식의 가톨릭 성당을 사원 내부에 세웠고, 입구를 모두 막아 빛을 차단시켰다. 그래서 메스키타는 가톨릭과 이슬람교가 공존하는 독특한 사원이 되었다. 종교에 대한 증오에서 시작된 건축이 이제는 이슬람 문화와 고딕, 로마네스크, 바로크 양식이 혼합된 문명과 종교의 공존을 보여주는 셈이다.

종교 다원주의의 기원에 대해서는 다양한 의견이 있어요. 미국 하버드대학의 비교 종교학 교수인 스미스에 의하면, 종교 다원주의는 제국주의적 선교 정책의 최일선에 있던 선교사들과 비교 종교학자들에 의해 생겼다고 해요. 제국주의의 침탈이 아주 심했던 18, 19세기 유럽의 강국들이 약소국을 점령하면 기독교의 선교사가 뒤따라 들어가 기독교를 전파했는데, 서구 식민주의와 함께 일종의 제국주의적 선교를 했다고 해요. 따라서 토착 종교 세력과 아주 많은 마찰을 일으키고, 심지어 많은 선교사들이 목숨을 잃기도 했답니다. 그러자 선교사들 중 일부는 토착 종교와의 교류를 주장하며 기독교 외의 다른 종교를 인정하려는 움직임을 보이기 시작했지요.

토마스 모어 유토피아

손영운 글 | 최정규 그림

01 《유토피아》를 쓴 사람은 누구일까요?

① 괴테 ② 톨스토이 ③ 프랭클린
④ 토마스 모어 ⑤ 프로이트

02 '유토피아'란 무엇을 의미할까요?

① 성이 '유'씨인 사람들이 모여 사는 마을의 이름
② 유럽 대륙의 옛 이름
③ 아메리카 대륙의 옛 이름
④ 인간이 꿈꾸는 가장 이상적인 곳
⑤ 세계에서 가장 큰 동물원 이름

03 다음 중 《유토피아》 책과 거리가 먼 내용을 고르세요.

① 노예가 전혀 없는 평등한 세상을 이야기했다.
② 르네상스 운동의 방향을 제시해 주었다.
③ 유럽 사회의 억압적인 정치 상황을 비판하고 있다.
④ 좀 더 인간답게 사는 이상적인 사회를 제시하고 있다.
⑤ 남자와 여자의 평등한 교육을 주장했다.

04 《유토피아》를 쓴 토마스 모어에 대한 설명이 아닌 것을 고르세요.

① 15세기 유럽에서 가장 뛰어난 과학자였다.

② 나중에 로마 교황청에서 성인이라는 칭호를 부여받았다.

③ 젊은 나이로 변호사가 되었다가 하원 의원에 당선되었다.

④ 교육을 제대로 받지 못한 아내에게 라틴어와 음악을 가르쳐 주기도 했다.

⑤ 헨리 8세는 그를 최고 법관인 동시에 수상에 해당하는 상서경이라는 자리에 임명했다.

05 토마스 모어가 《유토피아》를 위해 창조한 가상의 인물로 책에서 열띤 토론을 벌이는 인물은 누구일까요?

① 소크라테스 ② 플라톤 ③ 뉴턴

④ 에디슨 ⑤ 라파엘

06 《유토피아》에서 라파엘이 선원들에게 선물한 물건으로 다음과 같은 기능을 가진 것은 무엇일까요?

침으로 방위를 알 수 있도록 만든 기구이다. 자석이 지구의 양극을 향하는 성질을 이용한 것이다. 처음 만들어 사용한 사람은 중국인이다.

① 바늘 ② 종이 ③ 볼펜 ④ 나침반 ⑤ 화살

07 다음은 무엇에 대한 설명일까요?

중세 말기 유럽 시대의 농업 말살 정책과 관련이 깊다. 원래 미개간지 등 공동 이용이 가능한 토지에 경계선을 쳐서 만든 사유지를 뜻한다. 이것 때문에 농부들은 거지가 되는 등 비참한 생활을 해야 했다.

---

08 아래의 글이 설명하고 있는 것은 무엇일까요?

개인 또는 사법인이 자유의사에 따라 사용하거나 처분할 수 있는 개인 재산이다. 플라톤은 '통치 계급'은 이것을 가져서는 안 된다고 주장했다. 토마스 모어는 이 제도가 존재하는 한 모든 사람들이 행복해지는 것은 불가능하다고 했다.

---

09 유토피아를 대륙에서 분리시켜 섬으로 만들고 무지한 야만인이었던 원주민들을 지혜로운 시민으로 만든 초인적인 인물의 이름은 무엇일까요?

---

05 ⑤ : 에디슨, 뉴턴은 그 시대에 태어나지 않은 인물입니다. / 06 ④

07 인클로저(enclosure) : 중세 말기 영국은 크고 작은 전쟁 등으로 귀족이나 지주 계급의 재정적 부담이 늘어나자 이익이 많이 나는 양모의 생산량을 늘리려고 경작지나 주택지까지 모조리 목장으로 만들었는데, 이를 인클로저라고 합니다.

08 사유 재산

09 유토푸스(Utopos) : 유토피아를 건설한 지도자. 유토피아도 그의 이름을 따서 만들었습니다.

10 유토피아가 침략을 받았을 때, 우방 국가가 침략을 받았을 때, 우방 국가에서 독재자를 몰아내야 할 때

정답

01 ④ / 02 ④ : 유토피아는 그리스어 Ou와 topos를 조합하여 만든 단어로, 원래의 뜻은 no – where, 즉 '이 세상 어디에도 없는 곳'입니다. 그러므로 실현 불가능할 정도로 인간의 가장 고귀한 이상을 담아 만든 곳이라는 의미를 가집니다.

03 ① : 《유토피아》는 노예 제도가 있고 이웃 나라를 식민지로 삼는 등 당시의 시대상을 반영한, 시대적인 한계가 있는 책이기도 합니다. 르네상스는 그리스 로마 문화를 모범으로 삼아 학문과 예술을 부활시키고, 인간적인 문화를 창조하려는 문화 운동을 말합니다.

04 ① : 토마스 모어는 관리이면서 정치가, 인문학자라고 할 수 있고, 과학자와는 거리가 멉니다.

10 유토피아의 시민들은 전쟁을 불명예스럽게 여기는 사람들이지만 예외적으로 몇 가지 경우에는 전쟁을 하기도 합니다. 유토피아 시민들은 어떤 경우에 전쟁을 할까요?

NO
WAR